문제로 쉬워지는 중학영문법

그래더 클라우드

3000제

LEVEL **2**

그래머 클라우드 3000제
문제를 풀며 중학영문법의 개념을 잡는다!

- **한눈에 이해되는!** 문장 구조를 시각화한 문법 포인트별 개념 정리
- **단계별로 학습하는!** 개념확인 문제와 기본연습 문제로 이해하고, 실전 문제로 마무리
- **학교 시험 만점 맞는!** 틀리기 쉬운 내신포인트를 확인하며 정답 적중률 높이기

학습자의 마음을 읽는 **동아영어콘텐츠연구팀**

동아영어콘텐츠연구팀은 동아출판의 영어 개발 연구원, 현장 선생님,
그리고 전문 원고 집필자들이 공동연구를 통해 최적의 콘텐츠를 개발하는 연구조직입니다.

원고 개발에 참여하신 분들

고미라 박현숙 원혜진 윤희진 이정아 정혜진

교재 기획에 도움을 주신 분들

김기성 김나영 김설하 김효성 박정미 윤혜영 이지혜

문제로 쉬워지는 중학영문법

그래머 클라우드

3000제

LEVEL 2

구성과 특징

POINT별 문법 개념 이해하기

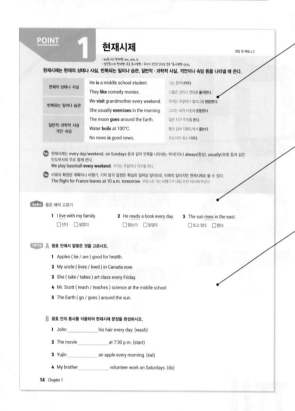

1 핵심 문법 Point 학습

학교 시험 대비에 꼭 필요한 문법 포인트를 정확한 설명과 시각화한 문장 구조도를 통해 익힙니다.

2 개념 확인

배운 문법의 기본적인 개념을 잘 이해했는지 간단한 문제로 확인합니다.

3 기본 연습

문법 포인트별 꼭 맞는 유형으로 많은 연습 문제를 풀며 문법 사항을 자연스럽게 이해합니다.

4 틀리기 쉬운 내신포인트

시험에 꼭 나오지만 틀리기 쉬운 내신 포인트를 확인함으로써 실제 학교 시험에서 정답 적중률을 높입니다.

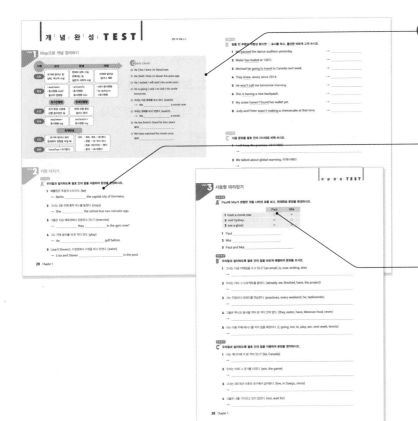

2 통합하여 개념 완성하기

[개념완성 TEST]

1 **STEP 1** Map으로 개념 정리하기

해당 Chapter의 문법 내용을 이해하기
쉽게 시각화한 Map을 통해 문법 개념을
정리합니다.

2 **STEP 2** 기본 다지기

해당 Chapter의 문법 내용을 통합하여
연습 문제를 풀며 실력을 다집니다.
(빈칸 완성, 오류 수정, 문장 전환 등)

3 **STEP 3** 서술형 따라잡기

해당 Chapter의 문법 내용을 통합하여
서술형에 많이 나오는 유형을 집중적으로
훈련합니다.
(그림 이해, 영작 완성, 문장 영작 등)

3 실제 학교 시험 유형으로 내신 대비하기

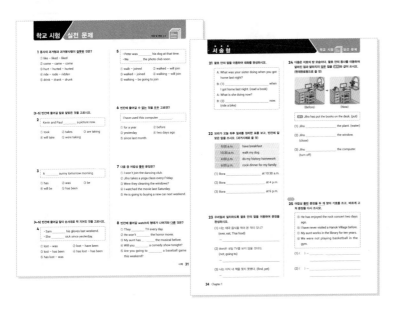

[학교 시험 실전 문제]

해당 Chapter의 문법 내용을 바탕으로
학교 시험에서 자주 출제되는 객관식과
서술형 문제를 풀며 내신 시험에 완벽하게
대비합니다.

차례

문법 기초 다지기 ⋯⋯⋯⋯⋯⋯ 8

CHAPTER

1 시제

POINT
1	현재시제	14
2	동사의 과거형과 과거분사형	15
3	과거시제	17
4	미래시제	18
5	현재진행형	19
6	과거진행형	21
7	현재완료의 개념과 형태	22
8	현재완료의 용법	24
9	과거시제 vs. 현재완료	26
•	개념완성 TEST	28
•	학교 시험 실전 문제	31

CHAPTER

2 조동사

POINT
1	조동사의 쓰임	36
2	조동사의 부정문과 의문문	37
3	can	38
4	may	40
5	will	41
6	must, have to	42
7	should, had better	44
8	used to, do	45
•	개념완성 TEST	46
•	학교 시험 실전 문제	49

CHAPTER

3 to부정사

POINT
1	to부정사의 형태와 쓰임	54
2	명사적 용법: 주어 역할	55
3	명사적 용법: 보어, 목적어 역할	57
4	명사적 용법: 의문사+to부정사	58
5	형용사적 용법	60
6	부사적 용법	62
7	to부정사의 의미상 주어	63
8	too ~ to, enough to	64
•	개념완성 TEST	65
•	학교 시험 실전 문제	69

CHAPTER

4 동명사

POINT
1	동명사의 형태와 쓰임	74
2	동명사를 목적어로 쓰는 동사	76
3	동명사와 to부정사 둘 다 목적어로 쓰는 동사	78
4	동명사의 관용 표현 I	80
5	동명사의 관용 표현 II	81
•	개념완성 TEST	82
•	학교 시험 실전 문제	85

CHAPTER

5 분사와 분사구문

POINT

1	분사의 형태와 쓰임	90
2	현재분사와 과거분사	91
3	현재분사 *vs.* 동명사	93
4	감정을 나타내는 분사	94
5	분사구문 만드는 법	96
6	분사구문의 다양한 의미	97
•	개념완성 TEST	98
•	학교 시험 실전 문제	101

CHAPTER

6 수동태

POINT

1	수동태의 형태	106
2	수동태의 시제	108
3	수동태의 부정문과 의문문	110
4	조동사가 있는 수동태	112
5	by 이외의 전치사를 쓰는 수동태	113
•	개념완성 TEST	114
•	학교 시험 실전 문제	117

CHAPTER

7 명사와 대명사

POINT

1	셀 수 있는 명사와 셀 수 없는 명사	122
2	셀 수 없는 명사의 수량 표현	124
3	재귀대명사	125
4	재귀대명사의 관용 표현	126
5	부정대명사 one, another	127
6	부정대명사 other	128
7	부정대명사 some	129
8	each, every, all, both	130
9	의문대명사	131
•	개념완성 TEST	132
•	학교 시험 실전 문제	135

CHAPTER

8 형용사, 부사, 비교구문

POINT

1	형용사의 쓰임	140
2	-thing/-body/-one+형용사	141
3	수량형용사	142
4	부사의 쓰임과 형태	144
5	주의해야 할 부사	145
6	빈도부사	146
7	비교급과 최상급 만드는 법	147
8	비교급 비교	148
9	최상급 비교	150
10	원급 비교	152
•	개념완성 TEST	154
•	학교 시험 실전 문제	157

차례

CHAPTER 9 문장의 종류

POINT

1 명령문+and/or 162

2 부가의문문 163

3 의문사 의문문 164

4 간접의문문: 의문사가 있는 경우 166

5 간접의문문: 의문사가 없는 경우 168

● 개념완성 TEST 170

● 학교 시험 실전 문제 173

CHAPTER 10 문장의 구조

POINT

1 1형식 178

2 2형식 179

3 3형식 180

4 4형식 181

5 5형식: 명사/형용사를 목적격보어로 쓰는 동사 182

6 5형식: to부정사를 목적격보어로 쓰는 동사 184

7 5형식: 사역동사 185

8 5형식: 지각동사 186

● 개념완성 TEST 187

● 학교 시험 실전 문제 191

CHAPTER 11 접속사

POINT

1 등위접속사 196

2 상관접속사 197

3 시간의 접속사 198

4 조건의 접속사 199

5 이유·양보의 접속사 200

6 목적·결과의 접속사 202

7 다양한 의미를 나타내는 접속사 203

8 접속사 that 204

● 개념완성 TEST 206

● 학교 시험 실전 문제 209

CHAPTER 12 관계사

POINT

1 관계대명사 214

2 주격 관계대명사 215

3 목적격 관계대명사 217

4 소유격 관계대명사 219

5 관계대명사 what 220

6 관계대명사의 생략 222

7 관계부사 223

8 관계부사의 종류 224

● 개념완성 TEST 226

● 학교 시험 실전 문제 229

CHAPTER

13 가정법

POINT
1 조건문 vs. 가정법   234

2 가정법 과거   235

3 가정법 과거완료   237

4 I wish 가정법   239

5 as if 가정법   241

● 개념완성 TEST   242

● 학교 시험 실전 문제   245

CHAPTER

14 일치와 화법

POINT
1 시제 일치   250

2 시제 일치의 예외   252

3 평서문의 직접화법과 간접화법   253

4 의문문의 화법 전환   255

5 도치   257

● 개념완성 TEST   258

● 학교 시험 실전 문제   261

2학년 교과서 문법 연계표 ·········· 265

문법 기초 다지기

8품사

품사는 각각의 단어를 기능에 따라 나눈 것으로, 영어에는 다음과 같이 8개의 품사가 있다.

(명사 | 대명사 | 동사 | 형용사 | 부사 | 전치사 | 접속사 | 감탄사)

명사

명사는 사람이나 사물, 장소 등, **모든 것에 붙여진 이름**이다. 문장에서 주어, 목적어, 보어로 쓰인다.

예시 book, tree, cat, desk, teacher, friendship, Brian, Korea 등

Brian is a famous **singer**. Brian은 유명한 가수이다.

My **family** will travel **Jeju-do**. 우리 가족은 제주도를 여행할 것이다.

대명사

대명사는 앞에 나온 명사를 반복해서 쓰지 않기 위해 **명사를 대신해서 쓰는 말**이다. 문장에서 주어, 목적어, 보어로 쓰인다.

예시 I, you, he, she, they, your, us, theirs, myself, it, this, that 등

Amy and **her** sister went to the theater. Amy와 그녀의 언니는 극장에 갔다.

John has a nice car. **He** washes **it** every week.

John은 멋진 자동차를 가지고 있다. 그는 매주 그것을 세차한다.

동사

동사는 사람, 동물, 사물의 **동작이나 상태를 나타내는 말**이다.

예시 be, go, play, run, have, like, watch, make 등

We **are** very tired now. 우리는 지금 매우 피곤하다.

She **played** the piano for me. 그녀는 나를 위해 피아노를 연주했다.

형용사

형용사는 **명사의 색깔이나 모양, 크기, 성질 등을 나타내는 말**로, 명사나 대명사를 꾸미거나 보충 설명한다.

예시 tall, short, beautiful, cute, hungry, long 등

She has **long** hair. 그녀는 긴 머리카락을 가지고 있다.

The boys were **hungry**. 그 소년들은 배고팠다.

부사

부사는 **시간, 장소, 방법, 정도, 빈도 등을 나타내는 말**로, 동사, 형용사, 다른 부사를 꾸며 준다.

예시 very, really, slowly, fast, late, early, carefully 등

He drives **carefully** in the rain. 그는 빗길에서 주의깊게 운전한다.

The black horse is **very** fast. 그 검은 말은 매우 빠르다.

전치사

전치사는 **명사나 대명사 앞에 놓여 시간, 장소, 수단 등의 뜻을 더해 주는 말**이다.

예시 at, on, in, under, for, during, by, from, to, with 등

They went **to** Busan **by** train. 그들은 기차를 타고 부산에 갔다.

I lived **in** New York **with** my family. 나는 가족들과 함께 뉴욕에서 살았다.

접속사

접속사는 **단어와 단어, 구와 구, 절과 절을 연결해 주는 말**이다.

예시 and, but, or, so, that, because, if, after 등

She bought a pencil **and** an eraser. 〈단어+단어〉 그녀는 연필과 지우개를 샀다.

He will go jogging **or** play tennis. 〈구+구〉 그는 조깅을 하거나 테니스를 칠 것이다.

We stayed at home **because** it rained heavily. 〈절+절〉

비가 심하게 왔기 때문에 우리는 집에 머물렀다.

감탄사

감탄사는 **말하는 사람의 기쁨, 슬픔, 놀람 등의 감정을 표현하는 말**이다.

예시 oh, wow, oops, hooray 등

Wow, that's a great car! 와, 저것은 멋진 자동차다!

Oh, the music is beautiful! 오, 음악이 아름답다!

Quiz

다음 단어들의 품사를 쓰시오.

1 family ( )   **2** make ( )

3 kind ( )   **4** quietly ( )

5 but ( )   **6** by ( )

7 oops ( )   **8** you ( )

| 정답 | 1. 명사 2. 동사 3. 형용사 4. 부사 5. 접속사 6. 전치사 7. 감탄사 8. 대명사

문장의 구성 요소

문장은 단어를 조합하여 내용을 표현한 것이다. 문장을 이루는 구성 요소에는 주어, 동사, 목적어, 보어가 있다.

| 주어 | 동사 | 목적어 | 보어 |

주어

주어는 **동작이나 상태의 주체가 되는 말**로, 우리말의 '누가, 무엇이'에 해당한다. 주로 문장의 맨 앞에 온다.

She has many good friends. 그녀는 좋은 친구들이 많다.
The books are very popular. 그 책들은 매우 인기가 많다.

동사

동사는 **주어의 동작이나 상태를 나타내는 말**로, 우리말의 '~이다, ~하다'에 해당한다. 주로 주어 뒤에 온다.

He **is** a middle school student. 그는 중학생이다.
They **danced** on the stage. 그들은 무대 위에서 춤을 췄다.

목적어

목적어는 **동사의 대상이 되는 말**로, 우리말의 '누구를, 무엇을'에 해당한다. 주로 동사 뒤에 온다.

She baked **cookies** for her friends. 그녀는 친구들을 위해 쿠키를 구웠다.
We studied **math** in the library. 우리는 도서관에서 수학을 공부했다.

보어

보어는 **주어나 목적어를 보충 설명해 주는 말**로, 주로 동사 뒤에 온다.

He became **a scientist**. 그는 과학자가 되었다.
The news made me **sad**. 그 뉴스는 나를 슬프게 만들었다.

Quiz

밑줄 친 부분이 문장의 구성 요소 중 무엇에 해당하는지 쓰시오.

1 Alice reads many books.
　(　　)　(　　　)

2 They were very late for school.
　　(　　　) (　　　)

3 He walks his dog in the morning.
　(　　)(　　　)

4 We keep the room clean.
　(　　)　(　　　)

단어와 구, 절

두 개 이상의 단어가 모여 하나의 품사 역할을 하는 것을 구나 절이라고 한다.

단어	구	절

단어

단어는 의미를 가진 문자의 조합을 말한다.

예시 boy, flower, computer, love, they, make, cute, very, and, under, wow 등

구

구는 두 개 이상의 단어가 모여 명사, 형용사, 부사처럼 쓰이는 것으로, 주어와 동사를 포함하지 않는 것을 말한다.

Studying math is interesting. 〈명사구〉 수학을 공부하는 것은 흥미롭다.

The girl **dancing on the stage** is my sister. 〈형용사구〉
무대 위에서 춤추는 그 소녀는 내 여동생이다.

He gets up late **on Sundays**. 〈부사구〉 그는 일요일에 늦게 일어난다.

절

절은 주어와 동사를 포함한 두 개 이상의 단어가 모여 문장 내에서 명사, 형용사, 부사처럼 쓰이는 것을 말한다.

I think **that my mom is wise**. 〈명사절〉 나는 우리 엄마가 현명하다고 생각한다.

I have a friend **who is good at singing**. 〈형용사절〉 나는 노래를 잘하는 친구가 있다.

He took a taxi **because he was late**. 〈부사절〉 그는 늦었기 때문에 택시를 탔다.

Quiz

밑줄 친 부분이 무엇에 해당하는지 고르시오.

1 My hobby is <u>listening to music</u>.　　　(단어 / 구 / 절)

2 The puppy is <u>cute</u>.　　　(단어 / 구 / 절)

3 I took a walk <u>after I had breakfast</u>.　　　(단어 / 구 / 절)

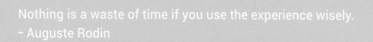

Nothing is a waste of time if you use the experience wisely.
- Auguste Rodin

CHAPTER

1

시제

POINT 1　현재시제

POINT 2　동사의 과거형과 과거분사형

POINT 3　과거시제

POINT 4　미래시제

POINT 5　현재진행형

POINT 6　과거진행형

POINT 7　현재완료의 개념과 형태

POINT 8　현재완료의 용법

POINT 9　과거시제 *vs.* 현재완료

〈5 hours ago〉　　　　　〈now〉

He has played the violin for 5 hours.

동사의 형태를 바꿔 동작이나 상태가 언제 일어나는지를 나타낼 수 있는데, 이것을 시제라고 한다.

POINT 1 현재시제

- be동사의 현재형: am, are, is
- 일반동사의 현재형: 주로 동사원형 / 주어가 3인칭 단수일 경우 「동사원형-(e)s」

현재시제는 현재의 상태나 사실, 반복되는 일이나 습관, 일반적·과학적 사실, 격언이나 속담 등을 나타낼 때 쓴다.

현재의 상태나 사실	He **is** a middle school student.	그는 중학생**이다**.
	They **like** comedy movies.	그들은 코미디 영화를 **좋아한다**.
반복되는 일이나 습관	We **visit** grandmother every weekend.	우리는 주말마다 할머니를 **방문한다**.
	She usually **exercises** in the morning.	그녀는 대개 아침에 **운동한다**.
일반적·과학적 사실 격언·속담	The moon **goes** around the Earth.	달은 지구 주위를 **돈다**.
	Water **boils** at 100℃.	물은 섭씨 100도에서 **끓는다**.
	No news **is** good news.	무소식이 희소식**이다**.

Tips 현재시제는 every day/weekend, on Sundays 등과 같이 반복을 나타내는 부사(구)나 always(항상), usually(대개) 등과 같은 빈도부사와 주로 함께 쓴다.
We play baseball every weekend. 우리는 주말마다 야구를 한다.

Tips 미래의 확정된 계획이나 비행기, 기차 등의 일정은 확실히 일어날 일이므로, 미래의 일이지만 현재시제로 쓸 수 있다.
The flight for France leaves at 10 a.m. tomorrow. 프랑스로 가는 비행기가 내일 오전 10시에 떠난다.

개념확인 옳은 해석 고르기

1 I live with my family.
☐ 산다   ☐ 살았다

2 He reads a book every day.
☐ 읽는다   ☐ 읽었다

3 The sun rises in the east.
☐ 뜨고 있다   ☐ 뜬다

기본연습 **A** 괄호 안에서 알맞은 것을 고르시오.

1 Apples (be / are) good for health.

2 My uncle (lives / lived) in Canada now.

3 She (take / takes) art class every Friday.

4 Mr. Scott (teach / teaches) science at the middle school.

5 The Earth (go / goes) around the sun.

B 괄호 안의 동사를 이용하여 현재시제 문장을 완성하시오.

1 John _____ his hair every day. (wash)

2 The movie _____ at 7:30 p.m. (start)

3 Yujin _____ an apple every morning. (eat)

4 My brother _____ volunteer work on Saturdays. (do)

동사의 과거형과 과거분사형

정답 및 해설 p.2

규칙 변화

		원형	과거형	과거분사형	원형	과거형	과거분사형
대부분의 동사	동사원형+-ed	**play** 놀다	played	played	**walk** 걷다	walked	walked
		want 원하다	wanted	wanted	**watch** 보다	watched	watched
-e로 끝나는 동사	동사원형+-d	**like** 좋아하다	liked	liked	**move** 움직이다	moved	moved
「자음+y」로 끝나는 동사	y를 i로 바꾸고 +-ed	**study** 공부하다	studied	studied	**try** 노력하다	tried	tried
「단모음+단자음」으로 끝나는 동사	자음을 한 번 더 쓰고 +-ed	**plan** 계획하다	planned	planned	**stop** 멈추다	stopped	stopped

불규칙 변화

	원형	과거형	과거분사형	원형	과거형	과거분사형
형태가 모두 같은 동사	**cut** 자르다	cut	cut	**hurt** 다치게 하다	hurt	hurt
	read 읽다	read	read	**put** 놓다, 두다	put	put
원형과 과거분사형이 같은 동사	**become** ~해지다	became	become	**come** 오다	came	come
	overcome 극복하다	overcame	overcome	**run** 달리다	ran	run
과거형과 과거분사형이 같은 동사	**buy** 사다	bought	bought	**build** 짓다, 세우다	built	built
	feel 느끼다	felt	felt	**find** 찾다	found	found
	have 가지다, 먹다	had	had	**hear** 듣다	heard	heard
	keep 유지하다	kept	kept	**leave** 떠나다	left	left
	lose 잃다, 지다	lost	lost	**make** 만들다	made	made
	meet 만나다	met	met	**say** 말하다	said	said
	sell 팔다	sold	sold	**send** 보내다	sent	sent
	sit 앉다	sat	sat	**sleep** 자다	slept	slept
	spend 쓰다, 소비하다	spent	spent	**stand** 서다	stood	stood
	teach 가르치다	taught	taught	**tell** 말하다	told	told
	think 생각하다	thought	thought	**win** 이기다	won	won
형태가 모두 다른 동사	**be** ~이다	was/were	been	**choose** 선택하다	chose	chosen
	do 하다	did	done	**draw** 그리다	drew	drawn
	drink 마시다	drank	drunk	**drive** 운전하다	drove	driven
	eat 먹다	ate	eaten	**fall** 떨어지다	fell	fallen
	fly 날다	flew	flown	**forget** 잊다	forgot	forgotten
	give 주다	gave	given	**go** 가다	went	gone
	grow 자라다	grew	grown	**hide** 숨다, 숨기다	hid	hidden
	know 알다	knew	known	**ride** 타다	rode	ridden
	see 보다	saw	seen	**sing** 노래하다	sang	sung
	speak 말하다	spoke	spoken	**throw** 던지다	threw	thrown
	wear 입다	wore	worn	**write** 쓰다	wrote	written

1 stop

☐ stoped ☐ stopped

2 come

☐ comed ☐ came

3 see

☐ saw ☐ seen

기본연습 다음 동사의 과거형과 과거분사형을 쓰시오.

1 tell	– _____ – _____	2 ride	– _____ – _____
3 hear	– _____ – _____	4 win	– _____ – _____
5 grow	– _____ – _____	6 read	– _____ – _____
7 plan	– _____ – _____	8 run	– _____ – _____
9 stand	– _____ – _____	10 buy	– _____ – _____
11 know	– _____ – _____	12 hurt	– _____ – _____
13 meet	– _____ – _____	14 play	– _____ – _____
15 forget	– _____ – _____	16 teach	– _____ – _____
17 draw	– _____ – _____	18 hide	– _____ – _____
19 study	– _____ – _____	20 send	– _____ – _____
21 lose	– _____ – _____	22 try	– _____ – _____
23 put	– _____ – _____	24 make	– _____ – _____
25 find	– _____ – _____	26 come	– _____ – _____
27 give	– _____ – _____	28 sell	– _____ – _____
29 see	– _____ – _____	30 eat	– _____ – _____
31 have	– _____ – _____	32 do	– _____ – _____
33 stop	– _____ – _____	34 feel	– _____ – _____
35 speak	– _____ – _____	36 throw	– _____ – _____
37 write	– _____ – _____	38 drive	– _____ – _____
39 go	– _____ – _____	40 think	– _____ – _____
41 fall	– _____ – _____	42 build	– _____ – _____
43 choose	– _____ – _____	44 keep	– _____ – _____
45 move	– _____ – _____	46 watch	– _____ – _____

틀리기 쉬운 내/신/포/인/트

형태가 불규칙하게 변하는 동사는 과거형과 과거분사형을 모두 암기해야 해요.

동사의 과거형과 과거분사형이 잘못 짝 지어진 것을 두 개 고르면?

① sit – sat – sat
② leave – left – left
③ hurt – hurted – hurt
④ spend – spent – spend

POINT 3 과거시제

과거시제는 과거에 일어난 일이나 상태, 역사적 사실을 나타낼 때 쓴다.

> be동사의 과거형은 was나 were로 써요.

과거에 일어난 일이나 상태	We (were) in the same class last year.	우리는 작년에 같은 반**이었다**.
	Eric **lost** his smartphone yesterday.	Eric은 어제 스마트폰을 **잃어버렸다**.
역사적 사실	The World War II **ended** in 1945.	2차 세계 대전은 1945년에 **끝났다**.
	Apollo 11 **landed** on the moon in 1969.	아폴로 11호는 1969년에 달에 **착륙했다**.

Tips 과거시제는 yesterday, last weekend/month/year, two days ago, in 2020 등과 같이 명백한 과거를 나타내는 부사(구)와 주로 함께 쓴다.
They went to the amusement park **two days ago**. 그들은 이틀 전에 놀이공원에 갔다.

개념확인 동사와 과거를 나타내는 표현 찾기

1 She cooked dinner yesterday.

2 They were in Spain in 2019.

기본연습 A 괄호 안에서 알맞은 것을 고르시오.

1 I (lose / lost) my backpack last Saturday.

2 She (leaves / left) town last year.

3 Jimmy (bought / buys) a new smartphone yesterday.

4 He (found / finds) a gold ring on the bus last night.

5 We (play / played) tennis two days ago.

6 They (painted / paint) the wall last week.

7 She (misses / missed) the school bus this morning.

B 밑줄 친 부분이 어법상 맞으면 ○ 표시를 하고, 틀리면 바르게 고쳐 쓰시오.

1 I <u>have</u> spaghetti for lunch yesterday. → _____

2 He <u>arrived</u> in school an hour ago. → _____

3 King Sejong <u>invents</u> Hangeul in 1443. → _____

4 I <u>tell</u> my secret to Luke last month. → _____

5 My family <u>goes</u> camping last week. → _____

6 Picasso <u>painted</u> many paintings in his life. → _____

7 My team <u>wins</u> the basketball game last Friday. → _____

POINT 4 미래시제

미래시제는 **will** 또는 **be going to** 뒤에 동사원형을 써서 표현하고, 미래에 일어날 일이나 계획을 나타낼 때 쓴다.

will+동사원형	I	**will**	meet	my uncle tomorrow.	나는 내일 삼촌을 만날 것이다.
be동사+going to+동사원형		**am going to**			

미래시제의 부정문은 「**will+not+동사원형**」, 「**be동사+not+going to+동사원형**」으로 쓰고,
의문문은 「**Will+주어+동사원형 ~?**」, 「**Be동사+주어+going to+동사원형 ~?**」의 형태로 쓴다.

부정문	will+**not**+동사원형	I **will not**(=**won't**) **visit** my uncle.	나는 삼촌을 방문하지
	be동사+**not**+going to+동사원형	I **am not going to visit** my uncle.	않을 것이다.
의문문	Will+주어+동사원형 ~?	**Will** you **study** in the library?	너는 도서관에서 공부할
	Be동사+주어+going to+동사원형 ~?	**Are** you **going to study** in the library?	거니?

Tips 미래시제는 tomorrow, this weekend, next week 등과 같이 미래를 나타내는 부사(구)와 주로 함께 쓴다.
She will watch a musical **this weekend**. 그녀는 이번 주말에 뮤지컬을 볼 것이다.
(= She'll)

주의 will은 주어의 의지나 막 결정한 일을 나타낼 때 쓰고, be going to는 미리 계획한 일을 나타낼 때 쓴다.
A: Mia is in hospital. Mia가 병원에 입원했어.
B: Really? I didn't know. I **will** go and visit her. 정말? 나는 몰랐어. 나는 그녀를 보러 갈 거야. **(막 결정한 일)**
/ Yes, I know. I'**m going to** visit her tomorrow. 응. 나는 알고 있어. 나는 내일 그녀를 보러 갈 거야. **(미리 계획한 일)**

개념확인 옳은 해석 고르기

1 I will buy a new bag tomorrow.

☐ 새 가방을 산다　　☐ 새 가방을 살 것이다

2 She is going to watch a movie this weekend.

☐ 영화를 볼 것이다　　☐ 영화를 보러 가는 중이다

기본연습 **A** 괄호 안에서 알맞은 것을 고르시오.

1 It (is / will be) rainy tomorrow morning.

2 She is going (travel / to travel) to Germany next month.

3 Tom and I (play / will play) tennis next Sunday.

4 We (didn't go / won't go) on a picnic tomorrow.

B 밑줄 친 부분을 어법상 바르게 고쳐 쓰시오.

1 I will <u>makes</u> Korean food for Yujin. ⟶ _____

2 The restaurant <u>not will</u> open tomorrow. ⟶ _____

3 They are going to <u>climbing</u> Mt. Halla next week. ⟶ _____

4 She <u>be going to</u> fix my bike this Saturday. ⟶ _____

POINT 5 현재진행형

현재진행형은 「be동사＋동사원형-ing」의 형태로, 현재 진행 중인 일이나 동작을 나타낼 때 쓴다.

am/is/are＋동사원형-ing	I	**am reading**	a book now.	나는 지금 책을 읽고 있다.
	It	**is snowing**	now.	지금 눈이 내리고 있다.

현재진행형의 부정문은 「be동사＋not＋동사원형-ing」로 쓰고, 의문문은 「Be동사＋주어＋동사원형-ing ～?」의 형태로 쓴다.

부정문	am/is/are＋**not**＋동사원형-ing	**I am not reading** a book.	나는 책을 읽고 있지 않다.
의문문	Am/Is/Are＋주어＋동사원형-ing ～?	**Are** you **reading** a book?	너는 책을 읽고 있니?

주의 have, know, like, hate와 같이 소유, 지각, 감정을 나타내는 동사는 진행형으로 쓰지 않는다. 단, have가 '먹다'의 의미일 때는 진행형으로 쓸 수 있다.
I **have** a pretty hat. 나는 예쁜 모자를 가지고 있다.
~~am having~~ (X)
I **am having** lunch now. 나는 지금 점심을 먹고 있다.

개념확인 옳은 해석 고르기

1 I am watching a movie.
　□ 본다　□ 보고 있다

2 He is writing a letter.
　□ 쓰고 있다　□ 쓸 것이다

3 They are listening to music.
　□ 들었다　□ 듣고 있다

기본연습 A 괄호 안에서 알맞은 것을 고르시오.

1 We (playing / are playing) computer games now.

2 He (is / be) walking in the park now.

3 Yumi and Hana (is / are) playing badminton in the park.

4 My grandmother is (bakeing / baking) cookies now.

5 The cat (is sleeping / sleeps) on the sofa now.

6 Mr. Brown (has / is having) a new car.

7 (Do you having / Are you having) noodles for lunch now?

8 Peter and I (know / are knowing) each other.

9 They (not are watching / are not watching) a movie.

10 Is (she running / running she) around the house?

11 My brother is (swiming / swimming) in the sea now.

12 Sumi is (not looking / looking not) for her ring.

B 우리말과 일치하도록 괄호 안의 말을 이용하여 문장을 완성하시오.

1 Jenny는 지금 이모에게 엽서를 쓰고 있다. (write)

→ Jenny ＿＿＿＿＿＿＿＿ ＿＿＿＿＿＿＿＿ a postcard to her aunt now.

2 그는 지금 바이올린을 연주하고 있지 않다. (play)

→ He ＿＿＿＿＿＿＿ ＿＿＿＿＿＿＿ ＿＿＿＿＿＿＿ the violin now.

3 나의 삼촌은 컴퓨터를 두 대 가지고 있다. (have)

→ My uncle ＿＿＿＿＿＿＿ two computers.

4 너는 지금 클래식 음악을 듣고 있니? (listen)

→ ＿＿＿＿＿＿＿ you ＿＿＿＿＿＿＿ to classical music now?

5 Sara와 Tommy는 지금 해변에서 사진을 찍고 있다. (take)

→ Sara and Tommy ＿＿＿＿＿＿＿ ＿＿＿＿＿＿＿ pictures on the beach now.

6 Richard는 네 전화번호를 알고 있다. (know)

→ Richard ＿＿＿＿＿＿＿ your phone number.

7 그녀는 지금 이메일을 확인하고 있니? (check)

→ ＿＿＿＿＿＿＿ she ＿＿＿＿＿＿＿ her email now?

8 수미와 나는 지금 전화로 이야기하고 있지 않다. (talk)

→ Sumi and I ＿＿＿＿＿＿＿ ＿＿＿＿＿＿＿ ＿＿＿＿＿＿＿ on the phone right now.

C 괄호 안의 지시대로 문장을 바꿔 쓰시오.

1 He runs with his brother at the gym. (현재진행형으로)

→ ＿＿＿＿＿＿＿＿＿＿＿＿＿＿＿ with his brother at the gym.

2 Judy and Mike ride their bicycles in the park. (현재진행형으로)

→ ＿＿＿＿＿＿＿＿＿＿＿＿＿＿＿ their bicycles in the park.

3 We are having dinner in the living room. (부정문으로)

→ ＿＿＿＿＿＿＿＿＿＿＿＿＿＿＿ dinner in the living room.

4 They are watching a basketball game together. (의문문으로)

→ ＿＿＿＿＿＿＿＿＿＿＿＿＿＿＿ a basketball game together?

틀리기 쉬운
내/신/포/인/트

현재진행형으로 쓸 수 없는
동사를 기억해야 해요.

다음 중 어법상 틀린 것은?

① Kate is feeding her dog.
② We are not having lunch now.
③ Are you knowing the song?
④ Are Amy and Tom cleaning the classroom?

POINT 6 과거진행형

과거진행형은 「be동사의 과거형＋동사원형-ing」의 형태로, 과거의 특정 시점에 진행 중이었던 일을 나타낼 때 쓴다. ☆

was/were＋동사원형-ing	I	**was playing**	the piano at that time.	나는 그때 피아노를 **치고 있었다.**
	We	**were watching**	a comedy movie.	우리는 코미디 영화를 **보고 있었다.**

과거진행형의 부정문은 「be동사의 과거형＋not＋동사원형-ing」로 쓰고, 의문문은 「Be동사의 과거형＋주어＋동사원형-ing ~?」의 형태로 쓴다.

부정문	was/were＋**not**＋동사원형-ing	I **was not playing** the piano.	나는 피아노를 **치고 있지 않았다.**
의문문	Was/Were＋주어＋동사원형-ing ~?	**Were** you **playing** the piano?	너는 피아노를 **치고 있었니?**

개념확인 옳은 해석 고르기

1 She was reading a book.

　□ 읽었다　□ 읽고 있었다

2 We were not studying English.

　□ 공부하지 않았다　□ 공부하고 있지 않았다

기본연습 우리말과 일치하도록 괄호 안의 말을 이용하여 문장을 완성하시오.

1 나는 어제 라디오를 듣고 있었다. (listen)

→ I ＿＿＿＿＿＿ ＿＿＿＿＿＿ to the radio yesterday.

2 그는 수박을 자르고 있었다. (cut)

→ He ＿＿＿＿＿＿ ＿＿＿＿＿＿ a watermelon.

3 그들은 그 의자들을 옮기고 있지 않았다. (move)

→ They ＿＿＿＿＿＿ ＿＿＿＿＿＿ ＿＿＿＿＿＿ the chairs.

4 Lucas는 교실에서 우리를 기다리고 있었니? (wait)

→ ＿＿＿＿＿＿ Lucas ＿＿＿＿＿＿ for us in the classroom?

5 그녀는 그때 공원에서 달리고 있었다. (run)

→ She ＿＿＿＿＿＿ ＿＿＿＿＿＿ in the park at that time.

6 우리는 거실에서 차를 마시고 있었다. (drink)

→ We ＿＿＿＿＿＿ ＿＿＿＿＿＿ tea in the living room.

7 그들은 체육관에서 농구를 하고 있었니? (play)

→ ＿＿＿＿＿＿ they ＿＿＿＿＿＿ basketball in the gym?

8 남동생과 나는 어젯밤에 별을 보고 있지 않았다. (look)

→ My brother and I ＿＿＿＿＿＿ ＿＿＿＿＿＿ ＿＿＿＿＿＿ at the stars last night.

현재완료의 개념과 형태

정답 및 해설 p.3

현재완료는 「have/has＋과거분사」의 형태로, 과거에 일어난 일이 현재까지 영향을 미칠 때 쓴다. ☆

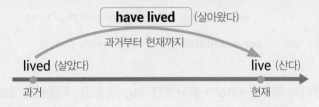

| I | **have lived** | in Seoul since 2019. | 나는 2019년 이후로 서울에서 **살아왔다.** |
| He | **has studied** | English for six years. | 그는 6년 동안 영어를 **공부해 왔다.** |

현재완료의 부정문은 「have/has＋not＋과거분사」로 쓰고, 의문문은 「Have/Has＋주어＋과거분사 ～?」의 형태로 쓴다.

부정문	have/has＋**not**＋과거분사	**I have not lost** my book.	나는 내 책을 **잃어버리지 않았다.**
의문문	Have/Has＋주어＋과거분사 ～? – 긍정의 대답: Yes, 주어＋have/has. – 부정의 대답: No, 주어＋have/has＋not.	**Have** you **lost** your book? – **Yes, I have.** – **No, I have not(haven't).**	너는 네 책을 **잃어버렸니?** – 응, 잃어버렸어. – 아니, 잃어버리지 않았어.

> 궁금해요!
> do not을 don't로 줄여 쓰는 것처럼 have/has랑 not도 줄여 쓸 수 있나요?

> 네, 줄여 쓸 수 있어요.
> have not은 haven't,
> has not은 hasn't로
> 줄여 쓸 수 있어요.

개념확인 내포된 의미 고르기

1 I have lived in Busan for two years.
- ☐ 현재 부산에 산다.
- ☐ 현재 부산에 살지 않는다.

2 He has learned English since 2020.
- ☐ 현재 영어를 공부하고 있다.
- ☐ 영어를 더 이상 공부하지 않는다.

기본연습 **A** 괄호 안에서 알맞은 것을 골라 현재완료 문장을 완성하시오.

1 We have (knew / known) each other since 2020.

2 Kate (has / have) lived in Busan for a long time.

3 I (has / have) been to New York before.

4 They (not have / have not) had lunch yet.

5 (Did / Have) you ever eaten Chinese food?

6 He (has been / have been) an actor all his life.

7 Sam (hasn't / haven't) heard the story yet.

8 (Has / Have) she studied French before?

B 우리말과 일치하도록 괄호 안의 말을 이용하여 현재완료 문장을 완성하시오.

1 우리는 런던에 두 번 가 봤다. (be)

→ We _____ _____ to London twice.

2 그녀는 그녀의 자전거를 잃어버렸다. (lose)

→ She _____ _____ her bicycle.

3 나는 아직 내 숙제를 끝내지 못했다. (finish)

→ I _____ _____ my homework yet.

4 그녀는 2018년 이후로 과학을 공부해 왔니? (study)

→ _____ she _____ science since 2018?

5 그는 아직 그의 개를 찾지 못했다. (find)

→ He _____ _____ his dog yet.

6 너는 최근에 그를 본 적이 있니? (see)

→ _____ you _____ him lately?

C 괄호 안의 지시대로 문장을 바꿔 쓰시오.

1 I have ridden a horse before. (부정문으로)

→ _____ a horse before.

2 He has learned yoga since 2019. (의문문으로)

→ _____ yoga since 2019?

3 She has been sick since last Friday. (부정문으로)

→ _____ sick since last Friday.

4 He hasn't lived in Korea since 2017. (긍정문으로)

→ He _____ in Korea since 2017.

5 They have used the computer for ten years. (의문문으로)

→ _____ the computer for ten years?

틀리기 쉬운
내/신/포/인/트

현재완료의 형태와 의미를
기억해요.

우리말과 일치하도록 빈칸에 들어갈 말로 알맞은 것은?

She _____ in Sydney since 2010.
(그녀는 2010년 이후로 시드니에서 살아왔다.)

① lived   ② have lived
③ has lived   ④ is living

현재완료의 용법

용법	의미	예문	함께 쓰는 표현
계속	계속 ~해 왔다 (과거부터 현재까지 계속 됨을 표현)	I **have known** her *for* three years. 나는 3년 동안 그녀를 알아 왔다. He **has studied** French *since* 2020. 그는 2020년 이후로 프랑스어를 공부해 왔다.	for+기간(~ 동안), since+과거 시점(~ 이후로), how long(얼마나 오래)
경험	~한 적이 있다 (과거부터 현재까지의 경험 표현)	I **have been** to Jeju-do *twice*. 나는 제주도에 두 번 가 본 적이 있다. **Have** you *ever* **visited** the Eiffel Tower? 너는 지금까지 에펠탑을 방문한 적이 있니?	ever(지금까지), once(한 번), twice(두 번), never(전혀 ~ 않다), before(전에)
완료	(막/이미) ~했다 (과거에 일어난 일이 현재 시점에 완료되었음을 표현)	I **have** *already* **finished** my homework. 나는 이미 숙제를 끝냈다. She **hasn't had** lunch *yet*. 그녀는 아직 점심을 먹지 않았다.	just(방금, 막), already(이미), yet(아직) 주로 just, already는 have/has와 과거분사 사이에 쓰고, yet은 문장 끝에 써요.
결과	~해 버렸다 (그래서 지금 …하다) (과거에 한 일의 결과가 현재까지 영향을 미치고 있음을 표현)	I **have lost** my smartphone. 나는 스마트폰을 잃어버렸다. (그래서 지금 스마트폰이 없다.) He **has gone** to Spain. 그는 스페인으로 가 버렸다. (그래서 지금 여기에 없다.)	*주로 쓰이는 동사 go(가다), leave(떠나다), lose(잃어버리다) 등

주의 have(has) been to는 경험을, have(has) gone to는 결과를 나타낸다.
She **has been to** Busan. 그녀는 부산에 가 본 적이 있다. 〈경험〉
She **has gone to** Busan. 그녀는 부산으로 가 버렸다. (그래서 지금 여기에 없다.) 〈결과〉

개념확인 옳은 해석 고르기

1 I have been to Canada.
- ☐ 캐나다에 갔다
- ☐ 캐나다에 가 본 적이 있다

2 He has gone to France.
- ☐ 프랑스로 가 버렸다
- ☐ 프랑스에 가 본 적이 있다

기본연습 **A** 밑줄 친 현재완료의 용법을 고르시오.

1	The train has just left the station.	☐ 계속	☐ 경험	☐ 완료	☐ 결과
2	He has visited New York once.	☐ 계속	☐ 경험	☐ 완료	☐ 결과
3	She has lost her gloves.	☐ 계속	☐ 경험	☐ 완료	☐ 결과
4	I have been sick since yesterday.	☐ 계속	☐ 경험	☐ 완료	☐ 결과
5	I have never eaten Mexican food.	☐ 계속	☐ 경험	☐ 완료	☐ 결과
6	Tony has eaten three sandwiches already.	☐ 계속	☐ 경험	☐ 완료	☐ 결과
7	How long have you stayed there?	☐ 계속	☐ 경험	☐ 완료	☐ 결과
8	Peter has gone out.	☐ 계속	☐ 경험	☐ 완료	☐ 결과

B 우리말과 일치하도록 괄호 안의 말을 이용하여 현재완료 문장을 완성하시오.

1 나는 Chris를 2년 동안 알아 왔다. (know)

→ I ＿＿＿＿＿＿＿＿＿＿＿＿＿＿＿＿＿＿ Chris for two years.

2 나는 전에 그 이야기를 들어 본 적이 있다. (hear)

→ I ＿＿＿＿＿＿＿＿＿＿＿＿＿＿＿＿＿ the story before.

3 Sophia는 아프리카로 가 버렸다. 그래서 지금 여기에 없다. (go)

→ Sophia ＿＿＿＿＿＿＿＿＿＿＿＿＿＿＿＿＿ to Africa. So she's not here now.

4 그는 그 영화를 여러 번 본 적이 있다. (watch)

→ He ＿＿＿＿＿＿＿＿＿＿＿＿＿＿＿＿＿ the movie many times.

5 그녀는 방금 공항에 도착했다. (just, arrive)

→ She ＿＿＿＿＿＿＿＿＿＿＿＿＿＿＿＿＿ at the airport.

6 우리는 이 컴퓨터를 10년 동안 사용해 왔다. (use)

→ We ＿＿＿＿＿＿＿＿＿＿＿＿＿＿＿＿＿ this computer for ten years.

7 나는 아직 내 책을 찾지 못했다. (find)

→ I ＿＿＿＿＿＿＿＿＿＿＿＿＿＿＿＿＿ my book yet.

C 주어진 두 문장을 현재완료를 사용하여 한 문장으로 바꿔 쓰시오.

1 I fixed my bike two months ago. I fixed it again yesterday.

→ I ＿＿＿＿＿＿＿＿＿＿＿＿＿＿＿＿＿ my bike twice.

2 My sister lost her bicycle. She doesn't have it now.

→ My sister ＿＿＿＿＿＿＿＿＿＿＿＿＿＿＿＿＿ her bicycle.

3 He bought the piano in 2010. He still has it.

→ He ＿＿＿＿＿＿＿＿＿＿＿＿＿＿＿＿＿ the piano since 2010.

4 Mr. White went to Brazil. He is not here now.

→ Mr. White ＿＿＿＿＿＿＿＿＿＿＿＿＿＿＿＿＿ to Brazil.

틀리기 쉬운
내/신/포/인/트

현재완료의 용법과 쓰임을
구분할 수 있어야 해요.

밑줄 친 부분의 쓰임이 보기 와 같은 것은?

보기 I have visited the museum three times.

① John hasn't come back yet.
② I have had a headache since yesterday.
③ He has seen the singer before.
④ We have been good friends for ten years.

POINT 9 과거시제 vs. 현재완료

과거시제	현재완료
과거 특정 시점에 발생 과거 ─────── 현재	과거부터 현재까지 영향을 미침 과거 ─────── 현재
과거의 특정 시점에 일어난 일로, 그 일이 현재에도 영향을 주는 지는 알 수 없다.	과거에 시작된 일이 현재에 영향을 주거나 연관성을 가지고 있다.
I **lived** in New York in 2019. 나는 2019년에 뉴욕에서 **살았다.** (현재도 사는지 알 수 없음) He **lost** his wallet yesterday. 그는 어제 지갑을 **잃어버렸다.** (현재 지갑을 찾았는지 알 수 없음)	I **have lived** in New York since 2019. 나는 2019년 이후로 뉴욕에서 **살아왔다.** (2019년부터 현재까지 쭉 뉴욕에서 살고 있음) He **has lost** his wallet. 그는 지갑을 **잃어버렸다.** (과거에 잃어버려 현재까지 찾지 못했음)
주로 함께 쓰는 표현 yesterday, last night/week/month, in+과거 연도, ~ ago 등과 같이 과거의 특정 시점을 나타내는 부사(구)	주로 함께 쓰는 표현 for(~ 동안), since(~ 이후로), just(방금, 막), already(이미), yet(아직), once(한 번), twice(두 번), ~ times(~ 번) 등

주의 명확히 과거를 나타내는 부사(구)나 when으로 시작하는 의문문은 현재완료와 함께 쓸 수 없다.

I **learned** yoga two years ago.
→ have learned (✕)

When did you meet him?
→ have met (✕)

개념확인 우리말과 일치하는 문장과 연결하기

1 나는 그 음식을 어제 먹었다.   •   • ⓐ I have eaten the food before.

2 나는 그 음식을 전에 먹어 본 적이 있다. •   • ⓑ I ate the food yesterday.

기본연습 **A** 괄호 안에서 알맞은 것을 고르시오.

1 He (was / has been) sick since yesterday.

2 She (saved / has saved) a lot of money last year.

3 I (knew / have known) James since he was a boy.

4 Kate (lost / has lost) her ring this morning.

5 Eric (saw / has seen) his favorite band two hours ago.

6 My brother and I (made / have made) a snowman last night.

7 Ms. Davis has been to Seoul (last year / once).

8 Minho and Sumi (painted / have painted) the wall yesterday.

9 Thomas has been busy (on / since) Monday.

10 The writer (wrote / has written) his novel in 2015.

B 밑줄 친 부분이 어법상 맞으면 ○ 표시를 하고, 틀리면 바르게 고쳐 쓰시오.

1 I <u>used</u> the same pen since 2017. → _____

2 David <u>has bought</u> a new smartphone yesterday. → _____

3 <u>Have</u> you <u>cooked</u> for your family before? → _____

4 Semi and Bora <u>have joined</u> the singing club last month. → _____

5 They <u>have already finished</u> the team project. → _____

6 He <u>drew</u> cartoons since last year. → _____

7 My sister <u>has sent</u> a letter to our aunt last week. → _____

C 우리말과 일치하도록 괄호 안의 말을 이용하여 문장을 완성하시오.

1 민호는 한 시간 전에 나에게 전화했다. (call)
→ Minho _____ me an hour ago.

2 나는 전에 그 게임을 해 본 적이 없다. (not, play)
→ I _____ the game before.

3 Mark와 나는 어제 Susan의 생일 파티에 갔다. (go)
→ Mark and I _____ to Susan's birthday party yesterday.

4 그녀는 6개월 동안 기타 수업을 받아 왔다. (take)
→ She _____ guitar lessons for six months.

5 Brian의 가족은 지난달에 다른 도시로 이사 갔다. (move)
→ Brian's family _____ to another city last month.

6 Richard는 디즈니랜드에 두 번 가 봤다. (be)
→ Richard _____ to Disneyland twice.

7 그들은 지난 주말에 록 페스티벌을 즐겼다. (enjoy)
→ They _____ the rock festival last weekend.

8 Jason은 5년 동안 한국에서 살아왔다. (live)
→ Jason _____ in Korea for five years.

틀 리 기 쉬 운
내/신/포/인/트

명백히 과거를 나타내는
부사(구)는 현재완료와
함께 쓸 수 없어요.

빈칸에 들어갈 말이 순서대로 짝 지어진 것은?

- Linda _____ an amusement park last week.
- Linda _____ Jeju-do three times.

① visited – visited　　　② visited – has visited
③ has visited – visited　④ has visited – has visited

개 념 완 성 TEST

정답 및 해설 p.3

STEP 1 Map으로 개념 정리하기

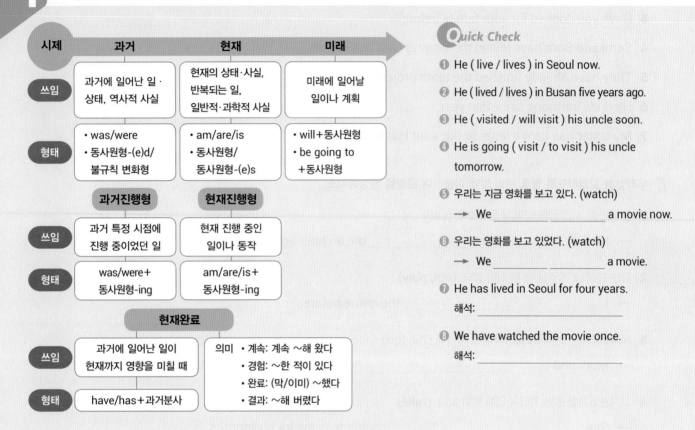

Quick Check

❶ He (live / lives) in Seoul now.

❷ He (lived / lives) in Busan five years ago.

❸ He (visited / will visit) his uncle soon.

❹ He is going (visit / to visit) his uncle tomorrow.

❺ 우리는 지금 영화를 보고 있다. (watch)

　→ We _____ _____ a movie now.

❻ 우리는 영화를 보고 있었다. (watch)

　→ We _____ _____ a movie.

❼ He has lived in Seoul for four years.

　해석: _____

❽ We have watched the movie once.

　해석: _____

STEP 2 기본 다지기

빈칸완성

A 우리말과 일치하도록 괄호 안의 말을 이용하여 문장을 완성하시오.

1 베를린은 독일의 수도이다. (be)

　→ Berlin _____ the capital city of Germany.

2 그녀는 2분 전에 통학 버스를 놓쳤다. (miss)

　→ She _____ the school bus two minutes ago.

3 그들은 지금 체육관에서 운동하고 있니? (exercise)

　→ _____ they _____ in the gym now?

4 그는 전에 골프를 쳐 본 적이 있다. (play)

　→ He _____ _____ golf before.

5 Lisa과 Steven는 수영장에서 수영을 하고 있었다. (swim)

　→ Lisa and Steven _____ _____ in the pool.

B 밑줄 친 부분이 어법상 맞으면 ○ 표시를 하고, 틀리면 바르게 고쳐 쓰시오.

1 We <u>passed</u> the dance audition yesterday.　→　_____

2 Water <u>has boiled</u> at 100℃.　→　_____

3 Michael <u>be going to travel</u> to Canada next week.　→　_____

4 They <u>knew</u> Jenny since 2014.　→　_____

5 He <u>won't call</u> me tomorrow morning.　→　_____

6 She <u>is having</u> a new backpack.　→　_____

7 My sister <u>haven't found</u> her wallet yet.　→　_____

8 Judy and Peter <u>wasn't making</u> a cheesecake at that time.　→　_____

C 다음 문장을 괄호 안의 지시대로 바꿔 쓰시오.

1 I will keep the promise. (과거시제로)

　→　_____

2 We talked about global warming. (미래시제로)

　→　_____

3 Sam walks his dog in the park. (현재진행형으로)

　→　_____

4 My brother and I grew vegetables in the garden. (과거진행형으로)

　→　_____

5 She has watched the horror movie before. (부정문으로)

　→　_____

6 They were running in the playground. (의문문으로)

　→　_____

7 Mrs. Brown is going to have a party tonight. (의문문으로)

　→　_____

8 I have heard the news before. (you를 주어로 하는 의문문으로)

　→　_____

STEP 3 서술형 따라잡기

도표이해

A Paul과 Mia가 경험한 것을 나타낸 표를 보고, 현재완료 문장을 완성하시오.

	Paul	Mia
1 meet a movie star	○	×
2 visit Sydney	×	○
3 see a ghost	×	×

1 Paul _____.

2 Mia _____.

3 Paul and Mia _____.

영작완성

B 우리말과 일치하도록 괄호 안의 말을 바르게 배열하여 문장을 쓰시오.

1 그녀는 지금 이메일을 쓰고 있니? (an email, is, now, writing, she)

➡ _____

2 우리는 이미 그 프로젝트를 끝냈다. (already, we, finished, have, the project)

➡ _____

3 그는 주말마다 태권도를 연습한다. (practices, every weekend, he, taekwondo)

➡ _____

4 그들은 멕시코 음식을 먹어 본 적이 전혀 없다. (they, eaten, have, Mexican food, never)

➡ _____

5 나는 다음 주에 테니스를 치지 않을 예정이다. (I, going, not, to, play, am, next week, tennis)

➡ _____

문장영작

C 우리말과 일치하도록 괄호 안의 말을 이용하여 문장을 영작하시오.

1 너는 캐나다에 가 본 적이 있니? (be, Canada)

➡ _____

2 우리는 어제 그 경기를 이겼다. (win, the game)

➡ _____

3 그녀는 2015년 이후로 대구에서 살아왔다. (live, in Daegu, since)

➡ _____

4 그들은 나를 기다리고 있지 않았다. (not, wait for)

➡ _____

1 동사의 과거형과 과거분사형이 <u>잘못된</u> 것은?

① like – liked – liked

② come – came – come

③ hurt – hurted – hurted

④ ride – rode – ridden

⑤ drink – drank – drunk

[2-3] 빈칸에 들어갈 말로 알맞은 것을 고르시오.

2

> Kevin and Paul _____ a picture now.

① took   ② takes   ③ are taking

④ will take   ⑤ were taking

3

> It _____ sunny tomorrow morning.

① has   ② was   ③ be

④ will be   ⑤ has been

[4-5] 빈칸에 들어갈 말이 순서대로 짝 지어진 것을 고르시오.

4

> • Sam _____ his gloves last weekend.
> • She _____ sick since yesterday.

① lost – was   ② lost – have been

③ lost – has been   ④ has lost – has been

⑤ has lost – was

5

> • Peter was _____ his dog at that time.
> • We _____ the photo club soon.

① walk – joined   ② walked – will join

③ walked – joined   ④ walking – will join

⑤ walking – be going to join

6 빈칸에 들어갈 수 <u>없는</u> 것을 <u>모두</u> 고르면?

> I have used this computer _____.

① for a year   ② before

③ yesterday   ④ two days ago

⑤ since last month

7 다음 중 어법상 <u>틀린</u> 문장은?

① I won't join the dancing club.

② Jiho takes a yoga class every Friday.

③ Were they cleaning the windows?

④ I watched the movie last Saturday.

⑤ He is going to buying a new car next weekend.

8 빈칸에 들어갈 watch의 형태가 나머지와 <u>다른</u> 것은?

① They _____ TV every day.

② He won't _____ the horror movie.

③ My aunt has _____ the musical before.

④ Will you _____ a comedy show tonight?

⑤ Are you going to _____ a baseball game this weekend?

9 빈칸에 들어갈 말로 알맞지 <u>않은</u> 것은?

> I have _____ since last year.

① lived in Jeju-do

② used this desk

③ paint this painting

④ helped sick children

⑤ studied Chinese

10 다음 중 어법상 틀린 문장의 개수는?

> ⓐ We weren't waiting for the bus.
> ⓑ The Earth went around the sun.
> ⓒ I won't dance in the school festival.
> ⓓ Have you ever tried surfing before?

① 0개   ② 1개   ③ 2개

④ 3개   ⑤ 4개

11 밑줄 친 부분의 쓰임이 보기 와 같은 것은?

> 보기 I <u>have heard</u> the song many times.

① My sister <u>has left</u> her bag on the bus.

② He <u>has never seen</u> a movie star.

③ I <u>have taken</u> guitar lessons since 2017.

④ She <u>has just arrived</u> home.

⑤ Eric <u>has worked</u> at this store for six years.

12 우리말과 일치하도록 할 때 빈칸에 알맞은 것은?

> 물은 섭씨 0도에서 언다.
> → Water _____ at 0℃.

① freeze   ② freezes

③ froze   ④ has frozen

⑤ will freeze

13 빈칸 (A)~(C)에 들어갈 have의 알맞은 형태가 바르게 짝 지어진 것은?

> • She ___(A)___ a computer in her room.
> • My brother ___(B)___ breakfast now.
> • I ___(C)___ Indian food twice.

	(A)	(B)	(C)
①	is having	has	won't
②	is having	is having	didn't
③	has	has had	have had
④	has	is having	is having
⑤	has	is having	have had

고난도
14 다음 중 어법상 올바른 문장은?

① She is liking rainy days.

② Was he fixing his bicycle now?

③ Julia and I are knowing each other.

④ When have you watched the movie?

⑤ We're not going to go on a picnic tomorrow.

15 주어진 두 문장을 한 문장으로 바르게 나타낸 것은?

> Jane moved to L.A. 5 years ago. She still lives in L.A.

① Jane lived in L.A. before.
② Jane has lived in L.A. 5 years ago.
③ Jane lived in L.A. since 5 years.
④ Jane has lived in L.A. for 5 years.
⑤ Jane started to live in L.A. for 5 years.

16 우리말을 영어로 <u>잘못</u> 옮긴 것은?

① 그는 런던으로 가 버렸다. (그래서 지금 여기에 없다.)
  → He has gone to London.
② 우리는 일주일에 세 번 바이올린 수업을 받는다.
  → We take violin lessons three times a week.
③ Anna는 이틀 전에 그녀의 일기장을 숨겼다.
  → Anna has hidden her diary two days ago.
④ 수지와 Harry는 함께 산책하고 있니?
  → Are Suji and Harry taking a walk together?
⑤ 우리는 내일 과학 시험을 볼 것이다.
  → We are going to take a science exam tomorrow.

17 우리말과 일치하도록 괄호 안의 말을 배열할 때, 네 번째로 오는 단어는?

> 그는 그때 컴퓨터 게임을 하고 있지 않았다.
> (time, games, not, that, computer, was, he, playing, at)

① games ② was ③ computer
④ playing ⑤ not

18 밑줄 친 부분의 쓰임이 같은 문장끼리 짝 지어진 것은?

> ⓐ I <u>have eaten</u> French food before.
> ⓑ She <u>has studied</u> English for ten years.
> ⓒ They <u>have</u> already <u>had</u> lunch.
> ⓓ We <u>haven't seen</u> her for three months.

① ⓐ, ⓑ   ② ⓐ, ⓒ
③ ⓑ, ⓒ   ④ ⓑ, ⓓ
⑤ ⓑ, ⓒ, ⓓ

19 우리말을 영어로 바르게 옮긴 것은?

> 미라는 지난 주말 그녀의 우산을 잃어버렸다.

① Mira loses her umbrella last weekend.
② Mira lost her umbrella last weekend.
③ Mira has lost her umbrella last weekend.
④ Mira was losing her umbrella last weekend.
⑤ Mira will lose her umbrella last weekend.

고난도
20 다음 중 어법상 올바른 문장의 개수는?

> ⓐ No news is good news.
> ⓑ I haven't checked my emails yet.
> ⓒ The train for Busan leaves at 3 p.m.
> ⓓ The World War II has ended in 1945.

① 0개   ② 1개   ③ 2개
④ 3개   ⑤ 4개

21 괄호 안의 말을 이용하여 대화를 완성하시오.

> A: What was your sister doing when you got home last night?
>
> B: (1) _____ when I got home last night. (read a book)
>
> A: What is she doing now?
>
> B: (2) _____ now. (ride a bike)

22 보라가 오늘 하루 일과를 정리한 표를 보고, 빈칸에 알맞은 말을 쓰시오. (과거시제로 쓸 것)

9:00 a.m.	have breakfast
10:30 a.m.	walk my dog
4:00 p.m.	do my history homework
6:00 p.m.	cook dinner for my family

(1) Bora _____ at 10:30 a.m.

(2) Bora _____ at 4 p.m.

(3) Bora _____ at 6 p.m.

23 우리말과 일치하도록 괄호 안의 말을 이용하여 문장을 완성하시오.

(1) 너는 태국 음식을 먹어 본 적이 있니?
(ever, eat, Thai food)

→ _____

(2) Ann은 내일 TV를 보지 않을 것이다.
(not, going to)

→ _____

(3) 나는 아직 내 책을 찾지 못했다. (find, yet)

→ _____

24 다음은 지호의 방 모습이다. 괄호 안의 동사를 이용하여 달라진 점과 달라지지 않은 점을 보기 와 같이 쓰시오. (현재완료형으로 쓸 것)

〈Before〉   〈Now〉

> 보기 Jiho has put the books on the desk. (put)

(1) Jiho _____ the plant. (water)

(2) Jiho _____ the window. (close)

(3) Jiho _____ the computer. (turn off)

고난도

25 어법상 틀린 문장을 두 개 찾아 기호를 쓰고, 바르게 고쳐 문장을 다시 쓰시오.

> ⓐ He has enjoyed the rock concert two days ago.
> ⓑ I have never visited a Hanok Village before.
> ⓒ My aunt works in the library for ten years.
> ⓓ We were not playing basketball in the gym.

(1) (　) → _____

_____

(2) (　) → _____

_____

조동사

POINT 1   조동사의 쓰임

POINT 2   조동사의 부정문과 의문문

POINT 3   can

POINT 4   may

POINT 5   will

POINT 6   must, have to

POINT 7   should, had better

POINT 8   used to, do

조동사는 동사 앞에 위치하여 동사를 도와 능력, 미래, 추측, 의무 등의 의미를 더해 준다.

조동사는 동사 앞에 쓰여서 능력, 미래, 추측, 의무 등 동사에 다양한 의미를 더해 주는 말이다.
조동사 뒤에는 항상 동사원형이 와야 한다.

	조동사	동사원형		
I	**can**	**play**	the violin.	나는 바이올린을 연주할 수 있다. 〈능력〉
She	**will**	**go**	shopping.	그녀는 쇼핑하러 갈 것이다. 〈미래〉
It	**may**	**rain**	soon.	곧 비가 올지도 모른다. 〈추측〉
We	**must**	**study**	for the test.	우리는 시험 공부를 해야 한다. 〈의무〉
You	**should**	**have**	breakfast.	너는 아침을 먹어야 한다. 〈충고〉

주의 조동사 뒤에 be동사가 올 때는 am, are, is가 아니라 동사원형인 be를 쓴다.
David **may be** late for school. David는 학교에 늦을지도 모른다.

Tips 조동사는 두 개를 나란히 쓸 수 없다.
We **will be able to** go skiing this winter. 우리는 이번 겨울에 스키를 타러 갈 수 있을 것이다.
↳ will can (X) *be able to: can과 의미가 비슷한 동사구
You **will have to** clean your room. 너는 네 방을 청소해야 할 것이다.
↳ will must (X) *have to: must와 의미가 비슷한 동사구

개념확인 조동사 찾기

1 He will go to the library.　　**2** She may be sick.　　**3** You must do your homework.

기본연습 밑줄 친 부분이 어법상 맞으면 ○ 표시를 하고, 틀리면 바르게 고쳐 쓰시오.

1 Brian may <u>knows</u> the answer.　　→ _____

2 She <u>cans</u> speak two foreign languages.　　→ _____

3 We <u>listen should</u> to our teacher.　　→ _____

4 He will <u>plays</u> tennis on the playground.　　→ _____

5 I <u>can write</u> a letter in English.　　→ _____

6 My brother <u>should goes</u> to the dentist.　　→ _____

7 Kate may <u>is</u> very tired.　　→ _____

8 Drivers must <u>to stop</u> at the red light.　　→ _____

9 We <u>will be able to</u> climb the mountain.　　→ _____

10 They <u>will be wash</u> the dishes first.　　→ _____

POINT 2 조동사의 부정문과 의문문

조동사의 부정문은 조동사 바로 뒤에 not을 붙여 만든다. 「조동사+not」은 줄여서 쓸 수 있다.

	조동사+not	동사원형		
I	**cannot〔can't〕**	**drive**	a car.	나는 차를 운전할 수 없다.
She	**will not〔won't〕**	**join**	the tennis team.	그녀는 테니스 팀에 가입하지 **않을** 것이다.
He	**may not**	**be**	at home.	그는 집에 있지 **않을지도** 모른다.
You	**should not〔shouldn't〕**	**drink**	too much soda.	너는 탄산음료를 너무 많이 마시**지 말아야 한다.**

주의 can의 부정형은 cannot이나 can't로 쓴다. may not은 주로 줄여서 쓰지 않는다.

조동사의 의문문은 「조동사+주어+동사원형 ~?」의 형태로 쓴다. 대답은 조동사를 사용해서 한다.

부정의 대답은 줄임말로 해요.

의문사		긍정의 대답	부정의 대답
Can you speak English?	영어를 말할 수 있니?	Yes, I **can**.	No, I **can't**.
Will Mina go to the movies?	미나는 영화를 보러 갈 거니?	Yes, she **will**.	No, she **won't**.

개념확인 not이 들어갈 위치 찾기

1 I will tell you a lie.   **2** She may join the party.   **3** You should enter the room.

기본연습 주어진 문장을 괄호 안의 지시대로 바꿔 쓰시오.

1 There may be a library near here. (부정문으로)
→ _____

2 I should wear a helmet. (의문문으로)
→ _____

3 She will be sixteen next year. (부정문으로)
→ _____

4 He can solve the crossword puzzle. (의문문으로)
→ _____

5 My dad can read the magazine without his glasses. (부정문으로)
→ _____

틀리기 쉬운 내/신/포/인/트

조동사가 있는 문장을 부정문으로 바꿔 쓸 때 not의 위치에 주의해야 해요.

다음 문장에서 틀린 부분을 바르게 고쳐 문장을 다시 쓰시오.

You should use not your cell phone in class.

→ _____

조동사 **37**

can은 능력, 허가, 요청, 추측의 의미를 나타낸다.

~할 수 있다 〈능력〉	I **can**(am able to) speak Chinese.	나는 중국어를 말**할 수 있다**.
	Brian **could**(was able to) find his dog. _{→ can의 과거형}	Brian은 그의 개를 찾**을 수 있었다**.
~해도 좋다 〈허가〉	You **can** take pictures here.	너는 여기서 사진을 찍**어도 좋다**.
	Can I use your cell phone?	네 휴대 전화를 사용**해도 되니**?
	Could I try on this dress? 〈정중한 표현〉	제가 이 드레스를 입어 **봐도 되나요**?
~해 줄래? 〈요청〉	**Can** you open the window?	창문을 열어 **줄래**?
	Could you turn on the light? 〈정중한 표현〉	불 좀 켜 **주시겠어요**?
~일 수도 있다 〈추측〉	The rumor **can** be true.	그 소문은 사실**일 수도 있다**.
	He **cannot**(can't) be at home. 〈부정의 추측: ~일 리가 없다〉	그는 집에 있**을 리가 없다**.
	She **could** be late. 〈약한 추측〉	그녀는 늦**을 수도 있다**.

주의 능력을 나타내는 can은 be able to로 바꿔 쓸 수 있으며, 주어의 인칭과 수, 문장의 시제에 맞춰 쓴다.
Ann **was able to** solve the problem. Ann은 그 문제를 해결할 수 있었다.

개념확인 옳은 해석 고르기

1 I can drive a car.
- ☐ ~해도 좋다
- ☐ ~할 수 있다

2 He cannot be serious.
- ☐ ~일 리 없다
- ☐ ~할 수 없다

3 Can I close the door?
- ☐ ~해 줄래?
- ☐ ~해도 될까?

기본연습 A 밑줄 친 부분의 의미로 알맞은 것을 고르시오.

1 He <u>cannot</u> be a thief.	☐능력	☐추측
2 Brian <u>can</u> speak and write Korean.	☐능력	☐허가
3 <u>Can</u> I borrow your comic book?	☐추측	☐허가
4 It's very cloudy. It <u>could</u> rain this afternoon.	☐능력	☐추측
5 <u>Can</u> you wait for a moment?	☐요청	☐추측
6 <u>Could</u> I borrow your notebook?	☐요청	☐허가
7 My dad <u>can</u> cook Italian food.	☐능력	☐허가
8 You <u>can</u> play outside until five o'clock.	☐요청	☐허가
9 <u>Could</u> you wake me up tomorrow morning?	☐요청	☐허가
10 She <u>cannot</u> finish her report by tomorrow.	☐요청	☐능력

B be able to를 이용하여 문장을 다시 쓰시오.

1 He can speak three languages.

→ _____

2 My little brother can't swim very well.

→ _____

3 Can Robin use chopsticks?

→ _____

4 Risa couldn't go to school yesterday.

→ _____

5 Can you play tennis?

→ _____

6 Hojin could solve the difficult problem.

→ _____

C 밑줄 친 부분에 유의하여 우리말로 해석하시오.

1 I <u>can't</u> ride a bike. → _____

2 <u>Can</u> I use your umbrella? → _____

3 We <u>were able to</u> find the restaurant. → _____

4 Sam <u>cannot</u> be at home now. → _____

5 <u>Could</u> you pass me the bread? → _____

6 <u>Can</u> Judy drive a car? → _____

7 <u>Can</u> I go to the concert with you? → _____

8 The black bag <u>can't</u> be Jenny's. → _____

9 My mom <u>could</u> be very tired. → _____

틀리기 쉬운
내/신/포/인/트

조동사 can의 의미를 구분
할 수 있어야 해요.

밑줄 친 부분의 의미가 나머지와 <u>다른</u> 하나는?

① I <u>cannot</u> solve the quiz.
② He <u>cannot</u> be her brother.
③ She <u>cannot</u> play the cello well.
④ I <u>cannot</u> speak Russian.

may는 허가, 약한 추측의 의미를 나타낸다.

~해도 좋다 〈허가〉	You **may** take a rest now.	너는 지금 휴식을 취해도 **된다**.
	Children **may not** watch this movie.	아이들은 이 영화를 보면 **안 된다**.
	May I turn on the TV?	내가 TV를 켜도 **되니**?
~일지도 모른다 〈약한 추측〉	He **may** come to the party.	그는 파티에 올지도 **모른다**.
	She **may not** like Chinese food.	그녀는 중국 음식을 좋아하지 **않을지도 모른다**.

> 궁금해요!
> can과 may 모두 '허가'와 '추측'의 의미가 있는데 차이점이 있나요?

> may가 can보다 더 정중한 '허가'의 의미이고, may가 can보다 '약한 추측'의 의미예요.

개념확인 옳은 해석 고르기

1 The story may be true.
- ☐ ~해도 좋다
- ☐ ~일지도 모른다

2 You may play computer games.
- ☐ ~해도 좋다
- ☐ ~일지도 모른다

기본연습 우리말과 일치하도록 괄호 안의 말을 바르게 배열하여 쓰시오.

1 너는 지금 집에 가도 된다. (now, home, may, you, go)

→ _____

2 내일은 비가 올지도 모른다. (rain, it, tomorrow, may)

→ _____

3 그녀는 아침을 먹지 않을지도 모른다. (eat, she, may, not, breakfast)

→ _____

4 내가 네 컴퓨터를 써도 되니? (I, your, use, may, computer)

→ _____

5 너는 여기에 음식을 가져오면 안 된다. (food, not, you, here, may, bring)

→ _____

6 그는 부산으로 이사를 갈지도 모른다. (may, Busan, he, to, move)

→ _____

7 제가 이 티셔츠를 입어 봐도 되나요? (put on, I, T-shirt, may, this)

→ _____

POINT 5 will

will은 미래, 요청의 의미를 나타낸다.

~할 것이다 〈미래〉	I **will** exercise in the gym.	나는 체육관에서 운동을 **할 것이다.**
	He **will not(won't)** play soccer after school.	그는 방과 후에 축구를 **하지 않을 것이다.**
	Will you stay home this Sunday?	너는 이번 주 일요일에 집에 있을 **거니?**
~해 줄래? 〈요청〉	**Will** you close the window?	창문을 닫아 **줄래?**
	Would you take a picture of us? 〈정중한 표현〉	저희 사진 좀 찍어 **주시겠어요?**

Tips 미래를 나타내는 will은 be going to와 바꿔 쓸 수 있다.
She **will** go shopping this weekend. 그녀는 이번 주말에 쇼핑하러 갈 것이다.
= She **is going to** go shopping this weekend.

개념확인 옳은 해석 고르기

1 She will leave for New York.

☐ ~할 것이다　☐ ~해 줄래?

2 Would you turn down the volume?

☐ ~할 것이다　☐ ~해 줄래?

기본연습 우리말과 일치하도록 괄호 안의 말을 이용하여 문장을 완성하시오.

1 그들은 함께 점심을 먹을 것이다. (will, have lunch)

→ _____ together.

2 그는 이번 토요일에 캠핑을 갈 것이다. (be going to, go camping)

→ _____ this Saturday.

3 너는 집에 오는 길에 빵을 좀 사다 줄래? (will, buy some bread)

→ _____ on your way home?

4 그녀는 내일 새 가방을 사지 않을 것이다. (be going to, buy a new bag)

→ _____ tomorrow.

5 민수는 오늘 밤 파티에 오지 않을 것이다. (will, come to the party)

→ _____ tonight.

틀리기 쉬운 내/신/포/인/트

be going to와 의미가 같은 조동사를 알아둬야 해요.

두 문장의 의미가 같도록 할 때 빈칸에 알맞은 것은?

She is going to go to the bookstore.
= She _____ go to the bookstore.

① may　　② can　　③ will　　④ must

must, have to

정답 및 해설 p.6

must는 강한 의무, 강한 추측의 의미를 나타내고, must not은 금지의 의미를 나타낸다.

must	~해야 한다 〈강한 의무〉	You **must** keep your promise. = You **have to** keep your promise.	의무를 나타내는 must는 have to로 바꿔 쓸 수 있어요. 너는 네 약속을 지켜**야 한다**.
	~임에 틀림없다 〈강한 추측〉	Sally **must** be busy today.	Sally는 오늘 바쁜 것**임에 틀림없다**.
must not	~하면 안 된다 〈금지〉	You **must not** park here.	너는 여기에 주차**하면 안 된다**.

Tips 부정의 강한 추측은 cannot으로 나타낸다.
The rumor **cannot** be true. 그 소문은 사실일 리 없다.

have to는 의무의 의미를 나타낸다. 과거형은 had to, 미래형은 will have to이다.

have to	~해야 한다 〈의무〉	You **have to** stop at the red light.	너는 빨간불에서 멈춰**야 한다**.
		He **had to** wait a long time for her.	그는 그녀를 오래 기다려**야 했다**.
		She **will have to** do her best. ↳ will must로 쓰지 않도록 주의해요.	그녀는 최선을 다해**야 할 것이다**.
don't have to	~할 필요가 없다 〈불필요〉	You **don't have to** worry about it.	너는 그것에 대해 걱정할 **필요가 없다**.
		She **doesn't have to** call him again.	그녀는 그에게 다시 전화할 **필요가 없다**.

개념확인 옳은 해석 고르기

1 You <u>must</u> follow the rules.　　　**2** The story <u>must</u> be true.　　　**3** She <u>has to</u> work tonight.

☐ ~해야 한다　☐ ~임에 틀림없다　　☐ ~해야 한다　☐ ~임에 틀림없다　　☐ ~해야 한다　☐ ~임에 틀림없다

기본연습 A 밑줄 친 must와 쓰임이 같은 것을 **보기**에서 골라 그 기호를 쓰시오.

> **보기** ⓐ You <u>must</u> be quiet in class.　　ⓑ James <u>must</u> be hungry now.

1 I <u>must</u> go shopping to buy a new coat.　　[　　]

2 She <u>must</u> finish the project by tomorrow.　　[　　]

3 My dad came home late yesterday. He <u>must</u> be tired.　　[　　]

4 We <u>must</u> fasten our seat belts.　　[　　]

5 He has a cough and a fever. He <u>must</u> have a cold.　　[　　]

6 You <u>must</u> wear your uniform in school.　　[　　]

7 Hurry up. You <u>must</u> be there by three o'clock.　　[　　]

8 Alice won't talk to me. She <u>must</u> be angry at me.　　[　　]

B 우리말과 일치하도록 보기의 말과 괄호 안의 동사를 이용하여 문장을 완성하시오. (필요시 형태를 바꿀 것)

보기	must	have to	must not	don't have to

1 너는 박물관에서 사진을 찍으면 안 된다. (take)

→ You _____ pictures in the museum.

2 우리는 도서관에서 조용히 해야 한다. (be)

→ We _____ quiet in the library.

3 너는 그렇게 빨리 운전할 필요가 없다. 우리는 시간이 많다. (drive)

→ You _____ so fast. We have a lot of time.

4 그는 내일 일찍 일어나야 할 것이다. (get up)

→ He _____ early tomorrow.

5 너는 수업 중에 휴대 전화를 사용해서는 안 된다. (use)

→ You _____ your cell phone in class.

6 그녀는 편지를 보내기 위해 우체국에 가야 했다. (go)

→ She _____ to the post office to send the letter.

7 너는 창문을 닫을 필요가 없다. 내가 나중에 닫을 것이다. (close)

→ You _____ the windows. I'll close them later.

8 그는 긴 여행 후에 피곤한 것임에 틀림없다. (be)

→ He _____ tired after his long journey.

9 너는 너의 친구들에게 사실을 말해야 할 것이다. (tell)

→ You _____ the truth to your friends.

10 그녀는 표 값을 낼 필요가 없었다. 그것은 무료였다. (pay)

→ She _____ for the ticket. It was free.

틀리기 쉬운
내/신/포/인/트

must, must not, have to, don't have to의 의미를 구분해서 기억해야 해요.

대화의 빈칸에 들어갈 말로 알맞은 것은?

A: Oh, no! It's already 9 o'clock. I'm late for school.
B: Mina, it's Sunday. You _____ go to school today.

① must   ② have to   ③ must not   ④ don't have to

should는 약한 의무, 충고의 의미를 나타낸다. 부정형은 should not으로 '～하지 말아야 한다'라는 뜻이다.

should	～해야 한다 〈약한 의무 · 충고〉	We **should** save water and electricity.	우리는 물과 전기를 아껴야 한다.
		You **should** go back home by ten.	너는 10시까지 집에 돌아가야 한다.
		You **shouldn't** eat too many sweets.	너는 단것을 너무 많이 먹지 말아야 한다.

had better는 강한 충고의 의미를 나타내며, '～하는 게 좋겠다'라는 뜻이다. 부정형은 had better not으로 '～하지 않는 게 좋겠다'라는 뜻이다.

had better는 보통 'd better로 줄여서 써요.

had better	～하는 게 좋겠다 〈강한 충고〉	You'**d better** take a taxi.	너는 택시를 타는 게 좋겠다.
		We'**d better** get some rest now.	우리는 지금 좀 쉬는 게 좋겠다.
		You'**d better not** waste time.	너는 시간을 낭비하지 않는 게 좋겠다.

개념확인 not이 들어갈 위치 찾기

1 You should drive fast near the school.　　**2** You had better eat the food.

기본연습 **A** 자연스러운 의미가 되도록 괄호 안에서 알맞은 것을 고르시오.

1 We (should / shouldn't) make a noise in the library.

2 It is going to rain. You (had better / had better not) take an umbrella.

3 I can't help you now. I (should / shouldn't) finish my homework first.

4 You (had better / had better not) eat fast food. It is not good for you.

5 Amy doesn't look well. She (should / shouldn't) see a doctor.

6 Pick up the trash. You (should / shouldn't) throw it on the road.

B 우리말과 일치하도록 괄호 안의 말을 이용하여 문장을 완성하시오.

1 우리는 빨간불에 길을 건너지 말아야 한다. (cross)

→ We _____ the street at a red light.

2 너는 네 나쁜 습관들을 바꿔야 한다. (change)

→ You _____ your bad habits.

3 너는 밤에 피아노를 치지 않는 게 좋겠다. (play)

→ You _____ the piano at night.

4 우리는 그 문제에 대해 선생님께 여쭤보는 게 좋겠다. (ask)

→ We _____ the teacher about the problem.

POINT 8 used to, do

used to는 지금은 하지 않는 과거의 습관이나 과거의 상태를 나타낸다.

~하곤 했다 〈과거의 습관〉	I **used to** play the piano, but now I don't.	나는 피아노를 연주하곤 했지만, 지금은 하지 않는다.
	Sam **used to** read comic books.	Sam은 만화책을 읽곤 했다.
~이었다 〈과거의 상태〉	She **used to** be short.	그녀는 키가 작았었다.
	My family **used to** live in London.	우리 가족은 런던에 살았었다.

do는 동사 앞에서 동사를 강조할 때 쓴다. do가 강조하는 동사는 동사원형으로 써야 한다.

강조의 **do**	You **do** look nice today!	너 오늘 정말 멋져 보인다!
	She **does** like the idea. → 주어가 3인칭 단수이고 현재시제이므로 does를 써요.	그녀는 그 생각을 정말 좋아한다.
	I **did** win the dance contest. → 과거시제이므로 did를 써요.	나는 춤 경연 대회에서 정말 우승했다.

개념확인 옳은 해석 고르기

1 This area used to be a forest.
☐ ~하곤 했다 ☐ ~이었다

2 We used to talk about our future.
☐ ~하곤 했다 ☐ ~이었다

기본연습 A 우리말과 일치하도록 문장을 완성하시오.

1 우리 가족은 여름에 캠핑을 가곤 했다.
→ My family _____ camping in summer.

2 그녀는 긴 머리였지만, 지금은 짧은 머리이다.
→ She _____ long hair, but now she has short hair.

3 우리는 매일 밤 함께 음악을 듣곤 했다.
→ We _____ to music together every night.

4 나는 사람들 앞에서 노래를 부르곤 했지만, 지금은 하지 않는다.
→ I _____ in front of people, but now I don't.

B 밑줄 친 부분을 강조하는 문장으로 다시 쓰시오.

1 I want to go to the concert. → _____

2 She exercises regularly every day. → _____

3 We took a walk yesterday. → _____

4 Tom and Jane love to watch movies. → _____

개 념 완 성 TEST

정답 및 해설 p.7

STEP 1 Map으로 개념 정리하기

can
- ~할 수 있다 〈능력〉 (= be able to)
- ~해도 좋다 〈허가〉, ~해 줄래? 〈요청〉, ~일 수도 있다 〈추측〉

may
- ~해도 좋다 〈허가〉 (= can), ~일지도 모른다 〈약한 추측〉

will
- ~할 것이다 〈미래〉 (= be going to), ~해 줄래? 〈요청〉

조동사

must
- ~해야 한다 〈의무〉 (= have to)
- ~임에 틀림없다 〈강한 추측〉
- must not: ~하면 안 된다 〈금지〉
- don't have to: ~할 필요가 없다 〈불필요〉

should
- ~해야 한다 〈약한 의무 · 충고〉

had better
- ~하는 게 좋겠다 〈강한 충고〉

used to
- ~하곤 했다 〈과거의 습관〉, ~이었다 〈과거의 상태〉

do
- 동사 강조

Quick Check

❶ He can write Chinese characters.
  = He _____ _____ _____ write Chinese characters.

❷ You must be quiet in the library.
  = You _____ _____ be quiet in the library.

❸ I will go to the party tomorrow.
  = I _____ _____ _____ go to the party tomorrow.

❹ You must not waste your time.
  해석: _____

❺ You don't have to hurry now.
  해석: _____

❻ (You'd better wear / You'd wear better) your coat.

❼ I used to (be / being) afraid of dogs.

❽ I saw a beautiful rainbow. (동사 강조)
  → _____

STEP 2 기본 다지기

빈칸완성

A 우리말과 일치하도록 빈칸에 알맞은 말을 넣어 문장을 완성하시오.

1 너는 외국어를 좀 말할 수 있니?
→ _____ you speak any foreign languages?

2 그는 교실에 있을지도 모른다.
→ He _____ be in the classroom.

3 내가 이 상자들 옮기는 것 좀 도와줄래?
→ _____ you help me carry these boxes?

4 우리는 선생님 말씀을 들어야 한다.
→ We _____ listen to our teacher.

5 그녀는 내일 떠날 것이다.
→ She _____ _____ _____ leave tomorrow.

6 나는 어제 첫 기차를 타야 했다.
→ I _____ _____ catch the first train yesterday.

7 너는 다시 늦지 않는 게 좋겠다.
→ You _____ _____ _____ be late again.

8 Jack은 매일 해변에 가곤 했다.
→ Jack _____ _____ go to the beach every day.

B 밑줄 친 부분을 바르게 고쳐 쓰시오.

1 You <u>has</u> to turn off the lights. → _____

2 I <u>have to</u> stay at home yesterday. → _____

3 I'll <u>can</u> get a good grade on this test. → _____

4 He <u>don't</u> have to buy a new computer. → _____

5 <u>Do you can</u> use this machine? → _____

6 We shouldn't <u>watching</u> too much TV. → _____

7 My brother <u>uses</u> to lie to me, but now he doesn't. → _____

8 You must <u>to finish</u> your homework today. → _____

C 주어진 문장을 괄호 안의 지시대로 바꿔 쓰시오.

1 She will ride a bike on Friday. (be going to를 이용하여)

 → _____

2 Can you surf in the sea? (be able to를 이용하여)

 → _____

3 You had better take the medicine. (부정문으로)

 → _____

4 She must go to the hospital tomorrow. (don't have to를 이용하여)

 → _____

5 We must clean up the park. (have to를 이용하여)

 → _____

6 I walked to school with my friends. (used to를 넣어서)

 → _____

7 She understood all the teacher's questions. (동사를 강조하여)

 → _____

8 You should not eat too much pizza. (had better를 이용하여)

 → _____

STEP 3 서술형 따라잡기

그림이해

A 그림을 보고, 보기 와 같이 표지판을 설명하는 문장을 완성하시오.

보기  **1**  **2**

> 보기 You must not park here.

1 You _____ _____ _____ _____ here.

2 You _____ _____ _____ _____ here.

영작완성

B 우리말과 일치하도록 괄호 안의 말을 바르게 배열하여 문장을 쓰시오.

1 Sam은 내년에 16살이 될 것이다. (Sam, be, next year, will, sixteen)

→ _____

2 그녀는 어제 학교에 갈 수 없었다. (not, go to school, yesterday, could, she)

→ _____

3 우리는 방과 후에 축구를 하곤 했다. (after school, soccer, we, to, used, play)

→ _____

4 Jane은 내게 화난 것이 틀림없다. (Jane, be, angry, me, with, must)

→ _____

문장영작

C 우리말과 일치하도록 괄호 안의 말을 이용하여 영작하시오.

1 창문 좀 닫아주실래요? (would, close)

→ _____

2 Amy는 어제 파리로 갔다. 그녀가 서울에 있을 리가 없다. (can't, be)

→ Amy went to Paris yesterday. _____

3 너는 네 점심을 가져올 필요가 없다. (don't have to, bring)

→ _____

4 너는 아침을 거르지 않는 게 좋겠다. (had better, skip)

→ _____

정답 및 해설 p.7

[1-2] 빈칸에 들어갈 말로 알맞은 것을 고르시오.

1

> I'm very full now. I _____ eat any more.

① can   ② can't   ③ could
④ couldn't   ⑤ will

2

> It's very cold. You _____ go out.

① can   ② won't
③ had better   ④ shouldn't
⑤ used to

3 두 문장의 의미가 같도록 할 때 빈칸에 알맞은 것은?

> You must follow the traffic rules.
> = You _____ follow the traffic rules.

① will   ② can
③ may   ④ used to
⑤ have to

4 주어진 문장을 부정문으로 만들 때 ① ~ ⑤ 중 not이 들어갈 위치로 알맞은 곳은?

> You (①) had (②) better (③) take (④) the (⑤) bus.

5 밑줄 친 **must**의 쓰임이 나머지와 다른 하나는?

① He didn't have lunch. He must be hungry.
② They lost the final game. They must be sad.
③ This is the rule. You must follow it.
④ Were you waiting outside? You must be cold.
⑤ She worked hard all day. She must be tired.

6 밑줄 친 ① ~ ⑤ 중 어법상 틀린 것은?

> She will is able to pass the exam this time.
> ① ② ③ ④ ⑤

7 빈칸에 공통으로 들어갈 말로 알맞지 않은 것은?

> • You _____ exercise regularly.
> • You _____ not watch TV too much.

① must   ② should
③ have to   ④ may
⑤ had better

8 밑줄 친 조동사의 쓰임이 바르지 않은 것은?

① I couldn't swim well before.
② The news may not be true.
③ She has to study hard for the test.
④ Dad used to read a newspaper every morning.
⑤ He cannot go to his grandmother's house yesterday.

9 우리말과 일치하도록 괄호 안의 말을 배열할 때 세 번째로 오는 단어는?

> 너는 길에 쓰레기를 버리면 안 된다.
> (throw, trash, on, must, street, not, the, you)

① must   ② throw
③ trash   ④ not
⑤ street

10 빈칸에 들어갈 말로 알맞지 <u>않은</u> 것은?

> He should _____.

① help his mother
② go to bed early
③ not eat too much
④ listen to the teacher
⑤ does his homework

11 대화의 빈칸에 들어갈 말이 순서대로 짝 지어진 것은?

> A: You look so tired. What's the matter?
> B: My neighbor played the piano last night. So, I _____ sleep well.
> A: Oh, that's too bad. You _____ call the police.

① can't – have to
② can't – must not
③ couldn't – had better
④ couldn't – should not
⑤ could – are going to

12 대화의 빈칸에 들어갈 말로 알맞은 것은?

> A: Do you have to go to the library to do the report?
> B: No, I _____ go to the library. I can find the information on the Internet.

① should   ② could not
③ may   ④ don't have to
⑤ must not

13 대화의 밑줄 친 **may**와 쓰임이 같은 것은?

> A: What are you going to do this afternoon?
> B: I <u>may</u> walk my dog in the park.

① You <u>may</u> come in.
② <u>May</u> I use your pen?
③ <u>May</u> I park here?
④ You <u>may</u> play outside.
⑤ It <u>may</u> rain this Sunday.

고난도
14 어법상 <u>틀린</u> 문장을 모두 고르면?

① Do I have to stand up?
② He has to work on the computer last night.
③ You will must leave early tomorrow.
④ She should see a doctor right now.
⑤ We must not be late for school.

[15-16] 우리말을 영어로 옮길 때 빈칸에 들어갈 말로 알맞은 것을 고르시오.

15

> 그녀는 너에게 새 드레스를 사주지 않을 것이다.
> → She _____ buy you a new dress.

① will
② won't
③ can't
④ could
⑤ would

16

> Brown 씨는 매일 호수를 따라 산책을 하곤 했다.
> → Mr. Brown _____ take a walk along the lake every day.

① will
② can
③ should
④ has to
⑤ used to

17 짝 지어진 두 문장의 의미가 서로 <u>다른</u> 것은?

① He couldn't go on a picnic.
   = He wasn't able to go on a picnic.
② You must recycle cans and bottles.
   = You have to recycle cans and bottles.
③ May I see your ID card?
   = Can I see your ID card?
④ You don't have to wait for me.
   = You must not wait for me.
⑤ I'm going to visit my uncle this weekend.
   = I'll visit my uncle this weekend.

18 어법상 옳은 문장끼리 바르게 짝 지어진 것은?

> ⓐ He must be in his room.
> ⓑ She do look happy today.
> ⓒ It may snow tomorrow.
> ⓓ I used to lived in New York.

① ⓐ, ⓑ
② ⓐ, ⓒ
③ ⓑ, ⓒ
④ ⓑ, ⓓ
⑤ ⓒ, ⓓ

19 어법상 <u>틀린</u> 부분을 바르게 고친 것은?

> She don't have to do the work now.

① don't → doesn't
② don't → didn't
③ have → has
④ to → 삭제
⑤ do → doing

20 어법상 옳은 문장의 개수는?

> ⓐ You must not talk in class.
> ⓑ She is able to get home early yesterday.
> ⓒ He will can walk his dog after dinner.
> ⓓ I should brought an umbrella.
> ⓔ You have better go to bed now.

① 0개
② 1개
③ 2개
④ 3개
⑤ 4개

서술형

21 그림을 보고, 남자가 도움을 요청하는 말을 완성하시오.

A: _____ press the button
for the 5th floor?

B: No problem.

22 그림을 보고, 괄호 안의 말과 알맞은 조동사를 이용하여 문장을 완성하시오.

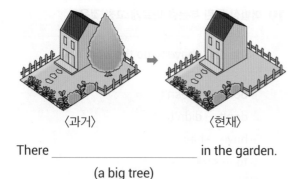

〈과거〉 ⇒ 〈현재〉

There _____ in the garden.
(a big tree)

23 주어진 문장을 읽고, 추측할 수 있는 내용을 괄호 안의 표현과 must 또는 cannot을 이용하여 쓰시오.

(1) Daniel has a runny nose and a fever.
→ _____
(have a cold)

(2) Kate looks very young.
→ _____
(be over forty)

(3) I lost my wallet in the car.
→ _____
(be in the car)

24 보기의 표현과 should 또는 had better를 이용하여 충고의 말을 쓰시오.

> 보기 have breakfast
> take an umbrella
> stay up late at night

(1) **Harry:** There are lots of black clouds in the sky.
You: _____
_____

(2) **Mina:** I go to bed late, so I get up late in the morning.
You: _____
_____

(3) **Andy:** I'm hungry at school, so I can't focus on the lessons.
You: _____
_____

🔺고난도
25 Kevin과 가족들의 역할 분담표를 보고, 보기와 같이 have to와 don't have to를 이용하여 문장을 쓰시오.

	Dad	Mom	Kevin
put up a tent	○	○	
make a fire	○		
cook dinner		○	○

> 보기 Dad and Mom have to put up a tent, but Kevin doesn't have to do it.

(1) _____
_____

(2) _____
_____

to부정사

POINT 1 to부정사의 형태와 쓰임

POINT 2 명사적 용법: 주어 역할

POINT 3 명사적 용법: 보어, 목적어 역할

POINT 4 명사적 용법: 의문사＋to부정사

POINT 5 형용사적 용법

POINT 6 부사적 용법

POINT 7 to부정사의 의미상 주어

POINT 8 too ~ to, enough to

부정사는 품사가 정해지지 않았다는 의미로, to 뒤에 동사원형이 오는 형태를 to부정사라고 한다.
to부정사는 문장에서 명사, 형용사, 부사처럼 쓰인다.

to부정사의 형태와 쓰임

정답 및 해설 p.8

to부정사는 「to+동사원형」의 형태로, 문장에서 명사, 형용사, 부사의 역할을 한다. '~하는 것, ~하기'의 의미이다.

명사적 용법	I like **to play** tennis.	나는 테니스를 치는 것을 좋아한다.
형용사적 용법	I have many things **to do**.	나는 할 일이 많다.
부사적 용법	He went out **to meet** his friend.	그는 친구를 만나기 위해 나갔다.

to부정사의 부정은 「not+to부정사」의 형태로 나타낸다.

| I promised **not to touch** the picture. | 나는 그 사진을 만지지 않기로 약속했다. |

개념확인 to부정사 찾기

1 He promised to follow the rule.　　**2** I went out to exercise.　　**3** He needs something to eat.

기본연습 **A** 괄호 안에서 알맞은 것을 고르시오.

1 He plans (learn / to learn) skateboarding.

2 Mary has many books (to read / to reads).

3 My hope is (see / to see) my favorite actor.

4 Robert wants (drinks / to drink) some cold water.

5 My sister went to the US (to study / to studied) English.

B 괄호 안의 말을 이용하여 문장을 완성하시오.

1 We don't have time _____ _____. (waste)

2 You need _____ _____ a lot of water. (drink)

3 My dream is _____ _____ a famous singer. (become)

4 I get up early in the morning _____ _____ breakfast. (have)

5 Kevin and Tim decided _____ _____ _____ _____. (not, go out)

**틀리기 쉬운
내/신/포/인/트**

to부정사는 「to+동사원형」의
형태를 써요.

빈칸에 들어갈 말로 알맞은 것은?

My parents want _____ in the country.

① live　　　　　　　　② lives
③ to live　　　　　　　④ to lives

명사적 용법: 주어 역할

정답 및 해설 p.8

주어 역할: '~하는 것은, ~하기는'으로 해석하고, 단수 취급한다.

To become a doctor | is very difficult. 의사가 되는 것은 매우 어렵다.

to부정사(구)가 주어로 쓰일 때는 주로 주어 자리에 가주어 it을 쓰고, 진주어인 to부정사(구)는 문장의 뒤에 쓴다.

To travel to other countries | is exciting. 다른 나라로 여행 가는 것은 신난다.

= | **It** | is exciting | **to travel** to other countries.
　　가주어　　　　　　　　　　진주어

주의 가주어 it은 해석하지 않고, 진짜 주어 역할을 하는 to부정사(구)를 주어로 해석한다.
It is important **to make plans for the future**. 미래를 위한 계획을 세우는 것은 중요하다.

개념확인 옳은 해석 고르기

1 It is very difficult to dive into the sea.
　　☐ 바다로 다이빙하기를
　　☐ 바다로 다이빙하는 것은

2 It is exciting to play basketball.
　　☐ 농구를 하는 것은
　　☐ 농구를 하기 위해

기본연습 **A** 괄호 안에서 알맞은 것을 고르시오.

1 It is important (save / to save) energy.

2 (It / This) is not easy to solve the puzzle.

3 It will be great (have / to have) a big house.

4 It is very interesting (study / to study) science.

5 (That / It) is exciting to watch baseball games.

B 밑줄 친 부분을 바르게 고쳐 쓰시오.

1 That is hard to fix a bike. → _____

2 It's not easy to gets up early every morning. → _____

3 It's nice to took a walk in the park. → _____

4 This is good for your health to eat fresh fruit. → _____

5 It is very difficult understand the book. → _____

6 It is dangerous to traveling alone. → _____

7 It is important to knowing yourself. → _____

C 우리말과 일치하도록 괄호 안의 말을 이용하여 문장을 완성하시오.

1 친구들과 보드게임을 하는 것은 매우 재미있다. (play)

→ It is very fun _____ _____ a board game with friends.

2 규칙적으로 운동하는 것은 네 건강을 위해 좋다. (exercise)

→ It is good for your health _____ _____ regularly.

3 기차로 여행하는 것은 신난다. (exciting, travel)

→ It is _____ _____ _____ by train.

4 그 산을 오르는 것은 어려웠다. (difficult, climb)

→ It was _____ _____ _____ the mountain.

5 밤늦게 밖에 나가는 것은 위험하다. (dangerous, go out)

→ It is _____ _____ _____ _____ late at night.

6 오늘 숙제를 끝내는 것은 쉽지 않다. (easy, finish)

→ It is _____ _____ _____ _____ the homework today.

7 역사를 배우는 것은 중요하다. (learn)

→ _____ is important _____ _____ history.

8 만화책을 읽는 것은 재미있다. (read)

→ _____ is interesting _____ _____ comic books.

9 그 문제를 푸는 것은 매우 어렵다. (solve)

→ _____ is very difficult _____ _____ the problem.

10 탄산음료를 너무 많이 마시는 것은 좋지 않다. (good).

→ _____ _____ _____ to drink too much soda.

11 애완동물을 돌보는 것은 쉽지 않다. (easy).

→ _____ _____ _____ _____ to take care of a pet.

밑줄 친 It의 쓰임이 나머지와 다른 하나는?

① It is my favorite dictionary.
② It is good to eat breakfast.
③ It is important to be on time.
④ It is dangerous to swim in the river.

명사적 용법: 보어, 목적어 역할

정답 및 해설 p.9

보어 역할: '~하는 것(이다)'이라는 뜻으로, 주어를 보충 설명한다.

Her dream is **to go** to the moon.　　　그녀의 꿈은 달에 **가는 것**이다.

목적어 역할: '~하는 것을, ~하기를'이라는 뜻으로, 동사의 목적어로 쓰인다.

My sister wants **to visit** the museum.　　　내 여동생은 박물관을 **방문하기를** 원한다.

> **Tips**　to부정사를 목적어로 쓰는 동사에는 want(원하다), hope(바라다), expect(기대하다), need(필요로 하다), decide(결정하다), plan(계획하다), agree(동의하다), promise(약속하다) 등이 있다.
> **I hope to live** in a big city. 나는 대도시에서 살기를 바란다.

개념확인 **to부정사의 역할 구분하기**

1 My dream is to be a writer.

　　□ 보어　□ 목적어

2 I want to watch the movie.

　　□ 보어　□ 목적어

기본연습 **우리말과 일치하도록 괄호 안의 말을 이용하여 문장을 완성하시오.**

1 내 계획은 전 세계를 여행하는 것이다. (travel)

　→ My plan is ＿＿＿＿＿＿ ＿＿＿＿＿＿ around the world.

2 그의 직업은 아이들에게 영어를 가르치는 것이다. (teach)

　→ His job is ＿＿＿＿＿＿ ＿＿＿＿＿＿ English to kids.

3 내 남동생은 패션 디자이너가 되기를 원한다. (want, be)

　→ My brother ＿＿＿＿＿＿ ＿＿＿＿＿＿ ＿＿＿＿＿＿ a fashion designer.

4 내 취미는 공원에서 연을 날리는 것이다. (be, fly)

　→ My hobby ＿＿＿＿＿＿ ＿＿＿＿＿＿ ＿＿＿＿＿＿ kites in the park.

5 Kevin은 물을 좀 마실 필요가 있다. (need, drink)

　→ Kevin ＿＿＿＿＿＿ ＿＿＿＿＿＿ ＿＿＿＿＿＿ some water.

6 내 바람은 학교에서 많은 친구를 사귀는 것이다. (be, make)

　→ My wish ＿＿＿＿＿＿ ＿＿＿＿＿＿ ＿＿＿＿＿＿ many friends at school.

7 내 여동생은 에베레스트 산에 오르는 것을 기대하고 있다. (expect, climb)

　→ My sister ＿＿＿＿＿＿ ＿＿＿＿＿＿ ＿＿＿＿＿＿ Mt. Everest.

8 Nancy는 현장 학습에 가지 않기로 결정했다. (decide, go)

　→ Nancy ＿＿＿＿＿＿ ＿＿＿＿＿＿ ＿＿＿＿＿＿ on a field trip.

POINT 4 명사적 용법: 의문사 + to부정사

정답 및 해설 p.9

「의문사+to부정사」는 문장에서 명사처럼 쓰이며, 의문사에 따라 그 의미가 달라진다.

what+to부정사	무엇을 ~할지		what to do first.	나는 먼저 무엇을 해야 할지 모르겠다.
how+to부정사	어떻게 ~할지(~하는 방법)		how to get there.	나는 거기에 어떻게 가야 할지 모르겠다.
where+to부정사	어디서(어디로) ~할지	I don't know	where to go.	나는 어디로 가야 할지 모르겠다.
when+to부정사	언제 ~할지		when to stop.	나는 언제 멈춰야 할지 모르겠다.

주의 「의문사+to부정사」는 「의문사+주어+should+동사원형」으로 바꿔 쓸 수 있다.
I didn't know **what to say.** 나는 무엇을 말해야 할지 몰랐다.
= I didn't know **what I should say.**

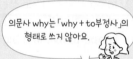

의문사 why는 「why+to부정사」의 형태로 쓰지 않아요.

개념확인 **옳은 해석 고르기**

1 Tell me where to meet.
- [ ] 어디서 만날지
- [ ] 어떻게 만날지

2 He knows when to start.
- [ ] 어디서 출발할지
- [ ] 언제 출발할지

3 I can't decide what to eat.
- [ ] 무엇을 먹을지
- [ ] 어떻게 먹을지

기본연습 **A 밑줄 친 부분을 바르게 고쳐 쓰시오.**

1 Ann didn't know <u>what cook</u> for dinner. → _____

2 Mr. Kim will tell us <u>how use to</u> the camera. → _____

3 The question is <u>when to starts</u> the project. → _____

4 I'm not sure <u>where go</u> for this vacation. → _____

5 Eric wants to learn <u>to drive how</u>. → _____

B 자연스러운 문장이 되도록 괄호 안의 말을 바르게 배열하시오.

1 Let me know _____ next. (to, do, what)

2 I have to decide _____ tomorrow. (to, go, where)

3 Please tell me _____. (to, you, when, meet)

4 Mina told me _____. (to, how, solve, the problem)

5 Do you know _____? (to, the piano, play, how)

C 우리말과 일치하도록 빈칸에 들어갈 말을 [보기]에서 골라 알맞은 형태로 쓰시오. (「의문사+to부정사」로 쓸 것)

보기	buy	wear	make	leave	eat

1 우리는 어디서 먹을지 결정해야 한다.

→ We have to decide _____.

2 Ted는 내게 언제 서울로 떠날지 말해 줬다.

→ Ted told me _____ for Seoul.

3 나는 파티를 위해 무엇을 입을지 모르겠다.

→ I don't know _____ for the party.

4 엄마는 내게 팬케이크 만드는 방법을 가르쳐 주셨다.

→ Mom taught me _____ pancakes.

5 생일 선물로 Sue에게 무엇을 사 줄지 이야기해 보자.

→ Let's talk about _____ Sue for her birthday.

D 두 문장의 의미가 같도록 빈칸에 알맞은 말을 쓰시오.

1 Andy asked me what I should learn this summer.

= Andy asked me _____ _____ _____ this summer.

2 Mary decided where to stay in Paris.

= Mary decided _____ _____ _____ _____ in Paris.

3 I don't know when I should meet her.

= I don't know _____ _____ _____ _____.

4 Tell me what to bring for the picnic.

= Tell me _____ _____ _____ _____ for the picnic.

5 He showed me how I should ride a bike.

= He showed me _____ _____ _____ _____.

빈칸에 들어갈 말로 알맞은 것은?

I'll explain to you what _____ next.

① do   ② does
③ to do   ④ did

to부정사가 형용사처럼 명사나 대명사를 수식할 때 '~할, ~하는'으로 해석하고, 명사나 대명사 뒤에 온다.

| She wants | water | **to drink.** | 그녀는 마실 물을 원한다. |
| I have | something | **to tell** you. | 나는 네게 말할 무언가가 있다. |

(대)명사+to부정사+전치사: to부정사의 수식을 받는 명사나 대명사가 전치사의 목적어일 경우, to부정사 뒤에 전치사를 써야 한다.☆

| I bought | a pen | **to write with.** | 나는 쓸 펜을 샀다. |
| He needs | somebody | **to play with.** | 그는 함께 놀 누군가가 필요하다. |

Tips 수식을 받는 명사를 to부정사 뒤에 놓아 보면 전치사가 필요한지, 어떤 전치사가 들어가야 하는지 알 수 있다.
a chair **to sit on** (← sit on a chair) 앉을 의자
some paper **to write on** (← write on some paper) 쓸 종이

개념확인 밑줄 친 to부정사가 수식하는 말 찾기

1 I have a lot of work to do.   **2** I need time to talk to him.   **3** I want someone to help me.

기본연습 A 밑줄 친 부분에 유의하여 우리말 해석을 완성하시오.

1 I'll buy a book to read on the train.   → 나는 기차에서 _____ 살 것이다.

2 Mary needs someone to talk to.   → Mary는 _____ 필요하다.

3 I have some questions to ask you.   → 나는 너에게 _____ 있다.

4 Ben gave me a lot of work to do.   → Ben은 내게 _____ 주었다.

5 They're looking for a house to live in.   → 그들은 _____ 찾고 있다.

B 밑줄 친 부분을 바르게 고쳐 쓰시오.

1 There are many places visit in Korea.   → _____

2 The foreigner is looking for someone help to him.   → _____

3 They have a lot of to do things this evening.   → _____

4 Tony has many friends to play.   → _____

5 Mr. Johnson has a piece of paper to write with.   → _____

C 자연스러운 문장이 되도록 빈칸에 들어갈 말을 보기 에서 골라 알맞은 형태로 쓰시오.

> 보기　　　do　　　sit　　　eat　　　play　　　drink

1 I'm thirsty. Do you have something ＿＿＿＿＿＿ ＿＿＿＿＿＿?

2 He's busy. He has many things ＿＿＿＿＿＿ ＿＿＿＿＿＿ now.

3 I'm tired. I really want a chair ＿＿＿＿＿＿ ＿＿＿＿＿＿ on.

4 Mike is happy. He has a lot of toys ＿＿＿＿＿＿ ＿＿＿＿＿＿ with.

5 Her son is young. He needs a fork and a spoon ＿＿＿＿＿＿ ＿＿＿＿＿＿ with.

D 우리말과 일치하도록 괄호 안의 말을 바르게 배열하여 문장을 완성하시오.

1 그는 내일 먹을 것이 있니? (to, eat, anything)

→ Does he have ＿＿＿＿＿＿＿＿＿＿＿＿＿ tomorrow?

2 Sam은 그 차를 살 충분한 돈이 없다. (buy, to, enough, money)

→ Sam doesn't have ＿＿＿＿＿＿＿＿＿＿＿＿＿ the car.

3 내 생일 파티에 초대할 사람들이 많이 있다. (to, many, invite, people)

→ There are ＿＿＿＿＿＿＿＿＿＿＿＿＿ to my birthday party.

4 나는 오늘 끝낼 숙제가 많다. (to, a lot of, finish, homework)

→ I have ＿＿＿＿＿＿＿＿＿＿＿＿＿ today.

5 제게 앉을 의자를 가져다주세요. (a chair, on, to, sit)

→ Please bring me ＿＿＿＿＿＿＿＿＿＿＿＿＿.

6 너는 내게 쓸 연필을 줄 수 있니? (to, with, a pencil, write)

→ Can you give me ＿＿＿＿＿＿＿＿＿＿＿＿＿?

7 내가 너에게 들을 노래를 추천해 줄게. (songs, to, to, listen)

→ I'll recommend you ＿＿＿＿＿＿＿＿＿＿＿＿＿.

틀리기 쉬운 내/신/포/인/트

to부정사의 수식을 받는 명사가 전치사의 목적어일 경우, to부정사 뒤에 전치사를 써야 해요.

우리말을 영어로 바르게 옮긴 것은?

> 그녀는 페인트칠할 붓이 필요하다.

① She needs a brush paint.
② She needs to paint a brush.
③ She needs a brush to paint.
④ She needs a brush to paint with.

부사 역할을 하는 to부정사는 문맥에 따라 다양한 의미로 해석한다.

목적	~하기 위해	I ran fast **to win** the race.	나는 경주에서 **이기기 위해** 빨리 달렸다.
감정의 원인	~해서	He was angry **to hear** the rumor.	그는 그 소문을 **듣고** 화가 났다.
결과	~해서 (결국) …하다	She grew up **to be** a great doctor.	그녀는 자라서 훌륭한 의사가 **되었다**.
판단의 근거	~하다니	He was honest **to tell** the truth.	진실을 **말하다니** 그는 정직했다.

Tips 목적의 의미를 명확히 하기 위해 to 대신에 in order to를 쓰기도 한다.
I went out **in order to meet** my friend. 나는 내 친구를 만나기 위해 나갔다.

Tips to부정사가 감정의 원인을 나타낼 때는 주로 glad, sorry 등의 감정을 나타내는 형용사가 to부정사 앞에 오고, 판단의 근거를 나타낼 때는 lucky, stupid, smart 등의 형용사가 to부정사 앞에 온다.

감정을 나타내는 형용사	glad(기쁜), happy(행복한), pleased(기쁜), sorry(유감인), upset(속상한), shocked(충격을 받은), surprised(놀란) 등

개념확인 옳은 해석 고르기

1 I called her to say sorry yesterday.

☐ 미안하다고 말해서
☐ 미안하다고 말하기 위해

2 He must be kind to help her.

☐ 그녀를 돕다니
☐ 그녀를 돕기 위해

기본연습 우리말과 일치하도록 괄호 안의 말을 이용하여 문장을 완성하시오.

1 나는 너와 함께 이곳에 있어서 정말 행복하다. (happy, be)

→ I'm so _____ here with you.

2 Alice는 자라서 훌륭한 선생님이 되었다. (grow up, be)

→ Alice _____ a great teacher.

3 그 퍼즐을 풀다니 그는 똑똑한 것이 틀림없다. (smart, solve)

→ He must be _____ the puzzle.

4 그들은 뉴스를 보기 위해 TV를 켰다. (watch, the news)

→ They turned on the TV _____.

5 나는 책을 몇 권 빌리기 위해 도서관에 갔다. (borrow, some books)

→ I went to the library _____.

to부정사의 의미상 주어

정답 및 해설 p.9

to부정사가 나타내는 행동의 주체를 to부정사의 의미상 주어라고 하고, 「for+목적격」의 형태로 to부정사 앞에 쓴다.

| It's difficult | for me | to study history. | 내가 역사를 공부하는 것은 어렵다. |

가주어 / 의미상 주어 / 진주어
→대부분의 경우 「for+목적격」으로 써요.

사람의 성격이나 태도를 나타내는 형용사가 올 경우, to부정사의 의미상 주어는 「of+목적격」의 형태로 쓰며, '~하다니 (의미상 주어)는 …하다'라고 해석한다.

| It is **kind** | of you | to help me. | 네가 나를 돕다니 친절하구나. |

Tips 사람의 성격이나 태도를 나타내는 형용사에는 kind(친절한), nice(친절한), rude(무례한), wise(현명한), honest(정직한), foolish(어리석은), smart(똑똑한) 등이 있다.

개념확인 to부정사의 의미상 주어 찾기

1 It's hard for me to get up early.　　**2** It's nice of her to say so.　　**3** It's difficult for him to ski.

기본연습 **A** 괄호 안에서 알맞은 것을 고르시오.

1 It is not easy (for / of) him to learn yoga.

2 It is very kind (for / of) you to invite us.

3 It's difficult (for / of) me to write an essay.

4 It was wise of (him / his) to tell the truth.

5 It's important for (I / me) to pass the test.

6 It is smart (for / of) him to find the answer.

B 우리말과 일치하도록 괄호 안의 말을 이용하여 문장을 완성하시오.

1 내가 새로운 언어를 배우는 것은 재미있다. (learn)

→ It is interesting ＿＿＿＿＿＿＿＿＿＿＿＿＿＿＿＿ a new language.

2 우리가 그녀를 믿다니 어리석었다. (believe)

→ It was foolish ＿＿＿＿＿＿＿＿＿＿＿＿＿＿＿＿ her.

3 그녀가 그를 혼자 두다니 무례했다. (leave)

→ It was rude ＿＿＿＿＿＿＿＿＿＿＿＿＿＿＿＿ him alone.

4 네가 바다에서 수영하는 것은 위험하다. (swim)

→ It is dangerous ＿＿＿＿＿＿＿＿＿＿＿＿＿＿＿＿ in the sea.

POINT 8 too ~ to, enough to

「too+형용사/부사+to부정사」는 '너무 ~해서 …할 수 없는'의 의미로, 「so+형용사/부사+that+주어+can't」로 바꿔 쓸 수 있다.

| I'm | **too** tired | **to study** tonight. | 나는 너무 피곤해서 오늘 밤에 공부할 수 없다. |

| = | I'm | **so** tired | **that I can't study** tonight. | |

「형용사/부사+enough+to부정사」는 '…할 만큼 충분히 ~한/하게'의 의미로, 「so+형용사/부사+that+주어+can」으로 바꿔 쓸 수 있다.

| He's | brave **enough** | **to travel** alone. | 그는 혼자 여행할 만큼 충분히 용감하다. |

| = | He's | **so** brave | **that he can travel** alone. | |

주의 too ~ to와 enough to 구문을 that절을 사용한 문장으로 바꿔 쓸 때는 주어와 시제에 유의한다.
I was **too** busy **to clean** my room. 나는 너무 바빠서 내 방을 청소할 수 없었다.
= I was **so** busy **that I couldn't clean** my room.
↳ 주절이 과거시제일 때는 couldn't로 써요.

개념확인 옳은 해석 고르기

1 The tea is too hot to drink.
  ☐ 마실 만큼 충분히 뜨거운
  ☐ 너무 뜨거워서 마실 수 없는

2 The box is light enough to carry.
  ☐ 들 만큼 충분히 가벼운
  ☐ 너무 가벼워서 들기 쉬운

기본연습 두 문장의 의미가 같도록 빈칸에 알맞은 말을 쓰시오.

1 James practices so hard that he can win the contest.
  = James practices _____ _____ _____ _____ the contest.

2 Kevin was so busy that he couldn't help you.
  = Kevin was _____ _____ _____ _____ you.

3 I'm too sleepy to do my homework.
  = I'm _____ _____ _____ _____ _____ my homework.

4 Tom was too tired to go out.
  = Tom was _____ _____ _____ _____ go out.

5 He is so strong that he can carry the heavy box.
  = He is _____ _____ _____ _____ the heavy box.

개 ㅣ 념 ㅣ 완 ㅣ 성 T E S T

정답 및 해설 p.10

STEP 1 Map으로 개념 정리하기

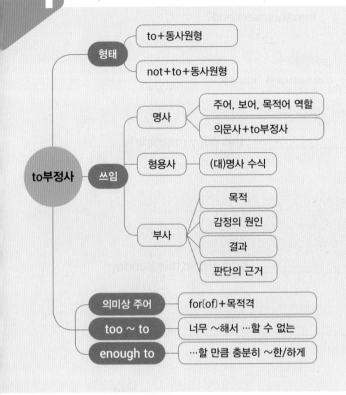

Quick Check

❶ (It / This) is fun to paint pictures.

❷ I don't know what (draw / to draw).

❸ I need some pens (use / to use).

❹ I went to Paris to study art.

해석: _____

❺ I was happy to see him in Sydney.

해석: _____

❻ It is not easy (for / of) me to understand the novel.

❼ Joe is (too / enough) young to stay home alone.

❽ This picture is big (too / enough) to cover the window.

STEP 2 기본 다지기

역할구분

A 밑줄 친 to부정사의 쓰임으로 알맞은 것을 고르시오.

		명사	형용사	부사
1	It is always exciting <u>to go</u> to the movies.	☐ 명사	☐ 형용사	☐ 부사
2	It is great <u>to help</u> other people.	☐ 명사	☐ 형용사	☐ 부사
3	Suji went to the mall <u>to eat</u> pizza.	☐ 명사	☐ 형용사	☐ 부사
4	Mary needs a piece of paper <u>to write on</u>.	☐ 명사	☐ 형용사	☐ 부사
5	My grandfather lived <u>to be</u> hundred years old.	☐ 명사	☐ 형용사	☐ 부사
6	Her job is <u>to feed</u> the penguins every morning.	☐ 명사	☐ 형용사	☐ 부사
7	He must be foolish <u>to believe</u> the rumor.	☐ 명사	☐ 형용사	☐ 부사
8	I'm planning <u>to go</u> to a museum with my mom.	☐ 명사	☐ 형용사	☐ 부사
9	I'd like to buy a book <u>to read</u> now.	☐ 명사	☐ 형용사	☐ 부사
10	It is not easy for me <u>to dive</u> into the river.	☐ 명사	☐ 형용사	☐ 부사
11	I have something <u>to say</u> to him.	☐ 명사	☐ 형용사	☐ 부사

B 우리말과 일치하도록 빈칸에 알맞은 말을 넣어 문장을 완성하시오.

1 너는 이번 주말에 그를 방문할 계획이니?

→ Are you planning _____ _____ him this weekend?

2 Alice는 콘서트 표를 사기 위해 일찍 출발했다.

→ Alice left early _____ _____ the concert tickets.

3 너는 이 복사기를 어떻게 사용하는지 아니?

→ Do you know _____ _____ _____ this copy machine?

4 내 여동생은 함께 놀 친구가 많다.

→ My sister has a lot of friends _____ _____ _____.

5 그들은 일요일에 소풍을 가지 않기로 동의했다.

→ They agreed _____ _____ _____ on a picnic this Sunday.

6 내가 좋은 영화를 찾는 것은 어렵다.

→ It is hard _____ _____ _____ _____ a good movie.

7 내 남동생은 너무 어려서 자전거를 탈 수 없다.

→ My brother is _____ _____ _____ _____ a bike.

8 그녀는 너를 이해할 만큼 충분히 현명하다.

→ She is _____ _____ _____ _____ you.

C 밑줄 친 부분을 바르게 고쳐 쓰시오.

1 The guide will tell us to where go. → _____

2 Please give me a pen to write on. → _____

3 It is rude for him to ask her that question. → _____

4 That was exciting to play basketball. → _____

5 I don't know when turn in the report. → _____

6 My sister is not enough old to drive a car. → _____

7 This homework is to difficult too do alone. → _____

8 Suji went to the post office to sends a letter. → _____

9 I hope meeting my favorite singer in person. → _____

D (보기)와 같이 문장을 바꿔 쓰시오.

> (보기) To live without air is impossible. → It is impossible to live without air.

1 To be on time is important. → _____

2 To run on the street is dangerous. → _____

3 To make a snowman was very exciting. → _____

4 To exercise every day is not easy. → _____

E 주어진 문장을 to부정사를 이용하여 바꿔 쓰시오.

1 Please tell me when I should start.

→ _____

2 I don't know what I should do next.

→ _____

3 I told Bob how he should cook bulgogi.

→ _____

4 They decided where they should go for the field trip.

→ _____

5 I was so excited that I couldn't fall asleep.

→ _____

6 He was so brave that he could catch the thief.

→ _____

7 She's so strong that she can win the boxing match.

→ _____

8 I'm so short that I can't reach the shelf.

→ _____

9 He was surprised when he heard the news.

→ _____

10 Kate went to the store and bought some fruit.

→ _____

STEP 3 서술형 따라잡기

그림이해

A 그림을 보고, 주어진 표현을 이용하여 보기 와 같이 문장을 완성하시오.

보기
study math

1
play the drums

2
fish in the lake

3
wash the car

> 보기 It is difficult to study math.

1 It is exciting _____.

2 It is boring _____.

3 It is hard _____.

영작완성

B 우리말과 일치하도록 괄호 안의 말을 바르게 배열하여 문장을 쓰시오.

1 반바지를 입을 만큼 충분히 덥다. (is, hot, to, it, wear, enough, shorts)

→ _____

2 그녀는 요즘 잘 시간이 없다. (no, has, she, to, these days, time, sleep)

→ _____

3 그 박물관은 볼 것이 많다. (to, a lot of, has, the museum, see, things)

→ _____

4 나는 Tom에게 수학 프로젝트에 관해 묻기 위해 전화했다. (called, Tom, I, to, about, ask, the math project)

→ _____

문장영작

C 우리말과 일치하도록 괄호 안의 말을 이용하여 영작하시오.

1 그가 길을 가르쳐 주다니 친절하구나. (it, kind, show the way)

→ _____

2 내가 해변에 가는 것은 즐거웠다. (it, fun, go to the beach)

→ _____

3 그는 피아노 연주하는 법을 배울 것이다. (will, learn, play the piano)

→ _____

4 나는 언제 오른쪽으로 돌아야 하는지 알고 싶다. (want, turn right)

→ _____

[1-4] 빈칸에 들어갈 말로 알맞은 것을 고르시오.

1

It is good _____ a lot of vegetables.

① eat   ② eats   ③ ate
④ to eat   ⑤ to eats

2

Do you know _____ to use this machine?

① what   ② how   ③ why
④ which   ⑤ that

3

She turned off the light _____.

① went to sleep
② go to sleep
③ going to sleep
④ to go to sleep
⑤ to going to sleep

4

It is important _____ to know the truth.

① of I   ② of my   ③ of me
④ for me   ⑤ for my

5 빈칸에 들어갈 말로 알맞지 <u>않은</u> 것은?

It was very _____ of him to say so.

① nice   ② kind   ③ wise
④ stupid   ⑤ hard

[6-7] 밑줄 친 부분의 쓰임이 보기 와 같은 것을 고르시오.

6

보기 I have something <u>to tell</u> you.

① It is not easy <u>to travel</u> alone.
② He decided <u>to buy</u> a new camera.
③ They bought some books <u>to read</u>.
④ My plan is <u>to travel</u> to Spain.
⑤ I went to the post office <u>to send</u> a letter.

7

보기 He'll go to Canada <u>to study</u> science.

① I really want <u>to go</u> with you.
② It's time <u>to leave</u> for school.
③ She has no money <u>to buy</u> the ticket.
④ Mina put on her glasses <u>to see</u> better.
⑤ My dream is <u>to become</u> a good doctor.

8 두 문장의 의미가 같도록 할 때, 빈칸에 들어갈 말로 알맞은 것은?

> Amy is so busy that she can't help you.
> = Amy is too busy _____ you.

① help　　　② helps　　　③ can help

④ to help　　⑤ too help

9 우리말과 일치하도록 괄호 안의 말을 배열할 때, 네 번째로 오는 단어는?

> 그는 학교에 갈 만큼 충분히 나이가 들었다.
> (he, school, old, to, enough, is, go, to)

① old　　　　② enough　　　③ to

④ go　　　　⑤ school

10 빈칸에 들어갈 말이 순서대로 짝 지어진 것은?

> • They need chairs to sit _____.
> • David has many friends to play _____.

① on – at　　　　② on – with

③ to – for　　　　④ to – on

⑤ about – to

11 ① ~ ⑤ 중 not이 들어갈 위치로 알맞은 곳은?

> Alice (①) decided (②) to (③) tell him
> (④) a lie (⑤).

12 밑줄 친 It의 쓰임이 나머지와 다른 하나는?

① It's nice to take a walk in the park.

② It was very hot this summer in Korea.

③ It is exciting to play soccer with friends.

④ It was difficult to climb the mountain.

⑤ It is not easy to learn a new language.

13 우리말을 영어로 잘못 옮긴 것은?

① 그는 컴퓨터를 사기 위해 돈을 모았다.

　　→ He saved money to buy a computer.

② 나는 그 뉴스를 듣고 충격을 받았다.

　　→ I was shocked in order to hear the news.

③ 그 소녀는 자라서 조종사가 되었다.

　　→ The girl grew up to be a pilot.

④ 그는 그 책을 이해할 만큼 충분히 똑똑하다.

　　→ He is smart enough to understand the book.

⑤ 그는 조언을 좀 얻기 위해 선생님께 갔다.

　　→ He went to his teacher to get some advice.

14 우리말과 일치하도록 빈칸에 들어갈 말로 알맞은 것은?

> 이 상자를 어떻게 여는지 보여 주세요.
> → Please show me _____ this box.

① how open　　　　② to open how

③ how to open　　　④ what open

⑤ what to open

15 어법상 틀린 문장은?

① I need some paper to write.

② My hope is to build my own house.

③ I agreed to lend John some money.

④ She was looking for something to eat.

⑤ My mother wants to go out for dinner.

18 밑줄 친 부분이 어법상 틀린 문장의 개수는?

ⓐ He forgot how to make a paper airplane.

ⓑ Mina told me when to start the concert.

ⓒ Jane studied hard not to fail the exam.

ⓓ She is enough tall to be a volleyball player.

① 0개   ② 1개   ③ 2개

④ 3개   ⑤ 4개

16 의미하는 바가 나머지와 다른 하나는?

① She's rich enough to buy the car.

② She's so rich that she can buy the car.

③ She's very rich, so she can buy the car.

④ She's not rich, but she can buy the car.

⑤ Because she is very rich, she can buy the car.

19 대화의 밑줄 친 ① ~ ⑤ 중 어법상 틀린 것은?

A: I need a book ① reading on the train.

B: ② How about this one? It tells you ③ how to save your money.

A: Sounds ④ good. It is difficult ⑤ for me to save money.

20 어법상 올바른 문장의 개수는?

ⓐ This is really easy for me to cook Korean food.

ⓑ I was excited to get an A on my history test.

ⓒ I promised not to be late for school again.

ⓓ Chris came to see her yesterday.

① 0개   ② 1개   ③ 2개

④ 3개   ⑤ 4개

17 빈칸에 들어갈 말이 나머지와 다른 하나는?

① It's exciting _____ me to play with my dog.

② It was hard _____ him to take care of a baby.

③ It is not easy _____ her to get up early.

④ It is kind _____ you to help the old woman.

⑤ It's important _____ you to keep your promise.

21 주어진 문장과 의미가 같도록 to부정사를 이용하여 바꿔 쓰시오.

(1) Let me know when I should finish the work.

　→ _____

(2) I was so sleepy that I couldn't read the book.

　→ _____

(3) Andy is so smart that he can solve the problem.

　→ _____

22 그림을 보고, 보기 와 같이 괄호 안의 말과 「의문사+to부정사」를 이용하여 문장을 완성하시오.

보기　　(1)

(2)　(3)

보기　Mina has no idea when to turn off the oven. (turn off)

(1) Amy has no idea _____. (wear)

(2) Mike doesn't know _____. (go)

(3) Jinsu wants to know _____ the machine. (use)

23 보기 에서 알맞은 말을 두 개 골라 문장을 완성하시오.

보기　a jacket　　a chair　　a book
　　　sit on　　　read　　　wear

(1) I feel cold. I need _____.

(2) I'm bored. I'll buy _____.

(3) I hurt my leg. I want _____.

24 주어진 두 문장을 to부정사를 이용하여 한 문장으로 쓰시오.

(1) I was sad. I heard the bad news.

　→ _____

(2) I'm going to the park. I'll ride a skateboard.

　→ _____

고난도
25 우리말과 일치하도록 괄호 안의 말을 이용하여 조건 에 맞게 영작하시오.

조건　1. 가주어 It을 이용할 것
　　　2. to부정사를 이용할 것

(1) 규칙적으로 운동하는 것은 쉽지 않다.
(easy, exercise, regularly)

　→ _____

(2) 기타를 치는 것은 재미있다.
(interesting, play, the guitar)

　→ _____

(3) 야구 경기를 보는 것은 지루하다.
(boring, watch, the baseball games)

　→ _____

4 동명사

POINT 1   동명사의 형태와 쓰임

POINT 2   동명사를 목적어로 쓰는 동사

POINT 3   동명사와 to부정사 둘 다 목적어로 쓰는 동사

POINT 4   동명사의 관용 표현 Ⅰ

POINT 5   동명사의 관용 표현 Ⅱ

동사가 「동사원형+-ing」의 형태로 쓰여 명사 역할을 하는 것을 동명사라고 한다.

POINT 1 동명사의 형태와 쓰임

정답 및 해설 p.11

동명사는 「동사원형＋-ing」의 형태로 문장에서 명사처럼 주어, 보어, 목적어로 쓰인다. '~하는 것, ~하기'의 뜻을 나타낸다.

주어	**Studying** history is necessary.	역사를 공부하는 것은 필요하다.
보어	My hobby is **playing** the guitar.	내 취미는 기타를 연주하는 것이다.
동사의 목적어	She enjoys **exercising** regularly.	그녀는 규칙적으로 운동하는 것을 즐긴다.
전치사의 목적어	He is afraid of **being** alone.	그는 혼자 있는 것을 무서워한다.

주어와 보어로 쓰인 동명사는 to부정사로 바꿔 쓸 수 있다.

↗ 주어로 쓰인 동명사(구)는 항상 단수 취급해요.

| 주어 | **Eating** fresh vegetables is good for your health. = It is good for your health **to eat** fresh vegetables. | 신선한 채소를 먹는 것은 네 건강에 좋다. |
| 보어 | My dream is **meeting** my favorite singer. = My dream is **to meet** my favorite singer. | 내 꿈은 내가 가장 좋아하는 가수를 만나는 것이다. |

> 궁금해요! 동명사의 부정형은 어떻게 만드나요?
> Not sleeping enough is bad for your health.와 같이 동명사 앞에 not을 붙여 만들어요.

개념확인 동명사 찾기

1 The baby began crying.　　**2** Planning a trip takes time.　　**3** His job is teaching math.

 **기본연습** A 밑줄 친 동명사의 쓰임으로 알맞은 것을 고르시오.

		주어	목적어	보어
1	Are you good at singing and <u>dancing</u>?	☐	☐	☐
2	Minho's dream is <u>traveling</u> around the world.	☐	☐	☐
3	<u>Drawing</u> people is my hobby.	☐	☐	☐
4	Her bad habit is <u>eating</u> food late at night.	☐	☐	☐
5	My friend and I enjoy <u>playing</u> badminton together.	☐	☐	☐
6	<u>Skiing</u> in winter is my favorite activity.	☐	☐	☐
7	She really likes <u>talking</u> with her friends.	☐	☐	☐
8	<u>Listening</u> to music makes me happy.	☐	☐	☐

B 두 문장의 의미가 같도록 동명사를 이용하여 문장을 완성하시오.

1 Her favorite exercise is to play tennis.

→ _____ tennis.

2 It is a lot of fun to watch basketball games.

→ _____ a lot of fun.

74 Chapter 4

3 It is not easy to make spaghetti.

→ _____ not easy.

4 Tina's hobby is to collect coins.

→ _____ coins.

5 It is really interesting to learn a foreign language.

→ _____ really interesting.

6 My dream is to be a great doctor.

→ My dream is _____ .

7 Dan's job is to take care of sick animals.

→ Dan's job is _____ .

8 It is not helpful to worry about the test.

→ _____ helpful.

C 밑줄 친 부분이 어법상 맞으면 ○ 표시를 하고, 틀리면 바르게 고쳐 쓰시오.

1 Nancy's plan is <u>fix</u> her old bike. → _____

2 Making new friends <u>are</u> not difficult. → _____

3 His job is <u>teaching</u> science in middle school. → _____

4 I'm interested in <u>bake</u> cookies. → _____

5 <u>Eat</u> too much sugar is bad for your teeth. → _____

6 My brother doesn't like <u>travel</u> alone. → _____

7 Did you finish <u>doing</u> your homework? → _____

8 <u>Wearing not</u> seat belt is dangerous. → _____

틀/리/기 쉬/운
내/신/포/인/트

동명사가 문장에서 주어,
보어, 목적어 중 어떤 역할을
하는지 구분해야 해요.

밑줄 친 부분의 쓰임이 보기 와 같은 것은?

보기 <u>Drawing</u> pictures is not easy.

① His hobby is <u>swimming</u>.   ② They kept <u>waiting</u> for the bus.
③ Thank you for <u>inviting</u> us.   ④ <u>Keeping</u> secret is difficult.

POINT 2 동명사를 목적어로 쓰는 동사

동명사만을 목적어로 쓰는 동사

enjoy 즐기다	keep 계속 ~하다	practice 연습하다	finish 끝내다	
mind 꺼리다	give up 포기하다	stop 멈추다	quit 그만두다	+동명사
avoid 피하다	imagine 상상하다	recommend 추천하다	put off 미루다	

He **enjoys cleaning** his car. 그는 그의 자동차를 청소하는 것을 즐긴다.

Jane **avoids walking** alone in the dark. Jane은 어둠 속에서 혼자 걷는 것을 피한다.

Don't **put off going** to the dentist. 치과에 가는 것을 미루지 마라.

to부정사만을 목적어로 쓰는 동사

want 원하다	hope 희망하다	plan 계획하다	promise 약속하다	
expect 예상하다	need 필요가 있다	decide 결정하다	agree 동의하다	+to부정사

I **want to go** to France. 나는 프랑스에 가기를 원한다.

She **decided to exercise** every morning. 그녀는 매일 아침 운동을 하기로 결심했다.

개념확인 동명사만을 목적어로 쓰는 동사 찾기

1 My grandfather quit smoking.   **2** We kept talking about it.   **3** The baby stopped crying.

기본연습 A 괄호 안에서 알맞은 것을 고르시오.

1 Does your mom enjoy (growing / to grow) plants?

2 Jessy recommended (visiting / to visit) the small town.

3 Mr. Lee decided (moving / to move) to Suwon.

4 I avoid (eating / to eat) too much spicy food.

5 Don't give up (exercising / to exercise) every day.

6 Do you mind (turning / to turn) on the radio?

7 He expected (winning / to win) the game yesterday.

8 We put off (going / to go) camping because of the rain.

B 우리말과 일치하도록 괄호 안의 말을 이용하여 문장을 완성하시오.

1 우리 가족은 강아지 한 마리를 키우기로 결정했다. (decide, raise)

→ My family _____ a puppy.

2 네가 가장 좋아하는 배우를 여기에서 만나는 것을 상상할 수 있니? (imagine, meet)

→ Can you _____ your favorite actor here?

3 그는 오후 내내 계속 야구 경기를 보았다. (keep, watch)

→ He _____ the baseball game all afternoon.

4 우리는 그 대회에서 1등을 하기를 원한다. (want, win)

→ We _____ first prize in the contest.

5 나는 그 기자를 만나는 것을 미뤄야만 한다. (put off, meet)

→ I should _____ the reporter.

6 너는 언제 춤추는 것을 연습할 거니? (practice, dance)

→ When are you going to _____?

7 그녀는 마침내 그 소설을 쓰는 것을 끝냈다. (finish, write)

→ She finally _____ the novel.

8 어리석은 질문을 하는 것을 멈춰라. (stop, ask)

→ Please _____ stupid questions.

9 Sam은 올해 많은 책을 읽을 것을 계획한다. (plan, read)

→ Sam _____ a lot of books this year.

C 어법상 틀린 부분을 찾아 바르게 고쳐 쓰시오.

1 I plan exercising on weekends. _____ → _____

2 She avoids to visit new places. _____ → _____

3 What time do you expect arriving at the airport? _____ → _____

4 I enjoy to take a walk in the park. _____ → _____

5 Don't give up to run in the marathon. _____ → _____

6 Tim needs buying a new backpack. _____ → _____

7 You'd better quit to play computer games. _____ → _____

8 He hopes meeting his family in Canada. _____ → _____

틀리기 쉬운 내/신/포/인/트

목적어로 동명사를 쓰는 동사와 to부정사를 쓰는 동사를 각각 기억해야 해요.

다음 중 어법상 틀린 문장은?

① She sometimes imagines living alone.
② Bob doesn't enjoy fishing.
③ He kept talking about his dream.
④ I hope visiting New York.

동명사와 to부정사 둘 다 목적어로 쓰는 동사

정답 및 해설 p.12

목적어로 동명사와 to부정사 중 무엇을 써도 의미 차이가 없는 동사

like 좋아하다	love 사랑하다	hate 싫어하다	prefer 더 좋아하다
begin 시작하다	start 시작하다	continue 계속하다	

+동명사 / to부정사

Brian **likes riding(to ride)** a bike to school. Brian은 학교에 자전거를 **타고 가는** 것을 좋아한다.

She **started wearing(to wear)** a coat. 그녀는 코트를 **입기 시작했다.**

목적어로 동명사와 to부정사 중 무엇을 쓰는지에 따라 의미 차이가 있는 동사

remember	**+ 동명사**	(과거에) ~한 것을 기억하다	I **remember meeting** him. 나는 그를 만난 것을 기억한다. (이미 만남)
	+ to부정사	(미래에) ~할 것을 기억하다	Please **remember to meet** him tomorrow. 내일 그를 만날 것을 기억해라. (아직 만나지 않음)
forget	**+ 동명사**	(과거에) ~한 것을 잊다	He **forgot calling** her last night. 그는 어젯밤 그녀에게 전화했던 것을 잊었다.
	+ to부정사	(미래에) ~할 것을 잊다	He **forgot to call** her. 그는 그녀에게 전화할 것을 잊었다.
try	**+ 동명사**	(시험 삼아) ~해 보다	I **tried writing** a diary in English. 나는 영어로 일기를 써 봤다.
	+ to부정사	~하려고 노력하다	I **tried to write** a diary in English. 나는 영어로 일기를 쓰려고 노력했다.

Tips 「stop+동명사」(~하는 것을 멈추다)에서 동명사는 stop의 목적어이며, 「stop+to부정사」(~하기 위해 (하던 일을) 멈추다)에서 to부정사는 부사적 용법으로 목적을 나타낸다.
She **stopped watching** the news. 그녀는 뉴스를 보는 것을 멈췄다.
She **stopped to watch** the news. 그녀는 뉴스를 보기 위해 (하던 일을) 멈췄다.

개념확인 옳은 해석 고르기

1 I forgot locking the door.
☐ 잠갔던 것　☐ 잠글 것

2 He tried to get up early.
☐ 해 봤다　☐ 노력했다

3 Remember to buy a pen.
☐ 산 것　☐ 살 것

기본연습 **A** 우리말과 일치하도록 괄호 안에서 알맞은 것을 모두 고르시오.

1 Bob은 휴일에 공부하는 것을 싫어한다.
→ Bob hates (studying / to study) during the holidays.

2 점심 식사로 샌드위치와 우유를 살 것을 기억해라.
→ Remember (buying / to buy) some sandwiches and milk for lunch.

3 그녀는 어제 지갑을 떨어뜨린 것을 기억하지 못했다.

→ She didn't remember (dropping / to drop) her purse yesterday.

4 우리는 표지판을 가까이 보기 위해 멈췄다.

→ We stopped (looking / to look) at the sign closely.

5 Tina는 매일 아침 식사를 하려고 노력했다.

→ Tina tried (having / to have) breakfast every day.

6 경찰은 그 노인을 찾는 것을 계속할 것이다.

→ The policeman will continue (looking / to look) for the old man.

7 나는 그녀에게 그 책을 빌리는 것을 잊었다.

→ I forgot (borrowing / to borrow) the book from her.

8 Jenny는 새 재킷을 입어 봤다.

→ Jenny tried (putting / to put) on the new jacket.

B 괄호 안에서 알맞은 해석을 고르시오.

1 I forgot to call my grandmother.

→ 나는 우리 할머니에게 (☐ 전화했던 것을 잊었다 / ☐ 전화하는 것을 잊었다).

2 Mr. Johns tried to understand his wife.

→ Johns 씨는 그의 아내를 (☐ 이해해 봤다 / ☐ 이해하려고 노력했다).

3 I stopped to drink some water.

→ 나는 물을 좀 (☐ 마시는 것을 멈췄다 / ☐ 마시기 위해 멈췄다).

4 He remembered meeting her last year.

→ 그는 작년에 그녀를 (☐ 만난 것을 기억했다 / ☐ 만날 것을 기억했다).

5 The child forgot bringing his toy car.

→ 그 아이는 그의 장난감 자동차를 (☐ 가져온 것을 잊었다 / ☐ 가져올 것을 잊었다).

6 My sister and I tried making chocolate cakes.

→ 우리 누나와 나는 초콜릿 케이크를 (☐ 만들어 봤다 / ☐ 만들려고 노력했다).

틀리기 쉬운
내/신/포/인/트

forget, remember,
try의 목적어로 동명사를
쓸 때와 to부정사를 쓸 때
의 의미 차이를 분명하게
알아야 해요.

우리말과 일치하도록 할 때 빈칸에 들어갈 말로 알맞은 것은?

내일 일찍 오는 것을 잊지 마.

→ Don't _____ early tomorrow.

① remember coming   ② remember to come
③ forget coming   ④ forget to come

4 동명사의 관용 표현 Ⅰ

정답 및 해설 p.12

전치사의 목적어로 동명사를 쓰는 관용 표현

be good at -ing	~하는 것을 잘하다	**be bad at -ing**	~하는 것을 못하다
be interested in -ing	~하는 것에 관심이 있다	**be afraid of -ing**	~하는 것을 무서워하다
be tired of -ing	~하는 것에 싫증이 나다	**be used to -ing**	~하는 데 익숙하다
thank ... for -ing	~에 대해 …에게 감사하다	**be sorry for(about) -ing**	~에 대해 미안하다
feel like -ing	~하고 싶다	**look forward to -ing**	~하는 것을 기대하다
think of -ing	~하는 것을 생각하다	**How(What) about -ing?**	~하는 게 어때?

Tony **is interested in learning** Korean. Tony는 한국어를 배우는 것에 관심이 있다.

I **thanked Ann for finding** my bag. 나는 내 가방을 찾아준 것에 대해 Ann에게 감사했다.

I **feel like talking** with you about the problem. 나는 그 문제에 대해 너와 이야기를 하고 싶다.

They **are looking forward to going** to the concert. 그들은 콘서트에 가는 것을 기대하고 있다.

개념확인 옳은 해석 고르기

1 I am tired of waiting.
- ☐ 기다리는 것에 싫증이 난다
- ☐ 기다리는 것을 무서워한다

2 He is good at singing.
- ☐ 노래에 관심이 있다
- ☐ 노래를 잘한다

3 Semi thanked us for coming.
- ☐ 와 준 것에 대해 고마워했다
- ☐ 와 준 것에 대해 미안해했다

기본연습 우리말과 일치하도록 괄호 안의 말을 이용하여 문장을 완성하시오.

1 나는 네 안경을 부러뜨린 것에 대해서 미안하다. (break)

→ I _____ _____ _____ _____ your glasses.

2 미나는 사람들 앞에서 노래하는 것에 익숙하다. (sing)

→ Mina _____ _____ _____ _____ in front of people.

3 우리는 너로부터 소식을 듣기를 기대한다. (hear)

→ We _____ _____ _____ _____ from you.

4 내 친구들과 나는 따뜻한 우유를 마시고 싶었다. (drink)

→ My friends and I _____ _____ _____ warm milk.

5 그녀는 고양이를 키우는 것을 생각하고 있다. (raise)

→ She _____ _____ _____ _____ a cat.

6 너는 밤에 혼자 걷는 것을 무서워하니? (walk)

→ _____ you _____ _____ _____ alone at night?

keep (on) -ing	계속해서 ~하다	go -ing	~하러 가다
be worth -ing	~할 가치가 있다	be busy -ing	~하느라 바쁘다
spend+시간/돈+-ing	~하는 데 시간/돈을 쓰다	have trouble -ing	~하는 데 어려움을 겪다
cannot help -ing	~하지 않을 수 없다	have difficulty -ing	~하는 데 어려움을 겪다

I'm **busy preparing** for my mom's birthday party. 나는 우리 엄마의 생일 파티를 **준비하느라 바쁘다.**

He **spent a lot of money buying** clothes. 그는 옷을 **사는 데 많은 돈을 썼다.**

My sister **has trouble making** friends. 내 여동생은 친구를 **사귀는 데 어려움을 겪는다.**

We **couldn't help crying** at the news. 우리는 그 소식에 **울지 않을 수 없었다.**

개념확인 옳은 해석 고르기

1 This book is worth reading.
- ☐ 읽을 가치가 있다
- ☐ 읽는 데 돈이 든다

2 She's busy making a cake.
- ☐ 만드는 데 어려움을 겪다
- ☐ 만드느라 바쁘다

3 I will keep learning Russian.
- ☐ 배우러 가다
- ☐ 계속 배우다

기본연습 괄호 안에서 알맞은 것을 고르고, 해석을 완성하시오.

1 Mr. Smith is busy (cleaning / to clean) the house.
→ Smith 씨는 집을 _____.

2 Let's go (hike / hiking) this weekend.
→ 이번 주말에 _____.

3 Nancy spends a lot of time (play / playing) board games.
→ Nancy는 보드게임을 하는 데 _____.

4 We (could / couldn't) help laughing at Bill's jokes.
→ 우리는 Bill의 농담에 _____.

5 She has trouble (sleeping / to sleep) every night.
→ 그녀는 매일 밤 _____.

6 I will keep (helping / to help) the sick children in Africa.
→ 나는 아프리카의 아픈 아이들을 _____.

7 The movie is worth (watching / to watch) twice.
→ 그 영화는 두 번 _____.

STEP 1 Map으로 개념 정리하기

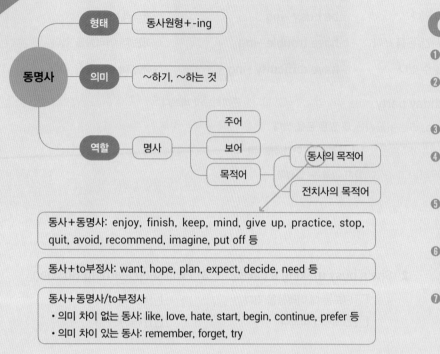

Quick Check

❶ _____ a lauguage is useful. (learn)

❷ She doesn't enjoy _____ TV. (watch)

❸ He quit (drinking / to drink) coffee.

❹ Amy decided (exercising / to exercise) regularly.

❺ I tried putting on the new dress.

해석: _____

❻ Please don't forget to bring your lunch.

해석: _____

❼ 나는 일찍 일어나는 데 익숙하다. (get up)

→ I am _____ to _____ early.

STEP 2 기본 다지기

빈칸완성

A 우리말과 일치하도록 빈칸에 알맞은 말을 넣어 문장을 완성하시오.

1 내가 가장 좋아하는 여가 활동은 기타를 치는 것이다.

→ My favorite free-time activity is _____ the guitar.

2 그는 얼마나 오래 여기에서 머물 계획이니?

→ How long does he plan _____ here?

3 거짓말을 하는 것은 좋지 않다.

→ _____ a lie is not good.

4 Ted는 인기 있는 배우가 되는 것을 자주 상상한다.

→ Ted often imagines _____ a popular actor.

5 나는 공포 영화를 보는 것을 무서워한다.

→ I am _____ horror movies.

6 그녀는 진지하려고 노력했지만, 웃지 않을 수 없었다.

→ She _____ to be serious, but she couldn't help _____.

B 밑줄 친 부분이 어법상 맞으면 ○ 표시를 하고, **틀리면** 바르게 고쳐 쓰시오.

1 My sister expected <u>winning</u> a prize in the singing contest.　　→ _____

2 Would you mind <u>help</u> me with this box?　　→ _____

3 My little brother stopped <u>crying</u> and fell asleep.　　→ _____

4 <u>Make</u> new friends is exciting.　　→ _____

5 It's cold outside. Don't forget <u>putting</u> your jacket on.　　→ _____

6 Ann felt like <u>to drink</u> some hot chocolate.　　→ _____

7 <u>Taking</u> a walk is good for your health.　　→ _____

8 Colin practiced <u>to play</u> the violin.　　→ _____

C 주어진 문장과 의미가 일치하도록 동명사 또는 to부정사를 이용하여 문장을 완성하시오.

1 Emily likes to cook dinner for her parents.

→ Emily enjoys _____.

2 Sam is busy because he is preparing for the final exam.

→ Sam is busy _____.

3 My sister wants to be a movie director.

→ My sister's dream is _____.

4 My dad takes care of plants in his free time.

→ _____ is my dad's hobby.

5 I remember when I joined the book club.

→ I remember _____.

6 Tina was going to see the doctor, but she forgot.

→ Tina forgot _____.

7 I don't want to go shopping with him.

→ I don't feel _____ with him.

8 Homin really hopes to meet his old friend again.

→ Homin looks forward to _____ again.

STEP 3 서술형 따라잡기

A 그림을 보고, 대화의 빈칸에 알맞은 말을 쓰시오.

1

Q: What does Sally practice after school?

A: She _____ after school.

2

Q: What does Jason enjoy on weekends?

A: He _____ on weekends.

B 우리말과 일치하도록 괄호 안의 말을 바르게 배열하여 문장을 쓰시오.

1 대회에 대해 걱정하는 것은 도움이 되지 않는다. (the contest, is, worrying about, helpful, not)

→ _____

2 너는 그 책을 반납할 것을 기억해야 한다. (should, the book, return, you, remember, to)

→ _____

3 나는 그녀에게 전화해 봤지만, 그녀는 받지 않았다. (I, calling, her, tried, answer, she, didn't)

→ _____ , but _____ .

4 Tony는 그의 아내에게 생일 선물을 사주는 것을 잊었다. (Tony, to, his wife, forgot, buy)

→ _____ a birthday present.

C 우리말과 일치하도록 괄호 안의 말을 이용하여 영작하시오.

1 그녀는 많은 사람들 앞에서 말하는 것을 피한다. (avoid, speak, in front of)

→ _____

2 우리는 곧 그녀를 만날 것을 기대한다. (look forward to, meet)

→ _____ soon.

3 Sarah는 시원한 물을 마시고 싶었다. (feel like, drink)

→ _____

4 나는 아기를 볼 때 미소 짓지 않을 수 없다. (cannot help, smile)

→ _____ when I see a baby.

1 빈칸에 들어갈 말로 알맞은 것은?

> Sam finished _____ the dishes.

① do
② does
③ doing
④ do
⑤ did

2 빈칸에 들어갈 말로 알맞지 <u>않은</u> 것은?

> He _____ listening to jazz music.

① loves
② decided
③ kept
④ enjoyed
⑤ started

3 대화의 빈칸에 들어갈 말로 알맞은 것은?

> A: It's a little hot in here. Would you mind _____ on the air conditioner?
> B: Of course not.

① turn
② turned
③ turning
④ to turn
⑤ to turning

4 대화의 빈칸에 알맞은 말이 순서대로 짝 지어진 것은?

> A: I want _____ some weight.
> B: Then you'll have to give up _____ fast food first.

① lose – eat
② losing – eating
③ losing – to eat
④ to lose – eating
⑤ to lose – to eat

5 밑줄 친 부분이 어법상 틀린 것은?

① It started <u>snowing</u> heavily.
② They are hoping <u>to go</u> on a picnic.
③ Keep <u>running</u> to the finish line.
④ I avoided <u>watching</u> TV too late at night.
⑤ She didn't expect <u>winning</u> the contest.

6 밑줄 친 부분의 쓰임이 보기 와 같은 것은?

> 보기 My uncle's job is <u>fixing</u> cars.

① Thank you for <u>helping</u> me.
② The woman is <u>walking</u> in the rain.
③ <u>Eating</u> vegetables is good for you.
④ My favorite hobby is <u>riding</u> a bicycle.
⑤ I practiced <u>playing</u> the guitar after school.

7 우리말과 일치하도록 빈칸에 들어갈 말로 알맞은 것은?

> John, 너는 오늘 밤 외식하고 싶니?
> → John, do you feel like _____ out tonight?

① eat
② eats
③ ate
④ eating
⑤ to eat

8 괄호 안의 동사의 형태로 올바른 것끼리 순서대로 짝 지어진 것은?

> He kept (drive) for two hours. Finally, he stopped (take) a rest.

① drive – take
② driving – taking
③ driving – to take
④ to drive – taking
⑤ to drive – to take

9 두 문장의 의미가 같도록 빈칸에 들어갈 말로 알맞은 것은?

> Learning a foreign language is interesting.
> = It is interesting _____ a foreign language.

① learn
② learned
③ learns
④ to learn
⑤ to learning

[10-11] 주어진 문장과 의미가 같은 것을 고르시오.

10
> She forgot to call her mom.

① She tried calling her mom.
② She forgot calling her mom.
③ She called her mom, but she forgot it.
④ She had to forget calling her mom.
⑤ She didn't call her mom, because she forgot.

11
> I remembered locking the door.

① I forgot locking the door.
② I locked the door but forgot about it.
③ I didn't forget locking the door.
④ I remembered not to lock the door.
⑤ I remembered to lock the door.

12 우리말을 영어로 바르게 옮긴 것은?

> 그녀는 혼자 먹는 데 익숙하다.

① She used to eat alone.
② She used to eating alone.
③ She is used to eat alone.
④ She is used eating alone.
⑤ She is used to eating alone.

13 밑줄 친 부분이 어법상 틀린 문장의 개수는?

> ⓐ Don't put off to see a doctor.
> ⓑ I don't enjoy watching horror movies.
> ⓒ Emily imagined winning the game.
> ⓓ Do you plan painting the wall?

① 0개
② 1개
③ 2개
④ 3개
⑤ 4개

14 어법상 틀린 문장을 모두 고르면?

① He's thinking of studying abroad.
② I'm looking forward to hear from you.
③ She is afraid of being alone at home.
④ Helping others make me happy.
⑤ My sister hates to make a mistake.

15 밑줄 친 부분의 쓰임이 나머지 넷과 다른 하나는?

① We are sorry for being late.

② Jacob's job is selling shoes.

③ She is interested in learning Russian.

④ Thank you for inviting me.

⑤ My brother is good at drawing cartoons.

16 밑줄 친 부분을 잘못 고친 것은?

① Please quit ask personal questions.
   → asking

② She avoids drink soft drinks.
   → to drink

③ I remember visit the town a few years ago.
   → visiting

④ Eating fresh vegetables make you healthy.
   → makes

⑤ I spend a lot of time take care of my cats.
   → taking

17 영어를 우리말로 잘못 옮긴 것은?

① The book is worth reading several times.
   → 그 책은 여러 번 읽을 가치가 있다.

② She tried knocking on the door.
   → 그녀는 문을 두드리려고 노력했다.

③ Tony is busy cleaning his room.
   → Tony는 그의 방을 청소하느라 바쁘다.

④ The baby stopped crying and smiled.
   → 그 아기는 울음을 멈추고 미소 지었다.

⑤ I cannot help getting angry with him.
   → 나는 그에게 화를 내지 않을 수 없다.

18 짝 지어진 두 문장의 의미가 서로 다른 것은?

① I like listening to classical music.
   = I like to listen to classical music.

② My hobby is playing badminton.
   = My hobby is to play badminton.

③ My father stopped smoking.
   = My father stopped to smoke.

④ She began talking about her plan.
   = She began to talk about her plan.

⑤ It started raining in the afternoon.
   = It started to rain in the afternoon.

19 빈칸 (A) ~ (C)에 들어갈 말이 바르게 짝 지어진 것은?

> • She decided ___(A)___ regularly.
> • Bill put off ___(B)___ to the dentist.
> • He doesn't mind ___(C)___ for me.

	(A)	(B)	(C)
①	exercising	going	waiting
②	exercising	to go	to wait
③	to exercise	going	to wait
④	to exercise	going	waiting
⑤	to exercise	to go	waiting

고난도
20 어법상 옳은 문장의 개수는?

> ⓐ Keep to run not to be late.
> ⓑ I am tired of hear about him.
> ⓒ You need to talk to your teacher.
> ⓓ Did you finish cleaning your room?
> ⓔ David stopped walk to answer the phone.

① 0개   ② 1개   ③ 2개

④ 3개   ⑤ 4개

21 어법상 틀린 부분을 찾아 바르게 고쳐 쓰시오.

(1)
> She avoided to answer my question.

_____ → _____

(2)
> We are looking forward to meet the famous actor.

_____ → _____

22 우리말과 일치하도록 괄호 안의 말을 이용하여 문장을 완성하시오.

(1) 내 여동생은 아침에 잠에서 깨는 데 어려움을 겪는다. (have trouble, wake up)

→ My sister _____ in the morning.

(2) 나는 전에 그녀를 만난 것이 기억나지 않는다. (remember)

→ I don't _____ before.

고난도

23 밑줄 친 우리말과 일치하도록 괄호 안의 말을 이용하여 영작하시오.

> Jenny had to finish her homework last weekend. However, (1) 그녀는 그녀의 여동생을 돌보느라 바빴다. In the end, (2) 그녀는 숙제를 하는 것을 잊어버렸다.

(1) (busy, take care of)

→ _____

(2) (forget, do)

→ _____

24 그림을 보고, 조건에 맞게 대화를 완성하시오.

> 조건 1. worth, watch를 이용할 것
> 2. 과거시제로 쓸 것

A: How was the movie last night?

B: Great. It _____ _____

_____.

25 세 학생의 여가 활동 표를 보고, 표의 내용과 일치하도록 문장을 완성하시오.

What do you do in your free time?	
Brian	play computer games
Rena	read books
Somi	listen to music

(1) Brian enjoys _____ in his free time.

(2) _____ is Rena's free-time activity.

(3) Somi's hobby is _____.

5

분사와 분사구문

POINT 1 분사의 형태와 쓰임

POINT 2 현재분사와 과거분사

POINT 3 현재분사 *vs.* 동명사

POINT 4 감정을 나타내는 분사

POINT 5 분사구문 만드는 법

POINT 6 분사구문의 다양한 의미

동사가 「동사원형＋-ing」나 「동사원형＋-ed」의 형태로 형용사 역할을 하는 것을 분사라고 한다.

분사의 형태와 쓰임

정답 및 해설 p.14

분사에는 현재분사와 과거분사가 있다.

	현재분사	과거분사
형태	동사원형 + -ing	동사원형 + -ed, 불규칙 과거분사

분사는 형용사처럼 명사를 수식하거나 문장 안에서 보어로 쓰인다.

(1) 분사가 홀로 쓰이면 명사의 앞에서 수식하고, 구를 이루어 쓰이면 명사의 뒤에서 수식한다.

명사 수식	Look at the **crying** baby. 분사	울고 있는 아기를 보아라.
	This is the window **broken** by a baseball. 분사구	이것은 야구공에 의해 깨진 창문이다.

(2) 분사는 주어나 목적어를 보충 설명하는 보어로 쓰인다.

보어	주격보어	Mina looked **worried**.	미나는 걱정스러워 보였다.
	목적격보어	I saw her **reading** a book.	나는 그녀가 책을 읽고 있는 것을 보았다.

개념확인 분사 찾기

1 surprising news　　　**2** a locked door　　　**3** the girl standing at the door

기본연습 밑줄 친 부분의 쓰임이 서로 같은 것을 보기 에서 골라 그 문장의 기호를 쓰시오.

보기　ⓐ The sleeping baby is my sister.　　ⓑ The boy looked bored.

1 My mother looked surprised at the news.　　_____

2 We are looking at the falling snow.　　_____

3 Your idea sounds interesting.　　_____

4 He is going to fix the broken computer.　　_____

5 The girl wearing a green hat is my friend.　　_____

6 The dog swimming in the sea is Spot.　　_____

7 I heard my uncle playing the guitar.　　_____

틀리기 쉬운 내/신/포/인/트

분사구는 명사의 뒤에서 명사를 수식하는 형용사 역할을 해요.

빈칸에 들어갈 말로 알맞은 것은?

I received a letter _____ in French.

① writes　　② wrote　　③ writing　　④ written

현재분사는 능동·진행의 의미를 나타내고, 과거분사는 수동·완료의 의미를 나타낸다.

현재분사 (동사원형＋-ing)	능동 (~하는) 진행 (~하고 있는)	The **boring** game finally ended.	그 **지루한** 경기는 마침내 끝났다.
		There is a cat **sleeping** on the sofa.	소파에서 **자고 있는** 고양이가 있다.
과거분사 (동사원형＋-ed)	수동 (~해진) 완료 (~된)	I bought a cup **made** in Korea.	나는 한국에서 **만들어진** 컵을 샀다.
		He can fix the **broken** bike.	그는 **고장 난** 자전거를 고칠 수 있다.

분사는 be동사나 동사 have와 함께 쓰여 진행형과 완료형, 수동태 문장을 만들기도 한다.

진행형	My father **is reading** a newspaper.	우리 아빠는 신문을 **읽고 계신다**.
완료형	I **have met** him before.	나는 전에 그를 **만난 적이 있다**.
수동태	The pictures **were taken** by my parents.	그 사진들은 우리 부모님에 의해 **찍혔다**.

궁금해요! '능동'과 '수동'은 무엇인가요?

'능동'은 행위의 주체가 직접 하는 동작을 나타내며, '수동'은 행위의 대상으로부터 동작을 당하는 것을 뜻해요.

개념확인 옳은 표현 고르기

1 웃고 있는 남자아이
  ☐ a smiling boy
  ☐ a smiled boy

2 깨진 거울
  ☐ a breaking mirror
  ☐ a broken mirror

3 빛나는 수많은 별
  ☐ lots of shining stars
  ☐ lots of shined stars

기본연습 **A** 우리말과 일치하도록 괄호 안에서 알맞은 것을 고르시오.

1 그녀는 그녀의 울고 있는 아이를 돌보아야 한다.
  → She has to take care of her (crying / cried) child.

2 그는 중고차를 살 것이다.
  → He is going to buy a (using / used) car.

3 벽을 페인트칠 하고 있는 남자는 누구니?
  → Who is the man (painting / painted) the wall?

4 강가를 걷고 있는 그 소년은 내 아들이다.
  → The boy (walking / walked) along the river is my son.

5 나는 바람에 의해 망가진 울타리를 고쳤다.
  → I fixed the fence (breaking / broken) by the wind.

6 부엌에서 요리하고 있는 네 삼촌을 도와줘라.
  → Help your uncle (cooking / cooked) in the kitchen.

7 Jenny는 이탈리아에서 만들어진 가방을 샀다.

    → Jenny bought a bag (making / made) in Italy.

8 우리는 나무에서 떨어지고 있는 잎들을 보았다.

    → We looked at the leaves (falling / fallen) from the trees.

9 Thomas는 바이올린을 연주하고 있다.

    → Thomas is (playing / played) the violin.

10 나는 너희 나라에서 말해지는 언어를 배우고 싶다.

    → I want to learn the language (speaking / spoken) in your country.

11 짖고 있는 저 개를 조심해라!

    → Watch out the (barking / barked) dog!

12 우리는 약 200년 전에 지어진 절을 방문했다.

    → We visited the temple (building / built) about 200 years ago.

B 괄호 안의 말을 이용하여 문장을 완성하시오.

1 The _____ girl looks lovely. (sleep)

2 This book was _____ in Russian. (write)

3 The _____ boy helped the old lady. (smile)

4 My mom likes the picture _____ by my brother. (draw)

5 A girl _____ Sophia lives next door. (name)

6 He is _____ science with his friend. (study)

7 She loves the chocolate cookies _____ by her husband. (bake)

8 He is looking for his _____ umbrella. (lose)

9 Who is the woman _____ to the police officer? (talk)

10 We saw some dolphins _____ in the sea. (swim)

틀리기 쉬운
내/신/포/인/트

능동·진행의 의미일 때 현재
분사를, 수동·완료의 의미일
때 과거분사를 사용해요.

빈칸에 들어갈 말로 알맞은 것은?

The boy _____ in the park is my brother.

① jog   ② jogged

③ to jog   ④ jogging

POINT 3 현재분사 vs. 동명사

현재분사와 동명사는 둘 다 「동사원형+-ing」로 형태는 같지만 쓰임이 다르다. 현재분사는 형용사 역할을 하고, 동명사는 명사 역할을 한다.

현재분사 〈형용사 역할〉	동명사 〈명사 역할〉
명사 수식 Don't wake the **sleeping baby**. 자고 있는 아기를 깨우지 마라.	**명사의 용도 설명** Do you have a **sleeping bag**? 너는 **침낭**이 있니? (잠을 자는 용도의 가방 → 침낭)
문장에서 보어 역할 **The news** was **shocking**. 〈주격보어〉 그 소식은 **충격적**이었다. I saw **a cat sitting** on the bench. 〈목적격보어〉 나는 고양이가 벤치 위에 **앉아 있는** 것을 봤다.	**문장에서 주어, 보어, 목적어 역할** **Swimming** is good for your health. 〈주어〉 수영을 하는 것은 네 건강에 좋다. His hobby is **swimming**. 〈보어〉 그의 취미는 수영을 하는 것이다. Brian **enjoys swimming**. 〈동사의 목적어〉 Brian은 **수영하는 것을** 즐긴다. Amy is good **at swimming**. 〈전치사의 목적어〉 Amy는 **수영을** 잘한다.
진행형: be동사+현재분사 He **is swimming** in the pool. 그는 수영장에서 **수영하고 있다**.	

주의 현재분사가 진행형으로 쓰인 문장과 동명사가 보어로 쓰인 문장 모두 be동사가 쓰이므로 구분에 주의한다.
She is <u>listening</u> to music. 〈진행형으로 쓰인 현재분사〉 그녀는 음악을 듣고 있다.
Her hobby is <u>listening</u> to music. 〈보어로 쓰인 동명사〉 그녀의 취미는 음악을 듣는 것이다.

개념확인 옳은 의미 고르기

1 The train has a <u>sleeping</u> car.
- ☐ 잠을 자고 있는
- ☐ 잠을 자는 용도의

2 Do you know the <u>laughing</u> girl?
- ☐ 웃고 있는
- ☐ 웃기

기본연습 밑줄 친 부분의 쓰임을 고르시오.

1 We are going to the <u>swimming</u> pool this weekend. ☐ 현재분사 ☐ 동명사

2 My children like the <u>dancing</u> doll. ☐ 현재분사 ☐ 동명사

3 The <u>waiting</u> room is over there. ☐ 현재분사 ☐ 동명사

4 We went to the zoo to see some <u>talking</u> birds. ☐ 현재분사 ☐ 동명사

5 They want to buy a <u>fishing</u> boat. ☐ 현재분사 ☐ 동명사

6 She is <u>drinking</u> a glass of juice. ☐ 현재분사 ☐ 동명사

7 <u>Riding</u> a bicycle is her hobby. ☐ 현재분사 ☐ 동명사

8 Her plan is <u>traveling</u> around Europe for one month. ☐ 현재분사 ☐ 동명사

9 Do you know the girl <u>wearing</u> the blue dress? ☐ 현재분사 ☐ 동명사

감정을 나타내는 분사

정답 및 해설 p.14

감정을 느끼게 하는 원인일 때는 현재분사를 쓰고, 감정을 느끼는 주체일 때는 과거분사를 쓴다.

현재분사 (~한 감정을 느끼게 하는)	과거분사 (~한 감정을 느끼는)
interesting 재미있는, 흥미로운	interested 흥미(관심) 있는
exciting 흥분시키는, 흥미진진한	excited 흥분한, 신이 난
surprising 놀라운	surprised 놀란
shocking 충격적인	shocked 충격을 받은
boring 지루한	bored 지루해하는
satisfying 만족을 주는, 만족스러운	satisfied 만족하는
tiring 피곤하게 하는, 피곤한	tired 피곤한
pleasing 기쁘게 하는	pleased 기쁜
disappointing 실망시키는	disappointed 실망한
confusing 혼란스럽게 하는	confused 혼란스러운

The history class is **interesting**. 그 역사 수업은 재미있다.
Emily is **interested** in the history class. Emily는 그 역사 수업에 흥미를 느낀다.
I don't want to watch the **boring** game. 나는 그 지루한 경기를 보고 싶지 않다.
The game made people **bored**. 그 경기는 사람들을 지루하게 만들었다.

Tips 사물에 대해 설명할 때는 주로 현재분사를 쓰고, 사람에 대해 설명할 때는 주로 과거분사를 사용한다.

개념확인 옳은 표현 고르기

1 그것은 흥미진진한 뉴스이다.
   ☐ It is exciting news.
   ☐ It is excited news.

2 그는 자신의 점수에 만족한다.
   ☐ He is satisfying with his grade.
   ☐ He is satisfied with his grade.

기본연습 **A** 괄호 안에서 알맞은 것을 고르시오.

1 The movie is very (interesting / interested).

2 I was (shocking / shocked) at her behavior.

3 His story was a little (boring / bored).

4 The music festival was really (exciting / excited).

5 I had a long and (tiring / tired) day.

6 Tony was (confusing / confused) by the situation.

7 My sister is (interesting / interested) in baking cakes.

8 Your good manners made us (pleasing / pleased).

9 Ms. Han was looking for a new and (satisfying / satisfied) job.

10 They were (disappointing / disappointed) with the service.

11 She was (surprising / surprised) at her birthday party.

12 We are (exciting / excited) about the trip.

13 He showed me a (surprising / surprised) magic trick.

14 The game result was (disappointing / disappointed).

B 우리말과 일치하도록 보기 의 단어를 이용하여 문장을 완성하시오.

| 보기 | confuse | satisfy | surprise | disappoint | please | shock | bore | interest |

1 그는 나의 대답에 만족했다.
→ He was _____ with my answer.

2 나는 그 뮤지컬이 매우 지루하다고 생각한다.
→ I think that the musical is very _____.

3 그들의 행동은 놀라웠다.
→ Their action was _____.

4 그 아이들은 축구에 관심이 있다.
→ The children are _____ in soccer.

5 그 의사는 혼란스러워하는 환자를 도와주었다.
→ The doctor helped a _____ patient.

6 나는 네가 실망하는 것을 보고 싶지 않다.
→ I don't like to see you _____.

7 우리는 충격적인 사고를 목격했다.
→ We saw a _____ accident.

8 미나는 그녀의 옛 친구를 보게 되어 기뻤다.
→ Mina was _____ to see her old friend.

틀 리 기 쉬 운
내/신/포/인/트

감정을 느끼게 하는 원인인지,
감정을 느끼는 주체인지에
따라 현재분사와 과거분사를
구분해서 사용해요.

빈칸에 들어갈 말이 순서대로 짝 지어진 것은?

• I am reading an _____ novel.
• She is _____ in learning a new language.

① interest – interest
② interesting – interesting
③ interested – interesting
④ interesting – interested

분사구문 만드는 법

정답 및 해설 p.14

분사구문은 「접속사＋주어＋동사」 형태의 부사절을 분사를 이용하여 부사구로 나타낸 것이다.

부사절 | 주절
Because he **felt** tired, he went to bed early.
① ② ③

↓

Feeling tired, he went to bed early.
피곤함을 느꼈기 때문에, 그는 일찍 잠자리에 들었다.

분사구문 만드는 법
① 부사절의 접속사를 생략한다.
② 주절과 부사절의 주어가 같으면, 부사절의 주어를 생략한다.
 다르면 분사 앞에 쓴다.
③ 부사절의 동사를 현재분사(동사원형＋-ing) 형태로 바꾼다.

When she **heard** the news, she started to cry. 그 소식을 들었을 때, 그녀는 울기 시작했다.

→ **Hearing** the news, she started to cry.

주의 진행형을 분사구문으로 만들 때, be동사는 생략하고 현재분사만 쓴다.
 While I was **playing** soccer, I hurt my knee. 축구를 하는 동안 나는 무릎을 다쳤다.
→ **Playing** soccer, I hurt my knee.

개념확인 **분사구문 찾기**

1 Having a toothache, I went to the dentist.　　**2** Watching TV, she exercised.

기본연습 **두 문장의 의미가 같도록 분사구문을 이용하여 문장을 완성하시오.**

1 When she went shopping, she met her teacher.

→ _____, she met her teacher.

2 While he drank coffee, he read a newspaper.

→ _____, he read a newspaper.

3 When I stayed in Busan, I visited many famous places.

→ _____, I visited many famous places.

4 Because he had a bad cold, he couldn't go to school.

→ _____, he couldn't go to school.

5 While she got on the train, she looked for a seat.

→ _____, she looked for a seat.

6 Because I was sick, I stayed home all day.

→ _____, I stayed home all day.

7 When she opened the box, she found a teddy bear.

→ _____, she found a teddy bear.

분사구문은 문맥에 따라 시간, 이유, 동시동작 등의 의미를 나타낸다.

시간	~할 때(when), ~하는 동안(while), ~한 후에(after)	**Entering** classroom, I saw a new student. (← When I entered classroom, I saw a new student.) 교실에 들어갔을 때, 나는 새로운 학생을 봤다.
이유	~ 때문에(because, since, as)	**Being sick**, he went to the hospital. (← Because he was sick, he went to the hospital.) 아팠기 때문에, 그는 병원에 갔다.
동시동작	~하면서(while, as)	Watching a TV drama, she had dinner. (← As she watched a TV drama, she had dinner.) TV 드라마를 보면서, 그녀는 저녁을 먹었다.

Tips 의미를 명확히 나타내기 위해 접속사를 생략하지 않고 남겨두기도 한다.
After finishing her homework, she went to exercise. 숙제를 끝낸 후에, 그녀는 운동을 하러 갔다.
(= After she finished her homework, she went to exercise.)

개념확인 옳은 의미 고르기

1 Listening to the radio, he cooked a meal.

☐ 라디오를 들으면서

☐ 라디오를 들었기 때문에

2 Being busy, I can't help you.

☐ 바쁘면서

☐ 바쁘기 때문에

기본연습 우리말과 일치하도록 괄호 안의 말을 이용하여 분사구문으로 문장을 완성하시오. (접속사는 생략할 것)

1 답을 알았기 때문에, 그는 손을 들었다. (know the answer)

→ _____, he raised his hand.

2 손을 흔들면서, 그녀는 친구들을 향해 뛰어갔다. (wave one's hand)

→ _____, she ran toward her friends.

3 런던에서 여행하는 동안, 나는 많은 미술관을 방문했다. (travel in London)

→ _____, I visited many art galleries.

4 영화관에 들어갔을 때, 그녀는 전화기의 전원을 껐다. (enter the theater)

→ _____, she turned off her phone.

5 늦게 도착했기 때문에, 그들은 기차를 놓쳤다. (arrive late)

→ _____, they missed the train.

6 창문을 닦으면서 그녀는 노래를 불렀다. (clean the windows)

→ _____, she sang a song.

개념완성 **TEST**

정답 및 해설 p.15

STEP 1 Map으로 개념 정리하기

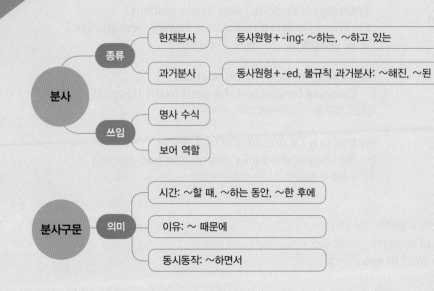

Quick Check

❶ Look at the (breaking / broken) chair.

❷ Who is that (crying / cried) boy?

❸ They seemed (pleasing / pleased).

❹ I will buy a sleeping bag.

　해석: _____

❺ The boy wearing glasses is my brother.

　해석: _____

❻ (Having / Had) a headache, I took medicine.

❼ (Sitting / Sat) on the bench, he had a sandwich.

STEP 2 기본 다지기

빈칸완성

A 우리말과 일치하도록 빈칸에 알맞은 말을 넣어 문장을 완성하시오.

1 Sarah는 한국 역사에 관심이 있다.

→ Sarah is _____ in Korean history.

2 우리는 거실에서 TV를 보고 있다.

→ We are watching TV in the _____ room.

3 우리는 잃어버린 고양이를 찾고 있다.

→ We are looking for the _____ cat.

4 나는 먼지로 덮인 내 장난감을 찾았다.

→ I found my toy _____ with dust.

5 이 자고 있는 아이는 누구니?

→ Who is this _____ child?

6 점심을 먹으면서 우리는 그 파티에 관해 이야기했다.

→ _____ lunch, we talked about the party.

B 밑줄 친 부분이 어법상 맞으면 ◯ 표시를 하고, 틀리면 바르게 고쳐 쓰시오.

1 There is a girl <u>singing</u> in the rain.　　　　　→ _____

2 My sister fixed the <u>breaking</u> computer.　　　　→ _____

3 We saw a cat <u>looking</u> for some food.　　　　　→ _____

4 She found her <u>losing</u> purse.　　　　　　　　　→ _____

5 I know the woman <u>talked</u> to my teacher.　　　 → _____

6 Who are those children <u>played</u> baseball?　　　→ _____

7 <u>Seen</u> the policeman, the thief ran away.　　　 → _____

8 There are three kids <u>jumped</u> on the bed.　　　→ _____

9 I have a friend <u>naming</u> Mike.　　　　　　　　 → _____

10 <u>Hear</u> the news, she started to cry.　　　　　→ _____

C 다음 문장을 분사구문을 이용한 문장으로 바꿔 쓰시오.

1 When he entered the house, he took off his shoes.

→ _____

2 While I was swimming in the river, I saw a lot of fish.

→ _____

3 Since she knew the answer, she could help him.

→ _____

4 As he drove his car, he listened to the radio.

→ _____

5 Because she felt tired, she went home early.

→ _____

6 While I waited for the bus, I talked to my mom on the phone.

→ _____

7 Since he was asleep, he couldn't hear the bell.

→ _____

그림이해

A 그림을 보고, 괄호 안의 말을 이용하여 분사구문으로 문장을 완성하시오.

1

_____, he sang a song. (play)

2

_____, she ate popcorn. (watch)

영작완성

B 우리말과 일치하도록 괄호 안의 말을 바르게 배열하여 문장을 쓰시오.

1 James에 의해 쓰여진 노래는 매우 인기가 있다. (James, popular, by, written, is, the song, very)

→ _____

2 나는 오늘 아침 놀라운 뉴스를 들었다. (heard, surprising, this morning, I, news, the)

→ _____

3 빨간 모자를 쓴 아이들이 춤을 추고 있다. (red hats, are, wearing, the children, dancing)

→ _____

4 우리는 그 경기 결과에 실망했다. (of the game, we, disappointed, were, the result, with)

→ _____

문장영작

C 우리말과 일치하도록 괄호 안의 단어와 분사구문을 이용하여 문장을 완성하시오. (접속사는 생략할 것)

1 그녀는 차를 세운 후에, 문을 열었다. (stop, open)

→ _____ the door.

2 책을 읽으면서 나는 커피를 마셨다. (read, drink)

→ _____ coffee.

3 그의 방을 청소하는 동안, 그는 동전 몇 개를 찾았다. (clean, find)

→ _____ some coins.

4 학교에 늦어서, 나는 시험을 볼 수 없었다. (late, for school)

→ _____, I couldn't take the test.

[1-2] 빈칸에 들어갈 말로 알맞은 것을 고르시오.

1

> The _____ dog is very noisy.

① bark   ② barks
③ barked   ④ barking of
⑤ barking

2

> I will clear up the _____ cup.

① break   ② broke
③ broken   ④ breaks
⑤ breaking

3 빈칸에 들어갈 말로 알맞지 않은 것은?

> The movie is very _____.

① interesting   ② pleasing
③ shocking   ④ exciting
⑤ bored

4 빈칸에 공통으로 들어갈 말로 알맞은 것은?

> • Tony will buy a _____ bag.
> • Jenny is taking care of the _____ baby.

① sleep   ② sleeps
③ slept   ④ sleeping
⑤ sleeping of

5 밑줄 친 부분이 어법상 옳은 것은?

① Amy is confusing to see it.
② He is exciting to go there.
③ It is an amazing story.
④ This book isn't bored.
⑤ She heard the surprised news.

6 밑줄 친 부분의 쓰임이 나머지와 다른 하나는?

① Look at those falling leaves.
② He is waiting in the living room.
③ Who is that singing girl?
④ The smiling boy is my brother.
⑤ Those dancing kids are lovely.

7 우리말과 일치하도록 할 때 빈칸에 들어갈 말로 알맞은 것은?

> 나에게 미소 지으면서, 그녀는 손을 흔들었다.
> → _____ at me, she waved.

① Smile   ② Smiles
③ Smiled   ④ Smiling
⑤ To smile

8 빈칸에 들어갈 말이 순서대로 짝 지어진 것은?

> • Jake was _____ by her answer.
> • Her answer was _____.

① shock – shock
② shock – shocking
③ shocking – shocked
④ shocked – shock
⑤ shocked – shocking

9 밑줄 친 부분의 쓰임이 보기 와 같은 것은?

> 보기 The singing girl is my friend.

① We want to stay in a sleeping car.
② He is in the waiting room.
③ Firefighters entered the burning house.
④ My favorite hobby is swimming.
⑤ I need to buy a pair of running shoes.

10 우리말을 영어로 바르게 옮긴 것은?

> 정원에서 놀고 있는 아이들이 있다.

① There are played children in the garden.
② There are played in the garden children.
③ There are children in the garden playing.
④ There are children playing in the garden.
⑤ There are children played in the garden.

11 우리말과 일치하도록 괄호 안의 말을 올바른 형태로 바꾼 것은?

> I love to see the (fall) leaves on the street.
> (나는 길에 떨어진 나뭇잎을 보는 것을 정말 좋아한다.)

① fall   ② falls
③ fell   ④ fallen
⑤ falling

12 다음 중 밑줄 친 부분이 어법상 틀린 것의 개수는?

> ⓐ I rode a fishing boat.
> ⓑ The girl playing the piano is my sister.
> ⓒ He looked at the broken mirror.
> ⓓ She read the novel writing in English.

① 0개   ② 1개   ③ 2개
④ 3개   ⑤ 4개

고난도
13 다음 중 어법상 옳은 것을 모두 고르면?

① The girl is carrying some books.
② I saw the man jogging.
③ He found his losing bag.
④ Look at those playing kids.
⑤ We watched the movie making in France.

14 주어진 문장을 분사구문으로 바르게 바꾼 것은?

> While she drove her car, she listened to the radio.

① Drive her car, she listened to the radio.
② To drive her car, she listened to the radio.
③ Driving her car, she listened to the radio.
④ Drove her car, she listened to the radio.
⑤ Being driving her car, listened to the radio.

15 어법상 틀린 부분을 바르게 고친 것은?

> Hear the news, she was pleased.

① Hear → Heard
② Hear → Hearing
③ was → were
④ pleased → pleasing
⑤ pleased → please

16 주어진 문장을 분사구문으로 바꿀 때 빈칸에 들어갈 말로 알맞은 것은?

> After I washed my hands, I cooked.
> = _____, I cooked.

① washed my hands
② After washed my hands
③ After washing my hands
④ I washing my hands
⑤ After I washing my hands

17 영어를 우리말로 잘못 옮긴 것은?

① He took a picture of the melting ice.
  → 그는 녹고 있는 얼음의 사진을 찍었다.
② Drinking water, I looked at her.
  → 물을 마시면서, 나는 그녀를 보았다.
③ Running to the bus stop, I lost my key.
  → 버스 정류장으로 달려갈 때, 나는 열쇠를 잃어버렸다.
④ Getting up late, I had no time for breakfast.
  → 늦게 일어났기 때문에, 나는 아침 먹을 시간이 없었다.
⑤ I ate fried chicken for dinner.
  → 나는 저녁으로 닭고기를 튀겼다.

18 대화의 빈칸에 들어갈 말이 순서대로 짝 지어진 것은?

> A: Who are those people _____ in line?
> B: They are fans of the singer. They are _____ about watching the concert.

① wait – excite
② wait – excited
③ waiting – excited
④ waiting – exciting
⑤ waited – exciting

19 (A) ~ (C)에 들어갈 말이 바르게 짝 지어진 것은?

> • He was ___(A)___ with the meeting.
> • The news made me ___(B)___.
> • The girl ___(C)___ the violin is my daughter.

	(A)	(B)	(C)
①	satisfy	confuse	plays
②	satisfy	confused	playing
③	satisfied	confused	playing
④	satisfied	confused	played
⑤	satisfied	confusing	played

20 다음 중 어법상 옳은 문장의 개수는?

> ⓐ Watching TV, I ate dinner.
> ⓑ Listening to the radio, I cleaned the room.
> ⓒ Rode the bike, I felt fresh air.
> ⓓ Walking to school, I met my teacher.
> ⓔ Climbed the mountain, he got hurt.

① 0개
② 1개
③ 2개
④ 3개
⑤ 4개

21 어법상 틀린 부분을 찾아 바르게 고쳐 쓰시오.

(1)
> I know the girl worn a yellow dress.

_____ → _____

(2)
> I bought a table making of wood.

_____ → _____

22 우리말과 일치하도록 괄호 안의 말을 이용하여 문장을 완성하시오.

(1) 그녀는 그 질문에 혼란스러웠다. (confuse)

→ She was _____ by the question.

(2) 그 영화의 결말은 실망스러웠다. (disappoint)

→ The end of the movie was _____.

(3) 그 뉴스는 나를 충격 받게 했다. (shock)

→ The news made me _____.

23 우리말과 일치하도록 조건 에 맞게 문장을 쓰시오.

> 학교에 걸어가면서, 그는 지갑을 잃어버렸다.
> (walk to school, lose his wallet)

> 조건 1. 분사구문을 이용할 것
> 2. 괄호 안의 말을 이용하여 총 7단어로 쓸 것

→ _____

24 그림을 보고, 보기 의 단어를 이용해 글을 완성하시오.

> 보기   play   interest   surprise
> take   bake

> Here are some pictures (1) _____ last weekend. Let me explain about them. These are the cookies (2) _____ by my sister. This boy (3) _____ computer games is my brother. My mom was (4) _____ to see a frog. Taking pictures is very (5) _____.

고난도

25 보기 에서 알맞은 접속사를 골라 밑줄 친 부분을 부사절로 바꿔 문장을 다시 쓰시오. (과거시제로 쓸 것)

> 보기   because   after   while

(1) Listening to music, I waited for the bus.

→ _____

(2) Being hungry, she ate a whole pizza.

→ _____

(3) Getting off the train, they had a late lunch.

→ _____

수동태

POINT 1   수동태의 형태

POINT 2   수동태의 시제

POINT 3   수동태의 부정문과 의문문

POINT 4   조동사가 있는 수동태

POINT 5   by 이외의 전치사를 쓰는 수동태

'나무가 잘린다'에서처럼 주어가 행위의 대상이 되는 것을 수동태라고 한다.

POINT 1 수동태의 형태

수동태는 「be동사＋과거분사」의 형태로, '(주어가) 어떤 행동을 받다/당하다/되다'의 의미를 나타낸다.

The actor **is loved** by many teenagers. 그 배우는 많은 십 대들에 의해 **사랑받는다.**

The picture **was taken** by her. 그 사진은 그녀에 의해 **찍혔다.**

능동태를 수동태로 전환하는 법

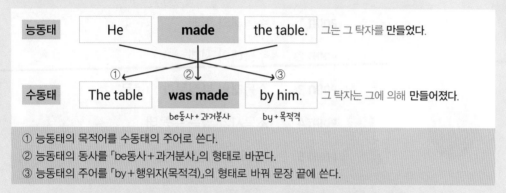

| 능동태 | He | **made** | the table. | 그는 그 탁자를 만들었다. |

| 수동태 | The table | **was made** | by him. | 그 탁자는 그에 의해 **만들어졌다.** |
| | | be동사＋과거분사 | by＋목적격 | |

① 능동태의 목적어를 수동태의 주어로 쓴다.
② 능동태의 동사를 「be동사＋과거분사」의 형태로 바꾼다.
③ 능동태의 주어를 「by＋행위자(목적격)」의 형태로 바꿔 문장 끝에 쓴다.

> 궁금해요!
> 여러 가지 be동사 중 무엇을 쓸지 어떻게 정하나요?
>
> 주어의 인칭과 수, 시제에 맞춰서 be동사를 써요.

Tips 행위자가 일반인이거나 분명하지 않을 때 「by＋행위자(목적격)」를 생략할 수 있다.
English **is spoken** all over the world. 영어는 전 세계에서 (사람들에 의해) 말해진다. (행위자가 일반인임)
The window **was broken** yesterday. 그 창문은 어제 (누군가에 의해) 깨졌다. (누가 깨뜨렸는지 모름)

개념확인 옳은 해석 고르기

1 This song is sung by many children these days.

☐ 부른다 ☐ 불린다

2 The cat was chased by the dog.

☐ 쫓았다 ☐ 쫓겼다

기본연습 **A** 괄호 안에서 어법상 알맞은 것을 고르시오.

1 Most children (love / are loved) comic books.

2 This computer (uses / is used) by my brother.

3 Our school (built / was built) in 1996.

4 Edgar Degas (painted / was painted) *The Dance Class*.

5 The old red car (repaired / was repaired) by my uncle.

6 This letter (wrote / was written) by Harry.

7 This drawing (drew / was drawn) by my little sister.

8 Spanish (is speaking / is spoken) in Mexico.

9 Carol (recommended / was recommended) a good restaurant to us.

10 A tree (is planting / is planted) by my grandfather every year.

11 He (bit / was bitten) by a mosquito.

B 괄호 안의 동사를 알맞은 형태로 바꿔 수동태 문장을 완성하시오. (현재시제로 쓸 것)

1 The Internet _____ _____ all around the world. (use)

2 The kitchen _____ _____ by my mom every day. (clean)

3 The piano _____ _____ by my aunt. (play)

4 This song _____ _____ by many people. (love)

5 Korean dramas _____ _____ by many young people. (enjoy)

6 Ms. Han _____ _____ by many students. (respect)

7 The music festival _____ _____ every summer. (hold)

8 Her classmates _____ _____ by her on Saturdays. (invite)

9 The newspaper _____ _____ by lots of people. (read)

10 The plants _____ _____ by Tom every morning. (water)

C 다음 문장을 수동태로 바꿔 쓰시오.

1 The dog broke my cell phone.

→ _____

2 The police caught the thief yesterday.

→ _____

3 Many tourists visit the history museum.

→ _____

4 My brother bought a red baseball cap.

→ _____

5 Sumi's sister decorated the room.

→ _____

6 The farmer sells fresh vegetables.

→ _____

**틀 리 기 쉬 운
내/신/포/인/트**

능동태를 수동태로 바꿀 때,
바뀐 주어의 인칭과 수에
맞춰서 be동사를 써야 해요.

능동태를 수동태로 바꿔 쓴 문장에서 어법상 **틀린** 부분을 찾아 바르게 고쳐 쓰시오.

She baked the bread.
→ The bread were baked by her.

_____ → _____

수동태의 시제는 be동사의 시제로 나타낸다.

현재	am/is/are + 과거분사	The players **respect** the coach. → The coach **is respected** by the players.	그 선수들은 그 코치를 **존경한다**. 그 코치는 그 선수들에 의해 **존경받는다**.
과거	was/were + 과거분사	King Sejong **created** Hangeul. → Hangeul **was created** by King Sejong.	세종대왕은 한글을 **창제했다**. 한글은 세종대왕에 의해 **창제되었다**.
미래	will be + 과거분사	Cindy **will finish** the project. → The project **will be finished** by Cindy.	Cindy는 그 프로젝트를 **끝낼 것이다**. 그 프로젝트는 Cindy에 의해 **끝내질 것이다**.

The painting **is hung** on the wall. 그 그림은 벽에 **걸려 있다**.

Her purse **was stolen** on the subway. 그녀의 지갑은 지하철에서 **도난당했다**.

Tickets for the concert **will be sold** this weekend. 콘서트 티켓은 이번 주말에 **판매될 것이다**.

개념확인 알맞은 be동사 고르기

1 It (is / was) broken yesterday.

2 The wall will (be / is) painted by him.

기본연습 **A** 우리말과 일치하도록 괄호 안의 동사를 이용하여 문장을 완성하시오.

1 이 웹사이트는 요즘 많은 사람들에 의해 방문된다. (visit)

→ This website _____ by lots of people these days.

2 우리 비행기는 폭우 때문에 연착될 것이다. (delay)

→ Our flight _____ because of heavy rain.

3 그 소설은 한 프랑스 작가에 의해 쓰여졌다. (write)

→ The novel _____ by a French author.

4 그 트럭은 경찰에 의해 멈춰졌다. (stop)

→ The truck _____ by the police.

5 대부분의 사고는 단순한 실수에 의해 야기된다. (cause)

→ Most accidents _____ by simple mistakes.

6 그 회의는 내일 열릴 것이다. (hold)

→ The meeting _____ tomorrow.

7 그 열쇠는 어제 고양이에 의해 발견되었다. (find)

→ The key _____ by the cat yesterday.

8 영어는 전 세계 많은 나라에서 사용된다. (use)

→ English _____ in many countries around the world.

9 구엘 공원은 Antonio Gaudi에 의해 디자인되었다. (design)

→ Park Guell _____ by Antonio Gaudi.

10 많은 사람들이 Mike에 의해 초대되었다. (invite)

→ A lot of people _____ by Mike.

B 능동태 문장은 수동태로, 수동태 문장은 능동태로 바꿔 쓰시오.

1 Many people respect Mr. Millan.

→ Mr. Millan _____.

2 The beautiful poems were written by Emma.

→ Emma _____.

3 They will cancel the meeting.

→ The meeting _____.

4 My uncle raises three dogs.

→ Three dogs _____.

5 Many teenagers read this magazine these days.

→ _____ these days.

6 Tom fixed the camera easily.

→ _____

7 The car was washed by my father last Friday.

→ _____

8 The door will be painted by her tomorrow.

→ _____

틀/리/기 쉬/운
내/신/포/인/트

수동태 문장의 시제는
be동사의 시제로 나타낸
다는 것을 기억해요.

빈칸에 들어갈 말로 알맞은 것은?

The new class leader _____ next week.
(새로운 학급 반장은 다음 주에 선출될 것이다.)

① is elected　　　　② was elected
③ will elect　　　　④ will be elected

수동태의 부정문: be동사+not+과거분사

「be동사+not」은 축약형으로 쓸 수 있어요.
is not → isn't / are not → aren't
was not → wasn't / were not → weren't

긍정문	The computer	**is used**	by Mike.	그 컴퓨터는 Mike에 의해 **사용된다.**
부정문	The computer	**is not used**	by Mike.	그 컴퓨터는 Mike에 의해 **사용되지 않는다.**

The report **was not written** in English. 그 보고서는 영어로 **쓰여지지 않았다.**

수동태의 의문문: (의문사+)Be동사+주어+과거분사 ~?

		The house	**was built**	by your grandfather.	그 집은 너희 할아버지에 의해 **지어졌다.**
	Was	the house	**built**	by your grandfather?	그 집은 너희 할아버지에 의해 **지어졌니?**
When	**was**	the house	**built**	by your grandfather?	그 집은 **언제** 너희 할아버지에 의해 지어졌니?

Where was the key **found** by the dog? 그 열쇠는 **어디서** 개에게 발견되었니?

By whom was the window **broken?** 그 창문은 **누구에 의해서 깨졌니?**

개념확인 not이 들어갈 위치 찾기

1 The room was cleaned by her.
　　　　　① 　　　②

2 The game was canceled.
　　　　① 　　②

3 The window was closed by him.
　　　　　　　① 　　②

기본연습 **A** 주어진 문장을 수동태로 바꿀 때 빈칸에 알맞은 말을 쓰시오.

1 My mother didn't make the sandwiches.

→ The sandwiches ＿＿＿＿＿＿ ＿＿＿＿＿＿ ＿＿＿＿＿ by my mother.

2 The students don't clean the windows.

→ The windows ＿＿＿＿＿ ＿＿＿＿＿ ＿＿＿＿＿ by the students.

3 Where did Mr. Simon plant the trees?

→ ＿＿＿＿＿ ＿＿＿＿＿ the trees ＿＿＿＿＿ by Mr. Simon?

4 They don't invite first-year students to the party.

→ First-year students ＿＿＿＿＿ ＿＿＿＿＿ ＿＿＿＿＿ to the party.

5 Kate didn't answer that question.

→ That question ＿＿＿＿＿ ＿＿＿＿＿ ＿＿＿＿＿ by Kate.

6 When did J.K. Rowling write the novel?

→ ＿＿＿＿＿ ＿＿＿＿＿ the novel ＿＿＿＿＿ by J.K. Rowling?

B 주어진 문장을 괄호 안의 지시대로 바꿔 쓸 때, 빈칸에 알맞은 말을 쓰시오.

1 The library was built 100 years ago. (의문문으로)

→ _____ the library _____ 100 years ago?

2 Spanish is spoken in many countries in Latin America. (의문문으로)

→ _____ Spanish _____ in many countries in Latin America?

3 The boy band is loved by lots of teenagers. (의문문으로)

→ _____ the boy band _____ by lots of teenagers?

4 This newspaper is read by many people. (의문문으로)

→ _____ this newspaper _____ by many people?

5 My puppy was found by a girl. (where를 넣어 의문문으로)

→ _____ _____ my puppy _____ by a girl?

6 The light bulb was invented by Thomas Edison. (when을 넣어 의문문으로)

→ _____ _____ the light bulb _____ by Thomas Edison?

7 The soccer game was canceled yesterday. (why를 넣어 의문문으로)

→ _____ _____ the soccer game _____ yesterday?

8 The project was finished by Somi. (when을 넣어 의문문으로)

→ _____ _____ the project _____ by Somi?

9 The room was heated by electricity. (부정문으로)

→ The room _____ _____ _____ by electricity.

10 The product is sold in many stores. (부정문으로)

→ The product _____ _____ _____ in many stores.

11 Henry and Andy were born on the same day. (부정문으로)

→ Henry and Andy _____ _____ _____ on the same day.

12 The cake was baked by my sister. (부정문으로)

→ The cake _____ _____ _____ by my sister.

틀리기 쉬운 내/신/포/인/트

수동태의 부정문과 의문문의 어순과 형태를 기억해요.

밑줄 친 부분이 어법상 틀린 것은?

① The book wasn't written by Jason.

② When was the movie made?

③ The food didn't be cooked by her.

④ Are mice chased by cats?

조동사가 있는 수동태: 조동사+be+과거분사

| 능동태 | My dad | **can fix** | the car. | 우리 아빠는 그 자동차를 **수리할 수 있다.** |
| 수동태 | The car | **can be fixed** | by my dad. | 그 자동차는 우리 아빠에 의해 **수리될 수 있다.** |

Everyone **must follow** the rules. 모든 사람은 그 규칙들을 **지켜야 한다.**

→ The rules **must be followed** by everyone. 그 규칙들은 모든 사람에 의해 **지켜져야 한다.**

Emily **will send** the letters. Emily는 그 편지들을 **보낼 것이다.**

→ The letters **will be sent** by Emily. 그 편지들은 Emily에 의해 **보내질 것이다.**

주의 조동사 뒤에는 항상 동사원형을 써야 하므로, be동사의 원형인 be를 써야 한다. ☆

궁금해요! 조동사에는 무엇이 있나요?

조동사에는 can, will, may, must, should 등이 있어요.

조동사가 있는 수동태의 부정문: 조동사+not+be+과거분사

Your cell phone **must not be used** in class. 네 휴대 전화는 수업 중에 **사용되면 안 된다.**

개념확인 옳은 문장 고르기

1 그것은 사용될 수 있다.

☐ It can is used.
☐ It can be used.

2 그것은 열리면 안 된다.

☐ It must not be opened.
☐ It must be not opened.

3 그것은 해결될 것이다.

☐ It will is solved.
☐ It will be solved.

기본연습 우리말과 일치하도록 괄호 안의 말을 이용하여 문장을 완성하시오.

1 플라스틱병은 재활용되어야 한다. (must, recycle)

→ Plastic bottles _____ _____ _____.

2 잔디는 내 남동생에 의해 깎일 것이다. (will, cut)

→ The grass _____ _____ _____ by my brother.

3 감자는 냉장고에 보관되어서는 안 된다. (must, keep)

→ Potatoes _____ _____ _____ _____ in the refrigerator.

4 그는 그녀의 생일 파티에 초대되지 않을지도 모른다. (may, invite)

→ He _____ _____ _____ _____ to her birthday party.

5 그 수프는 10분 내에 요리될 수 있다. (can, cook)

→ The soup _____ _____ _____ in 10 minutes.

6 그 돈은 어려움에 처한 아이들을 돕는 데 사용되어야 한다. (should, use)

→ The money _____ _____ _____ to help children in need.

POINT 5 by 이외의 전치사를 쓰는 수동태 정답 및 해설 p.18

be made of	~으로 만들어지다 (재료 성질이 변하지 않음)	be satisfied with	~에 만족하다
be made from	~으로 만들어지다 (재료 성질이 변함)	be pleased with	~에 기뻐하다
be filled with	~으로 가득 차 있다	be interested in	~에 관심이 있다
be covered with	~으로 덮여 있다	be surprised at	~에 놀라다
be known to	~에게 알려져 있다	be worried about	~에 대해 걱정하다
be known for	~으로 유명하다	be disappointed with(at)	~에 실망하다

This ring **is made of** gold. 이 반지는 금으로 만들어져 있다.
The roof **is covered with** snow. 그 지붕은 눈으로 덮여 있다.
The bakery **is known for** its carrot cake. 그 제과점은 당근 케이크로 유명하다.

be excited about: ~에 흥분해 있다
be shocked at: ~에 충격 받다
be tired of: ~에 싫증나다
be known as: ~으로서 알려져 있다

개념확인 빈칸에 알맞은 전치사 고르기

1 Cheese is made _____ milk. ☐ by ☐ from

2 I am interested _____ art. ☐ in ☐ at

3 The box is filled _____ balls. ☐ of ☐ with

기본연습 빈칸에 알맞은 전치사를 넣어 문장을 완성하시오.

1 The restaurant is known _____ its delicious pasta.

2 She was satisfied _____ her new hairstyle.

3 This shirt is made _____ silk.

4 I was very disappointed _____ myself.

5 The mountain was covered _____ a lot of snow.

6 Her name is known _____ many people in the town.

7 Robin was surprised _____ the size of the room.

8 They were pleased _____ their daughter's visit.

9 She is worried _____ the math test tomorrow.

10 I'm so excited _____ the school trip.

11 We are tired _____ the song.

12 All the people were shocked _____ the accident.

개 념 완 성 TEST

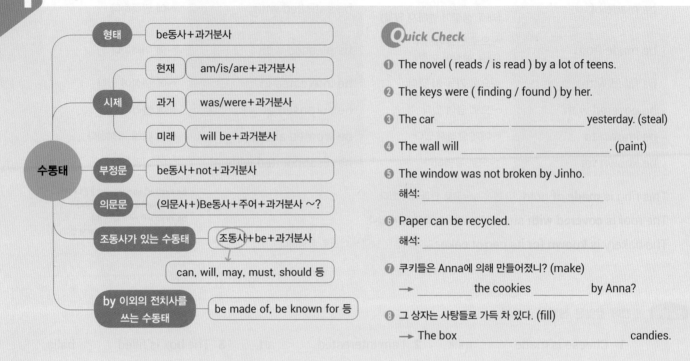

STEP 1 Map으로 개념 정리하기

형태 ── be동사+과거분사

시제
- 현재 ── am/is/are+과거분사
- 과거 ── was/were+과거분사
- 미래 ── will be+과거분사

수동태
- 부정문 ── be동사+not+과거분사
- 의문문 ── (의문사+)Be동사+주어+과거분사 ~?
- 조동사가 있는 수동태 ── 조동사+be+과거분사 ── can, will, may, must, should 등
- by 이외의 전치사를 쓰는 수동태 ── be made of, be known for 등

Quick Check

❶ The novel (reads / is read) by a lot of teens.

❷ The keys were (finding / found) by her.

❸ The car _____ _____ yesterday. (steal)

❹ The wall will _____ _____. (paint)

❺ The window was not broken by Jinho.
해석: _____

❻ Paper can be recycled.
해석: _____

❼ 쿠키들은 Anna에 의해 만들어졌니? (make)
→ _____ the cookies _____ by Anna?

❽ 그 상자는 사탕들로 가득 차 있다. (fill)
→ The box _____ _____ _____ candies.

STEP 2 기본 다지기

빈칸완성

A 우리말과 일치하도록 빈칸에 알맞은 말을 넣어 문장을 완성하시오.

1 그의 소포는 우체부에 의해 배달되었다.
→ His package _____ _____ by the postman.

2 그 영화 축제는 매년 부산에서 열린다.
→ The film festival _____ _____ in Busan every year.

3 그 경기는 폭설 때문에 취소될 것이다.
→ The game _____ _____ _____ because of the heavy snow.

4 점심 식사는 내 친구에 의해 요리되지 않았다.
→ Lunch _____ _____ _____ by my friend.

5 네 남동생은 언제 태어났니?
→ _____ _____ your brother _____?

6 빵은 밀가루와 버터로 만들어진다.
→ Bread _____ _____ flour and butter.

B 어법상 틀린 부분을 찾아 바르게 고쳐 쓰시오.

1 This letter was wrote by a Korean writer. _____ → _____

2 Was where my cell phone found? _____ → _____

3 The paintings in the hall was painted by Monet. _____ → _____

4 Did the homework finished by Mark? _____ → _____

5 The kids be may invited to the party. _____ → _____

6 The trees are covered of colorful leaves. _____ → _____

7 The problem will be not solved easily. _____ → _____

8 Brian was disappointed as the score. _____ → _____

9 The movie ticket wasn't booked her. _____ → _____

C 다음 문장을 수동태 문장으로 바꿔 쓰시오.

1 He will wash the car tomorrow.

→ _____ tomorrow.

2 Lots of teenagers visit the website these days.

→ _____ these days.

3 Drivers must keep the traffic rules.

→ _____

4 The students should finish the project.

→ _____

5 My uncle repaired the old computer.

→ _____

6 Where did the police find the old man?

→ _____

7 John didn't draw this cartoon.

→ _____

8 Does your mother love the Beatles' songs?

→ _____

STEP 3 서술형 따라잡기

A 그림을 보고, 예시와 같이 빈칸에 알맞은 말을 쓰시오.

Today is Sally's birthday. There are gifts for her on the table.

e.g. The card was written by Insu.

1 The cake _____. (make)

2 The flowers _____. (send)

B 우리말과 일치하도록 괄호 안의 말을 바르게 배열하여 문장을 쓰시오.

1 이 사진들은 유명한 사진작가에 의해 찍혔다. (taken, these photos, a famous photographer, were, by)

→ _____

2 그 규칙들은 몇몇 사람들에 의해 지켜지지 않았다. (not, some people, the rules, followed, were, by)

→ _____

3 그 음악회에서 피아노는 누구에 의해 연주되었니? (was, the piano, at the concert, by whom, played)

→ _____

4 그 방은 다양한 파티 풍선들로 가득 차 있다. (is, with, the room, party balloons, filled, various)

→ _____

5 그 보고서는 내일까지 마쳐져야 한다. (by tomorrow, be, the report, finished, must)

→ _____

C 우리말과 일치하도록 괄호 안의 말을 이용하여 영작하시오.

1 그의 지갑이 버스에서 도난당했다. (wallet, steal, on the bus)

→ _____

2 바나나는 냉장고에 보관되어서는 안 된다. (must, keep, in the refrigerator)

→ _____

3 이 나무는 너희 아버지에 의해 심어졌니? (this tree, plant)

→ _____

4 그 축제는 4월에 열릴 것이다. (will, hold, in April)

→ _____

5 그 호수는 얼음으로 덮여 있다. (the lake, cover, ice)

→ _____

[1-2] 빈칸에 들어갈 말로 알맞은 것을 고르시오.

1

> Science _____ by Ms. Kim last year.

① teach   ② teaches

③ taught   ④ was teaching

⑤ was taught

2

> The letter _____ next week.

① sends   ② is sent

③ was sent   ④ will send

⑤ will be sent

3 주어진 문장을 수동태로 바르게 바꾼 것은?

> Many children respect the scientist.

① Many children are respected by the scientist.

② Many children were respected by the scientist.

③ The scientist respects many children.

④ The scientist is respected by many children.

⑤ The scientist was respected by many children.

4 우리말과 일치하도록 괄호 안의 말을 배열할 때, 세 번째로 오는 단어는?

> Sam은 그 파티에 초대받지 않았다.
> (was, Sam, to, party, invited, the, not)

① was   ② Sam   ③ to

④ invited   ⑤ not

5 빈칸에 be를 쓸 수 <u>없는</u> 것은?

① The windows should _____ cleaned.

② Hands must _____ washed regularly.

③ A tree will _____ planted here tomorrow.

④ The car _____ bought by my dad yesterday.

⑤ The problem can _____ solved by her.

6 우리말을 영어로 바르게 옮긴 것은?

> 그 강에서는 큰 물고기가 잡히지 않는다.

① Big fish are caught in that river.

② Big fish can be catch in that river.

③ Big fish aren't caught in that river.

④ Big fish were caught in that river.

⑤ Big fish aren't in that river.

7 빈칸에 알맞은 말이 순서대로 짝 지어진 것은?

> • My teacher was satisfied _____ the result.
> • The bridge is made _____ stone.

① at – of   ② at – by

③ with – in   ④ with – of

⑤ of – with

8 우리말을 영어로 옮길 때, 쓰이지 <u>않는</u> 단어는?

> 새 학교가 곧 지어질 것이다.

① school   ② is

③ built   ④ will

⑤ soon

[9-10] 어법상 틀린 것을 고르시오.

9 ① The book was written in easy Chinese.
② The vase was broken this morning.
③ Too much water is wasted every day.
④ The picture was painted by a young artist.
⑤ Antonio Gaudi was designed the Sagrada Familia.

12 어법상 틀린 문장을 모두 고르면?

① This shirt is made from silk.
② A lot of people were killed in the war.
③ The package must be delivered by Monday.
④ The plant waters three times a week.
⑤ Your car will be repaired by Mr. Brown.

10 ① John is worried about the test.
② She was surprised at the news.
③ Her name is well known to us.
④ Becky is interested by making films.
⑤ The mountain was covered with snow.

[13-14] 주어진 문장을 수동태로 바꿀 때 빈칸에 알맞은 것을 고르시오.

13
| Did Leonardo da Vinci paint *Mona Lisa*? |
| → _____ by Leonardo da Vinci? |

① Did *Mona Lisa* be paint
② Did *Mona Lisa* be painted
③ Is *Mona Lisa* painted
④ Was *Mona Lisa* painted
⑤ When was *Mona Lisa* painted

11 수동태 문장으로 잘못 바꾼 것은?

① She keeps the album in the box.
   → The album is kept in the box by her.
② Brian found my lost dog.
   → My lost dog was found by Brian.
③ The police stopped the car.
   → The car was stopped by the police.
④ My mother didn't make this dress.
   → This dress didn't be made by my mother.
⑤ People will elect the new leader next week.
   → The new leader will be elected next week.

14
| You should not use your cell phone in class. |
| → Your cell phone _____ in class. |

① should use   ② should not use
③ should not used   ④ should be not used
⑤ should not be used

15 대화의 빈칸에 들어갈 말이 순서대로 짝 지어진 것은?

> A: Who _____ Hangeul?
> B: It _____ by King Sejong.

① creates – creates
② creates – is created
③ created – created
④ created – was created
⑤ was created – was created

16 밑줄 친 부분을 잘못 고친 것은?

① The computer broke yesterday.
　　　　　　　→ was broken
② The festival didn't hold last summer.
　　　　　　　→ wasn't holded
③ The museum visited by many people.
　　　　　　　→ was visited
④ Harry was surprised by the game score.
　　　　　　　→ at
⑤ Why did the picnic canceled?
　　　　　　　→ was

17 우리말을 영어로 잘못 옮긴 것은?

① 플라스틱은 석유로 만들어진다.
　　→ Plastics are made from oil.
② 그 사진은 한 어린 소년에 의해 찍혔다.
　　→ The photo was taken by a young boy.
③ 그 문은 열리면 안 된다.
　　→ The door may not be opened.
④ 그 벽은 내일 칠해질 것이다.
　　→ The wall will be painted tomorrow.
⑤ 그의 친절함은 모든 사람들에게 알려져 있다.
　　→ His kindness is known to everyone.

18 두 문장에 대한 설명으로 올바른 것은?

> (A) The main dish was cooked in the oven.
> (B) Did this picture displayed in the museum?

① (A)는 능동태 문장이다.
② (A)는 「to+행위자」가 생략되었다.
③ (A)에서 was는 were로 고쳐야 한다.
④ (B)는 능동태 문장의 의문문이다.
⑤ (B)에서 Did는 Was로 고쳐야 한다.

19 빈칸에 들어갈 말이 같은 것끼리 짝 지어진 것은?

> ⓐ The basket is filled _____ balls.
> ⓑ I'm worried _____ the math exam.
> ⓒ The roof is covered _____ snow.
> ⓓ Brian was pleased _____ the news.
> ⓔ This expression is used _____ many people.

① ⓑ, ⓓ　　　② ⓑ, ⓔ　　　③ ⓐ, ⓑ, ⓒ
④ ⓐ, ⓒ, ⓓ　　⑤ ⓐ, ⓒ, ⓔ

고난도
20 어법상 옳은 문장의 개수는?

> ⓐ My aunt was not baked the cookies.
> ⓑ The painting was painted by my sister.
> ⓒ The bridge will be built ten years ago.
> ⓓ The book is readed by many children.
> ⓔ By whom was the Internet invented?

① 1개　　　② 2개　　　③ 3개
④ 4개　　　⑤ 5개

21 어법상 틀린 부분을 찾아 바르게 고쳐 쓰시오.

(1)
> The bakery is known by its pumpkin pie.

_____ → _____

(2)
> The new school rules must follow by everyone.

_____ → _____

22 우리말과 일치하도록 괄호 안의 말을 이용하여 영작하시오.

(1) 그 배우는 많은 십 대들에 의해 사랑받았다.
(the actor, love, many teenagers)

→ _____

(2) 대부분의 상점들은 연휴 동안 문을 닫는다.
(most shops, close, during the holidays)

→ _____

23 수동태 문장에 대해 잘못 설명한 학생의 이름을 쓰고, 바르게 고쳐 쓰시오.

> 규식: Mr. Han teaches science.를 수동태로 바꾸려면 science를 주어로 사용해야 합니다.
> 예은: The homework must be finished by tomorrow.는 「by+행위자」가 생략된 수동태 문장입니다.
> 새미: This bottle is filled in water.에서 in은 by로 고쳐야 합니다.

잘못 설명한 학생: _____

고친 내용: _____

_____

24 다음 대상을 소개하는 문장을 조건에 맞게 쓰시오.

(1)　　　　　　　　　(2)

The Eiffel Tower　　　*Charlotte's Web*
(design, Gustave Eiffel)　(write, E. B. White)

> 조건 1. The Eiffel Tower, *Charlotte's Web*을 주어로 쓸 것
> 2. 괄호 안의 말을 모두 활용할 것
> 3. 과거시제로 쓸 것

(1) _____

(2) _____

25 각 사람에게 남겨진 쪽지의 내용을 보고, 예시와 같이 문장을 완성하시오.

> To Suji
> Close the windows.
> 　　　　　From Dad

> To Junho
> Water the plants.
> 　　　　　From Grandma

> To Colin
> Don't use my computer.
> 　　　　　From Emily

e.g. The windows should be closed by Suji.

(1) The plants _____.

(2) Emily's computer _____.

7 명사와 대명사

POINT 1   셀 수 있는 명사와 셀 수 없는 명사

POINT 2   셀 수 없는 명사의 수량 표현

POINT 3   재귀대명사

POINT 4   재귀대명사의 관용 표현

POINT 5   부정대명사 one, another

POINT 6   부정대명사 other

POINT 7   부정대명사 some

POINT 8   each, every, all, both

POINT 9   의문대명사

명사란 사람이나 동물, 사물 등의 이름을 나타내는 말이다.
이러한 명사를 대신하여 가리키는 말이 대명사이다.

POINT 1 셀 수 있는 명사와 셀 수 없는 명사

정답 및 해설 p.20

명사는 사람, 동물, 식물, 사물 등을 나타내는 말로, 셀 수 있는 명사와 셀 수 없는 명사로 나뉜다.

셀 수 있는 명사	단수일 경우 앞에 a/an을 쓰고, 복수일 경우 복수형으로 쓴다.	보통명사	apple, boy, pen, cat 등	
		집합명사	class, family, team 등	사람·동물·사물이 모인 집합
셀 수 없는 명사	단수, 복수의 형태가 없으며 앞에 a/an을 쓰지 않는다.	물질명사	salt, water, rice, furniture, glass 등	일정한 형태가 없는 물질
		추상명사	love, peace, hope, luck, beauty 등	눈에 보이지 않는 추상적인 개념
		고유명사	England, Seoul, Monday, Jane 등	사람, 장소 등의 고유한 이름

셀 수 있는 명사의 복수형은 대부분 명사에 -e(s)를 붙여 만들며, 일부는 불규칙하게 변한다.

규칙 변화	books, pens, buses, potatoes, baby → babies, story → stories, leaf → leaves 등
불규칙 변화	man → men, child → children, tooth → teeth, fish → fish, sheep → sheep 등

Tips 짝으로 이루어진 셀 수 있는 명사인 glasses(안경), gloves(장갑), pants(바지), chopsticks(젓가락), socks(양말), shoes(신발), scissors(가위) 등은 항상 복수형으로 쓰고, 셀 때는 a pair of를 사용한다.
I gave him **a pair of** gloves. 나는 그에게 장갑 한 켤레를 줬다.
She bought **two pairs of** pants. 그녀는 바지 두 벌을 샀다.

Tips time(시간)은 셀 수 없는 명사이지만 second(초), minute(분), hour(시간)는 셀 수 있는 명사이고, money(돈)는 셀 수 없는 명사이지만 coin(동전), bill(지폐), dollar(달러)는 셀 수 있는 명사이다.
I don't have **time**. 나는 시간이 없다.
It takes 30 **minutes**. 30분 걸린다.

궁금해요!
glass는 셀 수 있지 않나요?

glass가 '유리'라는 뜻으로 쓰이면 셀 수 없어요. 하지만 '유리잔(a glass)'이나 '안경(glasses)'이라는 뜻으로 쓰이면 셀 수 있어요.

개념확인 명사 찾기

1 Please send the letter to Mike.

2 There is some money in my pockets.

기본연습  **A** 괄호 안에서 알맞은 것을 고르시오.

1 There is (tree / a tree) in my garden.

2 Alex is listening to (music / a music).

3 Where do you buy (bread / a bread)?

4 I need some (water / waters) to drink.

5 (Paris / A Paris) is famous for the Eiffel Tower.

6 The team has a lot of strong (player / players).

7 We saw (woman / a woman) and her two (baby / babies).

8 How many (class / classes) are there in your school?

9 Sue wants to get a (pair / pairs) of sneakers on her birthday.

10 You cannot buy (happiness / a happiness) with (money / moneys).

B 주어진 단어를 알맞은 형태로 써서 문장을 완성하시오.

1 Let me give you some _____. (advice)

2 Do you have a _____ at home? (piano)

3 Can you see without your _____? (glass)

4 Many people pray for world _____. (peace)

5 The house was full of old _____. (furniture)

6 I need some _____ to make salad. (potato)

7 My mom dropped an _____ on the floor. (egg)

8 There are five _____ in the playground. (child)

9 My uncle raises thirty _____ on his farm. (sheep)

10 We don't have _____ to prepare for the final exam. (time)

C 밑줄 친 부분이 어법상 맞으면 ○ 표시를 하고, 틀리면 바르게 고쳐 쓰시오.

1 Tracy has <u>sands</u> in her shoes. → _____

2 Sharks have very sharp <u>tooths</u>. → _____

3 Sally tells us <u>storys</u> about her dreams. → _____

4 Four <u>mans</u> are running on the grass. → _____

5 I already ate all my chocolate <u>cookie</u>. → _____

6 Snow White falls in <u>a love</u> with the prince. → _____

7 We had a lot of <u>funs</u> at the school festival. → _____

8 Jenny jumped up and down with <u>joy</u>. → _____

9 Brian is from <u>a New York</u>. → _____

10 You should be careful with the <u>scissors</u>. → _____

틀리기 쉬운
내/신/포/인/트

셀 수 있는 명사와 셀 수
없는 명사를 구별해야 해요.

빈칸에 들어갈 말로 알맞은 것은?

Alex wants to have a _____.

① water   ② fish
③ honey   ④ friendship

셀 수 없는 명사의 수량 표현

정답 및 해설 p.20

셀 수 없는 명사의 수량은 담는 용기나 측정하는 단위를 사용하여 나타낸다.

He drank	**a glass of**	apple juice.	그는 사과 주스 한 잔을 마셨다.
I bought	**two loaves of**	bread.	나는 빵 두 덩어리를 샀다.

→ 복수일 때는 단위명사를 복수형으로 써요.

수량 표현	함께 쓰이는 명사	수량 표현	함께 쓰이는 명사	수량 표현	함께 쓰이는 명사
a cup of 한 컵의 ~	coffee, tea, water	**a slice of** 한 조각의 ~	cheese, cake, pizza	**a jar of** 한 병의 ~	honey, jam
a glass of 한 잔의 ~	water, milk, juice	**a piece of** 한 조각/장의 ~	cake, advice, paper	**a bottle of** 한 병의 ~	water, ink, oil
a can of 한 통의 ~	coke, soda, paint	**a sheet of** 한 장의 ~	paper, glass(유리)	**a carton of** 한 갑의 ~	milk, juice
a loaf of 한 덩어리의 ~	bread	**a bowl of** 한 그릇의 ~	soup, rice, cereal	**a spoonful of** 한 숟가락의 ~	sugar, salt

---

개념확인 용기나 단위를 나타내는 명사 찾기

1 I drank a carton of milk.

2 There is a slice of cake on the table.

기본연습 그림을 참고해 빈칸에 알맞은 말을 써서 문장을 완성하시오.

1 Please give us two _____ of water.

2 Jane made a _____ of orange jam in the cooking class.

3 Robin ate two _____ of bread for lunch.

4 Add three _____ of salt to the soup.

5 I drink a _____ of milk every day.

6 Kate ordered a _____ of salad at the restaurant.

7 Would you like a _____ of coffee?

틀 리 기 쉬 운 내/신/포/인/트

셀 수 없는 명사는 단위명사를 써서 셀 수 있어요. 단위명사의 종류를 기억해요.

빈칸에 들어갈 말로 알맞은 것은?

My dad gave me a piece of _____.

① rice ② advice

③ ink ④ juice

POINT 3 재귀대명사

정답 및 해설 p.20

재귀대명사는 인칭대명사의 소유격이나 목적격에 -self(단수)나 -selves(복수)를 붙인 것으로, '~ 자신'이라는 뜻이다.

→ 단수 you와 복수 you는 재귀대명사의 형태가 달라요.

| myself | ourselves | yourself | yourselves |
| himself | herself | itself | themselves |

강조 용법으로 쓰인 재귀대명사가 주어를 강조할 때는 문장 끝에 올 수도 있어요.
I solved the problem myself.

재귀대명사는 재귀 용법이나 강조 용법으로 쓰인다.

| 재귀 용법 | 목적어가 주어와 같은 대상일 때 목적어로 재귀대명사를 쓴다. (주어=목적어) | **My brother** introduced **himself**.

Ann looked at **herself** in the mirror. | 남동생은 **자신**을 소개했다.
<My brother = himself>
Ann은 거울로 **자신**을 바라봤다.
<Ann = herself> |
| 강조 용법 | 주어나 목적어를 강조하기 위해 강조하는 말 바로 뒤에 재귀대명사를 쓴다. (생략 가능) | **I myself** solved the problem.

They want to see **the dog itself**. | 내가 **직접** 그 문제를 풀었다.
<주어 강조>
그들은 **바로** 그 개를 보고 싶어 한다.
<목적어 강조> |

개념확인 재귀대명사 찾기

1 Tom is proud of himself.   2 Jenny loves herself.   3 I don't like the picture itself.

기본연습 괄호 안에서 알맞은 것을 고르시오.

1 a. I taught (me / myself) how to dance.

  b. Steve taught (me / myself) some basic dance steps.

2 a. The nurse took good care of (us / ourselves) in the hospital.

  b. We should take care of (us / ourselves).

3 a. Will you introduce (you / yourself) to the class?

  b. Daniel will introduce (you / yourself) to his team.

4 a. The children planted the trees (them / themselves).

  b. The children dropped the glasses and broke (them / themselves).

5 a. Mr. Smith helped (her / herself) with the housework.

  b. Mina (her / herself) did the housework.

틀 리 기 쉬 운
내/신/포/인/트

재귀대명사가 목적어로 사용되는지, 주어나 목적어를 강조하기 위해 사용되는지를 구별해야 해요.

밑줄 친 부분의 쓰임이 **보기** 와 같은 것은?

보기 She herself answered the question.

① I fixed the computer myself.
② Julia taught herself French.
③ The boy looked at himself for a long time.
④ He went to the bathroom and washed himself.

재귀대명사의 관용 표현

정답 및 해설 p.20

by oneself	혼자서, 홀로 (= alone)	He lives **by himself** there.	그는 그곳에서 **혼자서** 산다.
for oneself	혼자 힘으로, 스스로	Ann fixed her car **for herself**.	Ann은 **혼자 힘으로** 자신의 차를 고쳤다.
talk to oneself	혼잣말을 하다	He **talks to himself** too much.	그는 **혼잣말을** 너무 많이 **한다**.
cut oneself	베이다	I **cut myself** on the glass.	나는 유리에 **베였다**.
enjoy oneself	즐겁게 시간을 보내다	I **enjoyed myself** at the party.	나는 파티에서 **즐겁게 시간을 보냈다**.
help oneself (to)	(~을) 마음껏 먹다	**Help yourselves to** the cake.	케이크를 **마음껏 먹어**.

개념확인 옳은 해석 고르기

1 Lisa went home by herself.
☐ 혼자서 ☐ 혼자 힘으로

2 He cut himself on the knife.
☐ 줄이다 ☐ 베이다

기본연습 A 우리말과 같도록 괄호 안에서 알맞은 것을 고르시오.

1 너는 숙제를 스스로 해야 한다.
→ You have to do your homework for (myself / yourself).

2 혼자서 밖에 나가지 마라.
→ Don't go outside by (you / yourself).

3 그녀는 걱정이 있을 때 혼잣말을 한다.
→ When she has worries, she talks to (her / herself).

4 식탁으로 와서 음식을 마음껏 먹어라.
→ Come to the table and help (itself / yourself) to the food.

5 우리는 축제에서 즐겁게 시간을 보냈다.
→ We enjoyed (myself / ourselves) at the festival.

B 빈칸에 들어갈 말을 보기 에서 골라 적절한 형태로 바꿔 써서 대화를 완성하시오.

보기 by oneself   enjoy oneself   cut oneself   help oneself

1 A: Can I have some cake?
B: Sure. Please _____.

2 A: How was your trip to Rome?
B: I _____ very much.

3 A: Did you make the cookies?
B: Yes, I made them _____.

4 A: What happened to Tim's hand?
B: He _____ this morning.

POINT 5 부정대명사 one, another

부정대명사 one은 앞에 언급된 명사와 같은 종류의 불특정한 것을 가리킬 때 쓰며, 복수형은 ones이다.

My cell phone is broken. I'll buy a new **one**. <one = a cell phone>	내 휴대 전화가 고장 났다. 나는 새로운 것을 살 것이다.
I lost my glasses. I should buy new **ones**. <ones = glasses>	나는 내 안경을 잃어버렸다. 나는 새로운 것을 사야 한다.

주의 앞에 언급된 것과 동일한 것을 가리킬 때는 it이나 they/them을 쓴다.
Do you need **my phone**? I can lend **it** to you. <it = my phone> 내 전화기가 필요하니? 내가 너에게 그것을 빌려줄 수 있어.
I like **these books**. Have you read **them**? <them = these books> 나는 이 책들을 좋아한다. 너는 그것들을 읽어봤니?

부정대명사 another는 '하나 더, 또 다른 하나'라는 의미로 불특정한 것을 가리킬 때 쓴다.

I don't like this color. Can you show me **another**?	저는 이 색이 마음에 들지 않아요. 제게 **또 다른 것**을 보여 주시겠어요?

개념확인 가리키는 대상 고르기

1 My desk is old. I'll buy a new one.
  ☐ 불특정한 책상 ☐ 나의 책상

2 This pie is delicious. Did you make it?
  ☐ 불특정한 파이 ☐ 내가 먹은 파이

기본연습 A 괄호 안에서 알맞은 것을 고르시오.

1 I need an umbrella. Can I borrow (it / one)?

2 Can you lend me a pen? I want a blue (it / one).

3 I don't like this shirt. Do you have (it / another)?

4 I bought a new camera, but I lost (it / one) yesterday.

5 Emma lost her old purse, so she bought a new (it / one).

6 I just missed the bus, but (it / another) will come soon.

7 Sebastian wrote me an email. I liked (it / one) very much.

8 These shoes are too expensive. Do you have cheaper (one / ones)?

B 빈칸에 알맞은 말을 보기 에서 골라 대화를 완성하시오. (한 번씩만 사용할 것)

보기	one	ones	it	them

1 A: These towels are dirty.   B: Sorry. I'll get you some clean _____.

2 A: Did you read my text messages?   B: Yes, I just read _____.

3 A: Is there a post office near here? B: Yes. There is _____ around the corner.

4 A: I like your skirt.   B: Thanks. I bought _____ yesterday.

부정대명사 other(s)는 '(불특정한) 다른 사람(들), 다른 것(들)'이라는 의미이며, 주로 복수형인 others로 쓴다.

Amy likes to talk with **others**.　　Amy는 다른 사람들과 이야기하는 것을 좋아한다.

정해진 범위 안에서 대상을 하나씩 가리킬 때 one, another, the other를 쓴다. ☆

둘 중에서	**one ~, the other ...** 하나는 ~, 나머지 하나는 …	 I have two pets. **One** is a dog, and **the other** is a cat.	나는 두 마리의 애완동물이 있다. 한 마리는 개이고, 나머지 한 마리는 고양이다.
셋 중에서	**one ~, another ..., the other –** 하나는 ~, 다른 하나는 …, 나머지 하나는 – 마지막에 남은 하나를 가리킬 때는 the other를 써요.	 I have three pets. **One** is a dog, **another** is a cat, and **the other** is a turtle.	나는 세 마리의 애완동물이 있다. 한 마리는 개이고, 또 다른 한 마리는 고양이고, 나머지 한 마리는 거북이다.

[개념확인] 알맞은 말 고르기

1 ● ○　　One is black, and (another / the other) is white.

2 ○ ● ●　　One is white, (another / the other) is red, and the other is black.

[기본연습] 괄호 안에서 알맞은 것을 고르시오.

1 Tracy has three sons. One is 15, (another / the other) is 18, and the other is 21.

2 I like two writers. (One / Another) is J.K. Rowling, and the other is E. B. White.

3 Daniel has three pens. One is yellow, (another / the other) is blue, and the other is black.

4 I can speak two foreign languages. One is English, and (another / the other) is French.

5 Amy has two hats. One is white, and (another / the other) is green.

6 Christine has two nicknames. (One /Another) is Angel, and the other is Snow White.

7 I have three foreign friends. One is British, another is Japanese, and (the other / others) is Spanish.

틀 리 기 쉬 운
내/신/포/인/트

one, another, the other의 쓰임을 명확하게 이해해요.

빈칸에 들어갈 말이 순서대로 짝 지어진 것은?

> She has three daughters. One is a doctor, _____ is a teacher, and _____ is a cook.

① another – other　　　② another – the other
③ other – the other　　　④ the other – another

7 부정대명사 some

정답 및 해설 p.21

부정대명사 some은 '약간, 조금, 몇몇'이라는 의미이다.

My mom is baking cookies. Do you want to have **some**? 엄마가 쿠키를 굽고 있다. 너는 **조금** 먹고 싶니?

여러 개 또는 여러 명을 묶어서 가리킬 때 some, others를 쓴다.

| some ~, others ...
몇몇은 ~, 다른 몇몇은 … | **Some** like action movies, and **others** like horror movies. | **몇몇**은 액션 영화를 좋아하고, **다른 몇몇**은 공포 영화를 좋아한다. |
| some ~, the others ...
몇몇은 ~, 나머지 모두는 … | There are many toy cars in the room.
Some are red, and **the others** are yellow. | 방에 장난감 자동차가 많이 있다.
몇몇은 빨간색이고, **나머지 모두**는 노란색이다. |

개념확인 알맞은 말 고르기

1 ●●○ / ○○○ Some are black, and (others / the others) are white.

2 ●●○● / ●○○● Some are black, and (others / the others) are white.

기본연습 우리말과 일치하도록 괄호 안에서 알맞은 것을 고르시오.

1 몇몇은 개를 키우고, 다른 몇몇은 고양이를 키운다.

→ Some raise dogs, and (others / the others) raise cats.

2 몇몇은 내 계획에 동의했지만, 나머지 모두는 동의하지 않았다.

→ (Some / One) agreed with my plan, but the others didn't.

3 몇몇 학생은 팝 음악을 좋아하고, 다른 몇몇은 고전 음악을 좋아한다.

→ Some students like pop music, and (others / the others) like classical music.

4 몇몇 사람은 파티에 음식을 가지고 왔지만, 나머지 모두는 가져오지 않았다.

→ Some people brought food to the party, but (others / the others) didn't.

5 Tina는 사과를 열 개 샀다. 몇몇은 썩었지만, 나머지 모두는 신선했다.

→ Tina bought ten apples. Some were rotten, but (the other / the others) were fresh.

6 바구니에 과일이 일곱 개 있다. 몇몇은 오렌지이고, 나머지 모두는 키위다.

→ There are seven fruits in the basket. (One / Some) are oranges, and the others are kiwis.

POINT 8 each, every, all, both

each와 every는 여러 대상을 각각 가리킬 때, all은 여러 대상을 모두 가리킬 때, both는 두 대상을 가리킬 때 쓴다.
each, all, both는 대명사와 형용사로 모두 쓰이고, every는 형용사로만 쓰인다.

each (각각(의))	단수 취급	**Each of the students** has a different story. 대명사　복수명사　단수동사	그 학생들 **각각**은 다른 이야기를 가지고 있다.
		Each team has five players. 형용사 단수명사 단수동사	**각각의** 팀은 다섯 명의 선수가 있다.
every (모든)	단수 취급	**Every student** likes the math teacher. 형용사　단수명사　단수동사	**모든** 학생이 그 수학 선생님을 좋아한다.
all (모두, 모든 (것))	뒤에 나오는 명사에 따라 단수/복수 취급	**All (of) my friends** like basketball. 복수명사　복수동사	내 친구들 **모두**가 농구를 좋아한다. (내 모든 친구들은 농구를 좋아한다.)
		All (of) his money is in the bank. 단수명사　단수동사	그의 돈 **모두**가 은행에 있다. (그의 모든 돈은 은행에 있다.)
both (둘 다(의))	복수 취급	**Both (of) his parents** are very busy. 복수명사　복수동사	그의 부모님은 **두 분 다** 매우 바쁘시다. (그의 두 분 부모님은 매우 바쁘시다.)

개념확인 옳은 표현 고르기

1 모든 그의 노래

☐ all his songs
☐ both his songs

2 각각의 그림

☐ each painting
☐ every painting

3 우리 둘 다

☐ each of us
☐ both of us

기본연습 A 우리말과 일치하도록 괄호 안에서 알맞은 것을 고르시오.

1 우리 각각은 금발 머리이다. → (Each / Both) of us has blond hair.

2 모든 정보가 매우 유용하다. → (All / Both) the information is very useful.

3 그들은 둘 다 좋아 보인다. → (Each / Both) of them look good.

4 각각의 방에는 책상이 하나 있다. → (Each / All) room has a desk.

5 이 사람들은 모두가 영국인이다. → (All / Every) these people are English.

6 그 소년들 둘 다 시험에 합격하기를 원한다. → (Each / Both) of the boys want to pass the test.

7 그 마을의 모든 집은 똑같아 보인다. → (All / Every) house in the town looks the same.

B 빈칸에 알맞은 be동사를 넣어 문장을 완성하시오. (현재시제로 쓸 것)

1 All the housework _____ done by Brian.

2 Each of these players _____ from England.

3 Every book in this library _____ for children.

4 Both of my parents _____ teachers.

POINT 9 의문대명사

의문대명사는 문장의 주어, 목적어, 보어에 해당하는 구체적인 정보를 물을 때 사용한다.

who (누가) whom (누구를) whose (누구의)	사람에 대해 물을 때	Who is that man? Who(m) did you meet? Whose bag is this?	그 남자는 **누구**니? 너는 **누구를** 만났니? 이것은 **누구의** 가방이니?
what (무엇)	사물에 대해 물을 때	What is your favorite song? What did you do yesterday?	네가 가장 좋아하는 노래는 **무엇**이니? 너는 어제 **무엇**을 했니?
which (어느 것)	정해진 범위 안에서 선택을 물을 때	Which will you order, coffee or tea? Which do you prefer, summer or winter?	너는 커피와 차 중에서 **어느 것**을 주문할 거니? 너는 여름과 겨울 중 **어느 것**을 더 좋아하니?

Tips what, which는 명사를 수식하는 의문형용사로 쓰이기도 한다.
What color do you like? 너는 무슨 색을 좋아하니?
Which subject are you studying? 너는 어느 과목을 공부하고 있니?

주의 whom 대신에 who를 주로 쓰지만, 전치사 뒤에는 반드시 whom을 쓴다.
Who(m) did you play with? 너는 누구랑 놀았니?
= **With whom** did you play?

궁금해요!
의문대명사가 주어로
오면 동사는 어떻게
쓰나요?

의문대명사가 주어인 경우
항상 3인칭 단수로
취급해요.

개념확인 의문대명사 찾기

1 What will you have for lunch?　**2** Who do you work with?　**3** Which will you choose, cats or dogs?

기본연습 **A** 괄호 안에서 알맞은 것을 고르시오.

1 (Who / Which) is the girl over there?

2 (Who / What) can I do for you?

3 (Whose / Whom) did you call yesterday?

4 (Whose / Whom) computer is this?

5 (Who / What) is David's favorite movie?

6 (Who / Which) do you want, a cap or a hat?

7 (Who / Whose) book is this on the desk?

8 (Who / What) are you going to do?

9 (Who / What) made this apple pie?

10 (Whose / What) sport do you like?

B 빈칸에 들어갈 말을 **보기** 에서 골라 대화를 완성하시오.

보기	which	what	who	whom

1 A: _____ is swimming now?　B: My mother and father are swimming.

2 A: With _____ do you usually play?　B: I usually play with Jenny, my best friend.

3 A: _____ can I have for dinner?　B: You can have soup and salad.

4 A: _____ do you prefer, books or movies?　B: I prefer movies.

개 념 완 성 TEST

정답 및 해설 p.21

STEP 1 Map으로 개념 정리하기

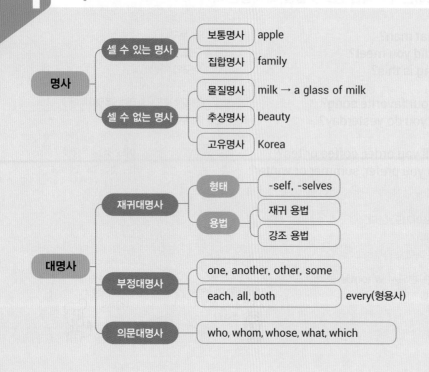

명사
- 셀 수 있는 명사
  - 보통명사 | apple
  - 집합명사 | family
- 셀 수 없는 명사
  - 물질명사 | milk → a glass of milk
  - 추상명사 | beauty
  - 고유명사 | Korea

대명사
- 재귀대명사
  - 형태 | -self, -selves
  - 용법
    - 재귀 용법
    - 강조 용법
- 부정대명사
  - one, another, other, some
  - each, all, both | every(형용사)
- 의문대명사
  - who, whom, whose, what, which

Quick Check

❶ You can buy (a book / book).

❷ You can't buy (a happiness / happiness).

❸ Do you want a (piece / cup) of coffee?

❹ You should take care of (you / yourself).

❺ He painted this room by (him / himself).

❻ I have three friends. _____ is a student, _____ is an actor, and _____ is a singer.

❼ Each of the toys (have / has) a different color.

❽ A: _____ did you come with?
B: With my dad.

STEP 2 기본 다지기

【빈칸완성】

A 우리말과 일치하도록 빈칸에 알맞은 말을 넣어 문장을 완성하시오.

1 다른 사람들에게 너 자신을 소개해줄래?

→ Would you introduce _____ to the others?

2 나는 매일 아침으로 달걀 두 개를 먹는다.

→ I have _____ _____ for breakfast every day.

3 각각의 학생이 한 가지 이야기를 해야 한다.

→ _____ _____ has to tell one story.

4 식탁에 우유 두 잔이 있다.

→ There are _____ _____ _____ _____ on the table.

5 두 가방 중 하나는 내 것이고, 다른 하나는 네 것이다.

→ _____ of the two bags is mine, and _____ _____ is yours.

6 몇몇은 그 가수를 좋아하지만, 나머지 모두는 좋아하지 않는다.

→ _____ like the singer, but _____ _____ don't.

B 밑줄 친 부분을 바르게 고쳐 쓰시오.

1 <u>Leafes</u> turn red and yellow in the fall. → _____

2 What do you <u>prefer</u>, pizza or spaghetti? → _____

3 Henry ate two <u>bowl of cereals</u> for breakfast. → _____

4 Andy sold his old phone and bought a new <u>it</u>. → _____

5 Robert always thinks about <u>themselves</u>. → _____

6 My mom fixes everything in the house <u>her</u>. → _____

7 Do you need my eraser? I will lend <u>one</u> to you. → _____

8 I have two cats. One is white, and <u>other</u> is black. → _____

C 우리말과 일치하도록 괄호 안의 말을 이용하여 문장을 완성하시오.

1 Lisa는 혼자서 영화 보는 것을 좋아하지 않는다. (herself)

→ Lisa doesn't like to see movies _____ _____.

2 오렌지주스를 마음껏 드세요. (yourself)

→ Please _____ _____ _____ the orange juice.

3 그녀는 바지 두 벌과 티셔츠 다섯 벌을 샀다. (pair)

→ She bought _____ _____ _____ _____ and five T-shirts.

4 들판에서 다섯 마리의 양이 풀을 먹고 있다. (sheep, eat)

→ _____ _____ _____ _____ grass in the field.

5 우리 부모님은 두 분 다 책 읽는 것을 즐기신다. (both, enjoy)

→ _____ _____ _____ reading books.

6 도서관에 있는 모든 책은 재미있다. (every, be)

→ _____ _____ in the library _____ interesting.

7 그 꽃들 각각은 그것만의 색을 가지고 있다. (each, the flower, have)

→ _____ _____ _____ _____ its own color.

8 모든 학생들은 Brown 선생님을 좋아한다. (all, the student, like)

→ _____ _____ _____ _____ Mr. Brown.

STEP 3 서술형 따라잡기

A 그림을 보고, 알맞은 단위명사를 이용하여 문장을 완성하시오.

1

There are _____ in the basket.

2

There are _____ on the table.

3

There is _____ on the plate.

영작완성

B 우리말과 일치하도록 괄호 안의 말을 바르게 배열하여 문장을 쓰시오.

1 우리는 둘 다 요가 수업을 듣는다. (us, take, of, both, yoga classes)

→ _____

2 그의 반 친구들 모두가 피곤해 보인다. (of, all, his classmates, tired, look)

→ _____

3 Cindy는 자기 자신을 슈퍼모델이라고 부른다. (Cindy, a super model, herself, calls)

→ _____

4 나는 그 어려운 문제를 스스로 풀었다. (I, the difficult problem, myself, solved, for)

→ _____

문장영작

C 우리말과 일치하도록 괄호 안의 말을 이용하여 영작하시오.

1 각각의 학생은 10분 동안 말할 것이다. (talk, for ten minutes)

→ _____

2 저는 이 가방이 마음에 들지 않아요. 저에게 또 다른 것을 보여줄 수 있나요? (can, show)

→ I don't like this bag. _____

3 장미는 색이 다양하다. 몇몇은 빨간색이고, 다른 몇몇은 분홍색이다. (red, pink)

→ Roses have many colors. _____

4 나는 외국어 두 개를 배우고 있다. 하나는 프랑스어이고, 다른 하나는 중국어이다. (French, Chinese)

→ I am learning two foreign languages. _____

[1-3] 빈칸에 들어갈 말로 알맞은 것을 고르시오.

1

> There is _____ piano in the living room.

① a   ② an   ③ two
④ a loaf of   ⑤ a piece of

2

> Jake broke my glasses. I should buy new _____.

① it   ② one   ③ ones
④ this   ⑤ itself

3

> I have two brothers. _____ are high school students.

① Both   ② Each   ③ Some
④ Every   ⑤ Ones

4 빈칸에 들어갈 말로 알맞지 않은 것은?

> My father gave a _____ to me.

① gift   ② cap   ③ doll
④ luck   ⑤ pencil

5 밑줄 친 명사의 성격이 나머지와 다른 하나는?

① Grace is a good violinist.
② We should try for world peace.
③ Chicago is the name of a city in the US.
④ Jake didn't have enough money for a taxi.
⑤ The fisherman caught many fish yesterday.

[6-7] 빈칸에 들어갈 말이 순서대로 짝 지어진 것을 고르시오.

6

> • I lost my dictionary. I have to buy a new _____.
> • I put my key on the table. Can you get _____ for me?

① it – it   ② it – other
③ one – it   ④ one – another
⑤ ones – the other

7

> • Would you like a _____ of tea?
> • My aunt gave me a good _____ of advice.

① cup – piece   ② cup – loaf
③ loaf – sheet   ④ loaf – slice
⑤ slice – piece

8 밑줄 친 부분의 쓰임이 나머지와 다른 하나는?

① I made this pizza myself.

② Let me introduce myself.

③ My dad washes the dishes himself.

④ They painted their house themselves.

⑤ We ourselves cook our own dinner.

9 빈칸에 들어갈 말이 나머지와 다른 하나는?

① _____ do you think of it?

② _____ is your favorite movie?

③ _____ are you doing now?

④ _____ do you prefer, English or math?

⑤ _____ do you do in your free time?

10 밑줄 친 부분 중 생략할 수 있는 것은?

① Alice enjoys looking at herself in the mirror.

② Pedro wrote the book himself.

③ Bella is a baby and cannot eat by herself.

④ Every morning I wash myself and brush my teeth.

⑤ Jenny can finish the homework for herself.

11 우리말을 영어로 바르게 옮긴 것은?

> 각각의 사탕은 다른 맛이 난다.

① Each candy tastes different.

② Each candies taste different.

③ Each of the candy tastes different.

④ Every candy tastes different.

⑤ Both of the candies taste different.

12 다음 중 밑줄 친 부분이 어법상 틀린 것의 개수는?

> ⓐ All the girls like the actor.
>
> ⓑ Every building in the city is beautiful.
>
> ⓒ I bought a nice present for me.
>
> ⓓ You can't buy a health with money.

① 0개　　　② 1개　　　③ 2개

④ 3개　　　⑤ 4개

13 빈칸에 공통으로 들어갈 말로 알맞은 것은?

> • I don't like the size of this bag. Please show me _____.
>
> • I have three aunts. One is a nurse, _____ is an artist, and the other is a teacher.

① one　　　② some　　　③ other

④ another　　　⑤ the other

14 빈칸에 is가 들어갈 수 없는 것은?

① All their money _____ in the bank.

② Each class _____ 45 minutes long.

③ Every member _____ really talented.

④ Each ticket _____ 10 dollars.

⑤ Both of them _____ middle school students.

15 밑줄 친 부분의 우리말 해석이 어색한 것은?

① Sunmi cut herself with a broken bottle.
(베었다)
② Mike found the answer for himself.
(혼자 힘으로)
③ We helped ourselves to the free snacks.
(마음껏 도왔다)
④ I really enjoyed myself when I was in Rome.
(즐겁게 시간을 보냈다)
⑤ Jerome lives by himself in the country.
(혼자서, 홀로)

16 다음 중 대화가 자연스럽지 않은 것은?

① A: How many pets do you have?
   B: I have five pets. One is a dog, and the others are cats.
② A: Who are those three people?
   B: One is my mom, another is my uncle, and the other is my brother.
③ A: What do your parents like to do?
   B: Both of them are from the U.K.
④ A: Here are two questions. One is easy, and the other is difficult.
   B: Ask easy one first, please.
⑤ A: Which is your cat, the black one or the white one?
   B: The black one.

17 우리말을 영어로 옮길 때, 쓰이지 않는 말은?

몇몇은 교실에 있고, 다른 몇몇은 운동장에 있다.

① some   ② are   ③ the other
④ classroom   ⑤ playground

18 어법상 틀린 문장은?

① Dave taught himself the guitar.
② Both of my sisters are nice to me.
③ Andy talked to himself with anger.
④ Some boys like soccer, and others like baseball.
⑤ I have a camera, so you can use one whenever you want.

19 우리말을 영어로 바르게 옮긴 사람은?

① 나는 빵 세 덩어리를 샀다.
   현숙: I bought three loaf of bread.
② 그녀는 점심으로 케이크 두 조각을 먹었다.
   은세: She ate two piece of cakes for lunch.
③ 책상에 종이 한 장이 있다.
   소희: There is a sheet of paper on the desk.
④ 하루에 여덟 잔의 물을 마셔라.
   지훈: Drink eight glasses of waters a day.
⑤ Brian은 치즈 두 장이 필요하다.
   준희: Brian needs two slice of cheese.

고난도
20 다음 중 어법상 옳은 문장의 개수는?

ⓐ Mom baked myself a carrot cake.
ⓑ I'd like to ask you another question.
ⓒ The teacher her gave me the prize.
ⓓ Some students prefer apples, and others prefer oranges.
ⓔ Irene is holding a pencil in one hand and an eraser in other.

① 0개   ② 1개   ③ 2개
④ 3개   ⑤ 4개

21 다음 그림을 보고, 문장을 완성하시오.

(1)

(2)

(1) There are three balls on the floor. _____ is a basketball, _____ is a baseball, and _____ is a soccer ball.

(2) There are many fruits in the basket. _____ are apples, and _____ are tomatoes.

22 어법상 틀린 부분을 바르게 고쳐 문장을 다시 쓰시오.

(1) Whom plays the main character in the play?

→ _____

(2) What season do you like, summer or winter?

→ _____

23 어법상 틀린 것을 찾아 기호를 쓰고 바르게 고친 후 그 이유를 쓰시오.

> I went to ⓐ Dave's house with Tina yesterday. I met ⓑ his brother and his sister. I introduced ⓒ myself to them. They welcomed ⓓ myself. My friends and I ⓔ enjoyed ourselves there.

_____ → _____

틀린 이유: _____
_____

24 다음 간식 메뉴를 보고, 보기 의 말을 이용하여 문장을 완성하시오.

MON.	TUE.	WED.	THUR.
🥖	🍕🍕	🥣	Milk

> 보기   a slice of   a bowl of
>   a glass of   a loaf of

(1) We have _____ on Monday.

(2) We have _____ on Tuesday.

(3) We have _____ on Wednesday.

(4) We have _____ on Thursday.

고난도
25 우리말과 같도록 괄호 안의 말을 이용하여 영작하시오.

(1) Emily는 거울 속 자신에게 미소 지었다.
(smile at, in the mirror)

→ _____

(2) 그 팀의 모든 선수는 키가 크다.
(every, player, in the team)

→ _____

(3) 각각의 팀에는 다섯 명의 선수들이 있다.
(each, team, have)

→ _____

(4) 모든 달리기 주자들은 출발선에 섰다.
(all, the runner, stand, at the starting line)

→ _____

CHAPTER 8

형용사, 부사, 비교구문

POINT 1 형용사의 쓰임

POINT 2 -thing / -body / -one+형용사

POINT 3 수량형용사

POINT 4 부사의 쓰임과 형태

POINT 5 주의해야 할 부사

POINT 6 빈도부사

POINT 7 비교급과 최상급 만드는 법

POINT 8 비교급 비교

POINT 9 최상급 비교

POINT 10 원급 비교

비교구문은 형용사나 부사를 사용하여 둘 이상의 대상을 비교할 때 쓴다.

POINT 1 형용사의 쓰임

한정적 용법: 주로 명사 앞에서 명사를 수식한다.

명사 수식	형용사 + 명사	Dad has a **red car**.

아버지는 빨간색 차를 가지고 계신다.

서술적 용법: 보어로 쓰여 주어나 목적어를 보충 설명한다.

> 주격보어가 사용되는 2형식 문장의 동사로는 be동사, 감각동사 (look, sound, feel, smell, taste), get, become 등이 있어요.

주어 보충 설명	주어 + 동사 + 주격보어(형용사) **This cake** is **delicious**.
목적어 보충 설명	주어 + 동사 + 목적어 + 목적격보어(형용사) I made **my brother angry**.

이 케이크는 맛있다. <This cake = delicious>

나는 우리 형을 화나게 만들었다. <my brother = angry>

개념확인 형용사 찾기

1 There is an old house.　　　**2** The actor is famous.　　　**3** I made him angry.

기본연습 밑줄 친 형용사의 쓰임과 같은 것을 **보기** 에서 골라 그 기호를 쓰시오.

> **보기** ⓐ The book is boring.
> ⓑ I have a good news.

1 The house is dark and scary.　　　　　　　　　　　　[　　　]

2 I saw a very famous actor in the theater.　　　　　　[　　　]

3 My brother keeps his room clean.　　　　　　　　　　[　　　]

4 An elephant has a long nose.　　　　　　　　　　　　[　　　]

5 Tom visited many beautiful cities in France.　　　　　[　　　]

6 The movie made me happy.　　　　　　　　　　　　　[　　　]

7 Kate found a shiny stone on the beach.　　　　　　　[　　　]

8 There is a tall boy in front of the door.　　　　　　　[　　　]

9 Eric's song sounds wonderful.　　　　　　　　　　　　[　　　]

10 The amusement park was very crowded yesterday.　　[　　　]

11 Let's order this soft cheese cake.　　　　　　　　　　[　　　]

12 The story is very exciting.　　　　　　　　　　　　　　[　　　]

13 I bought a pretty doll yesterday.　　　　　　　　　　　[　　　]

14 She looks very sad today.　　　　　　　　　　　　　　[　　　]

-thing, -body, -one으로 끝나는 대명사는 형용사가 뒤에서 수식한다.

-thing -body -one	＋	형용사

I need **something special**.   나는 **특별한 무언가**가 필요하다.

Do you know **anybody famous**?   너는 **유명한 누군가**를 알고 있니?

I want to meet **someone new**.   나는 **새로운 누군가**를 만나고 싶다.

주의 명사 thing(것, 물건)을 수식하는 형용사는 thing 앞에 온다.
I learned **new things**. 나는 새로운 것들을 배웠다.

↱ -thing/-body/-one으로 끝나는 대명사의 종류
-thing: everything, something, anything, nothing
-body: everybody, somebody, anybody, nobody
-one: everyone, someone, anyone, no one

개념확인 형용사가 들어갈 위치 고르기

1 I want something. (delicious)
             ①   ②

2 We need someone. (wise)
             ①   ②

기본연습 괄호 안에서 알맞은 것을 고르시오.

1 Let's do (exciting something / something exciting).

2 Do you know (anybody strong / strong anybody)?

3 There is (nothing cheap / cheap nothing) in the store.

4 Sam met (famous somebody / somebody famous) in the shopping mall.

5 Don't do (stupid anything / anything stupid).

6 He needs (tall someone / someone tall) for the job.

7 (Someone friendly / Friendly someone) fixed my bike.

8 She will tell you (something important / important something).

9 Is there (anything wrong / wrong anything) with you?

10 I want to drink (something cold / cold something).

11 We couldn't see (anyone new / new anyone) at the party.

12 I want to see (different something / something different).

13 A (thing strange / strange thing) happened to me this morning.

틀리기 쉬운 내/신/포/인/트

-thing으로 끝나는 대명사를 수식하는 형용사의 위치를 기억해야 해요.

밑줄 친 부분을 바르게 고쳐 쓰시오.

I want to learn <u>useful something</u>.

→ _____

POINT 3 수량형용사

정답 및 해설 p.23

수량형용사는 명사의 수와 양을 나타내는 형용사로, 셀 수 있는 명사인지, 셀 수 없는 명사인지에 따라 구분해서 사용한다.

> 수량형용사 뒤에 나오는 셀 수 있는 명사는 항상 복수형을 써요.

많은	many	+ 셀 수 있는 명사	There are **many** books in the bag.	가방 안에 책이 **많다**.
	much	+ 셀 수 없는 명사	There is **much** juice in the bottle.	병에 주스가 **많이** 있다.
	a lot of = lots of	+ 셀 수 있는 명사 / 셀 수 없는 명사	Tom bought **a lot of** toys.	Tom은 장난감을 **많이** 샀다.
			There is **a lot of** bread on the table.	탁자 위에 빵이 **많이** 있다.
약간의, 조금 있는	a few	+ 셀 수 있는 명사	I have **a few** questions for you.	나는 네게 질문이 **조금** 있다.
	a little	+ 셀 수 없는 명사	She put **a little** jam on the bread.	그녀는 빵에 잼을 **조금** 발랐다.
거의 없는	few	+ 셀 수 있는 명사	There are **few** cars on the street.	거리에 차가 **거의 없다**.
	little	+ 셀 수 없는 명사	Jiho has **little** money in his wallet.	지호는 지갑에 돈이 **거의 없다**.

주의 few와 little은 부정의 의미를 포함하기 때문에 부정어와 함께 쓰지 않는다.

some과 any는 '약간의, 조금의'라는 의미로, 셀 수 있는 명사와 셀 수 없는 명사 모두와 함께 쓸 수 있다.

약간의, 조금의	some	긍정문	He needs **some** help now.	그는 지금 도움이 **좀** 필요하다.
		권유문, 요청문	Can you give me **some** water?	물 **좀** 주시겠어요?
	any	부정문	We don't have **any** plans.	우리는 **조금의** 계획도 없다.
		의문문	Do you have **any** questions?	질문이 있나요?

개념확인 수량형용사 찾기

1 I don't have much time.   2 There are few people in the park.   3 He took a lot of pictures.

기본연습 괄호 안에서 알맞은 것을 고르시오.

1 There are (many / much) trees in the forest.

2 Would you like (some / any) orange juice?

3 There is (few / little) water in the bottle.

4 Mira doesn't need (some / any) help from me.

5 Andy has (a few / a little) money in the bank.

6 I need (a few / a little) sugar for cooking.

7 Can you lend me (a few / some) money?

8 Grandma cooked (many / lots of) food for us.

9 We should eat (much / a lot of) vegetables for our health.

10 There are (few / little) magazines on his bookshelf.

11 Sue invited (a few / a little) friends to her birthday party.

12 How (many / much) water should I put in the pot?

13 There are (a few / a little) horses on my uncle's farm.

14 There were (some / any) students in the classroom.

15 Tom needs (a few / a little) milk and sugar in his tea.

B 우리말과 일치하도록 보기 의 말과 괄호 안의 명사를 이용하여 문장을 완성하시오.

보기	many	much	a few	a little	few	little

1 학교 도서관에는 책이 많이 있다. (book)

→ There are _____ _____ in the school library.

2 우리 가족은 하늘에 있는 별들을 몇 개 봤다. (star)

→ My family saw _____ _____ in the sky.

3 그는 그의 아이들과 놀 시간이 많이 없다. (time)

→ He doesn't have _____ _____ to play with his children.

4 그 문제를 풀 수 있는 학생들이 거의 없었다. (student)

→ _____ _____ could solve the problem.

5 우리 팀은 이번 경기에서 운이 거의 없었다. (luck)

→ Our team had _____ _____ in this game.

6 진하와 나는 기차 안에서 좌석을 몇 개 발견했다. (seat)

→ Jinha and I found _____ _____ on the train.

7 우리는 그 지역에 관한 정보가 약간 있다. (information)

→ We have _____ _____ about the area.

8 나는 중국에 있는 동안 많은 곳을 방문했다. (place)

→ I visited _____ _____ while I was in China.

틀 리 기 쉬 운
내/신/포/인/트

수량형용사 뒤에 셀 수 있
는 명사가 올 때의 형태를
알아둬야 해요.

밑줄 친 부분이 어법상 틀린 것은?

① I need some clothes.

② We don't have much food.

③ There were few coin in my piggy bank.

④ There is little water in the bottle.

부사는 동사, 형용사, 다른 부사, 문장 전체를 수식한다.

동사 수식	They talked **loudly** on the bus.	그들은 버스에서 **큰 소리로** 이야기했다.
형용사 수식	Your answer is **exactly** right.	네 답이 **정확히** 맞다.
부사 수식	Sam plays the guitar **very** well.	Sam은 기타를 **매우** 잘 친다.
문장 전체 수식	**Luckily**, I passed the test.	**다행히**, 나는 시험을 통과했다.

↪ 부사가 문장 전체를 수식할 때는 주로 문장 맨 앞에 위치해요.

부사는 대부분의 형용사에 -ly를 붙여 만들며, 불규칙하게 변하는 형태도 있다.

대부분의 형용사	형용사 + **-ly**	final 마지막의 → **finally** 마침내	wise 현명한 → **wisely** 현명하게
-y로 끝나는 형용사	**y**를 **i**로 바꾸고 + **-ly**	angry 화난 → **angrily** 노하여	heavy 무거운 → **heavily** 무겁게
-le로 끝나는 형용사	**e**를 없애고 + **-y**	simple 간단한 → **simply** 간단히	terrible 심한 → **terribly** 몹시
-ue로 끝나는 형용사	**e**를 없애고 + **-ly**	true 사실의 → **truly** 정말로	
-ll로 끝나는 형용사	형용사 + **-y**	full 완전한 → **fully** 완전히	
불규칙 변화		good 좋은 → **well** 잘, 좋게	

개념확인 **부사 찾기**

1 Finally, we won the game.　　**2** It's very cold today.　　**3** He sat quietly in his seat.

기본연습 **A** 밑줄 친 부사가 수식하는 부분에 밑줄을 그으시오.

1 The plane landed safely in the storm.

2 She has a very cute dog.

3 I try to exercise regularly for my health.

4 He carefully picked up the pieces of glass.

5 Actually, I want to stay home.

B 괄호 안의 말을 이용하여 빈칸에 알맞은 말을 쓰시오.

1 They solved the problem _____. (easy)

2 I can _____ understand your situation. (full)

3 She _____ decided to tell the truth. (wise)

4 Tom is doing very _____ at school. (good)

주의해야 할 부사

정답 및 해설 p.23

형용사와 형태가 같은 부사를 주의한다.

early	형 이른	부 일찍	fast	형 빠른	부 빨리, 빠르게
hard	형 어려운, 열심인	부 열심히	high	형 높은	부 높이
late	형 늦은	부 늦게	long	형 (길이·거리가) 긴	부 오래, 오랫동안
far	형 먼	부 멀리	close	형 가까운	부 가까이

My house is very **close** to the library. <형용사> 우리 집은 도서관에 매우 **가깝다.**

Don't come too **close!** <부사> 너무 **가까이** 오지 마!

☆ -ly를 붙이면 의미가 달라지는 부사를 주의한다.

hard 열심히 – hardly 거의 ~ 않다	Jiho exercises **hard** every morning.	지호는 매일 아침 **열심히** 운동한다.
	I can **hardly** hear you.	나는 네 말을 **거의** 들을 수 **없다.**
high 높이 – highly 매우	The eagle flies **high** in the sky.	독수리는 하늘 **높이** 난다.
	Emma is a **highly** successful singer.	Emma는 **매우** 성공한 가수이다.
late 늦게 – lately 최근에	The train left an hour **late**.	기차는 한 시간 **늦게** 출발했다.
	Mike looks tired **lately**.	Mike는 **최근에** 피곤해 보인다.

개념확인 옳은 해석 고르기

1 Nancy can run very fast.　☐ 빠른　☐ 빠르게　**2** The bird flew high.　☐ 높이　☐ 매우

기본연습 **A** 밑줄 친 부분이 부사인 것을 고르시오.

1 ⓐ We didn't stay there long.　　ⓑ Amy has long black hair.

2 ⓐ There are some hard words in the book.　　ⓑ Dad tried hard to fix my computer.

3 ⓐ I saw her in the far distance.　　ⓑ Eric didn't go far from home.

4 ⓐ The dogs came close to us.　　ⓑ Jina is a very close friend to me.

5 ⓐ Let's have an early dinner.　　ⓑ Mom came home early today.

B 괄호 안에서 알맞은 것을 고르시오.

1 They practiced (hard / hardly) to win the contest.

2 The birthday card arrived ten days (late / lately).

3 She has a (high / highly) creative mind.

4 I have been really busy (late / lately).

5 I (hard / hardly) ate any food because I was not hungry.

빈도부사는 어떤 일이 얼마나 자주 일어나는지를 나타내는 말이다.

빈도 100%		
always (항상, 늘)	You should **always** lock your car.	너는 **항상** 차 문을 잠가야 한다.
usually (보통, 대개)	Jim **usually** has a sandwich for lunch.	Jim은 **보통** 점심으로 샌드위치를 먹는다.
often (자주)	We **often** go hiking on the weekend.	우리는 **자주** 주말에 등산을 간다.
sometimes (가끔, 때때로)	My family **sometimes** forget my birthday.	우리 가족은 **가끔** 내 생일을 잊는다.
rarely (좀처럼 ~ 않는)	I **rarely** talk to strangers.	나는 **좀처럼** 낯선 사람들에게 말을 걸지 **않는다**.
hardly (거의 ~ 않다)	She **hardly** smiled at us.	그녀는 우리를 보고 **거의** 웃지 **않았다**.
never (전혀 ~ 않다) 0%	I **never** go to bed before 11.	나는 **절대** 11시 전에 잠들지 **않는다**.

주의 빈도부사는 주로 be동사나 조동사의 뒤에, 일반동사의 앞에 위치한다.

개념확인 빈도부사 찾기

1 He rarely spoke.　　　**2** I often skip breakfast.　　　**3** She usually walks to school.

기본연습 우리말과 일치하도록 빈칸에 알맞은 빈도부사를 쓰시오.

1 나는 일요일마다 거의 일찍 일어나지 않는다.　　→ I _____ wake up early on Sundays.

2 Jake는 보통 샤워하면서 노래를 부른다.　　→ Jake _____ sings in the shower.

3 너는 얼마나 자주 너희 조부모님을 뵙니?　　→ How _____ do you see your grandparents?

4 미나는 내 생일을 절대 잊지 않는다.　　→ Mina _____ forgets my birthday.

5 그 가게는 월요일에 좀처럼 문을 열지 않는다.　　→ The store _____ opens on Mondays.

6 그들은 자주 바다에 수영하러 간다.　　→ They _____ go swimming in the ocean.

7 Brian은 가끔 자전거를 타고 학교에 간다.　　→ Brian _____ goes to school by bike.

8 그녀의 이야기는 항상 행복한 결말이다.　　→ Her stories _____ have a happy ending.

틀리기 쉬운 내/신/포/인/트

어떤 일이 얼마나 자주 일어나는지를 파악해 알맞은 빈도부사를 써야 해요.

빈칸에 들어갈 말로 알맞은 것은?

She goes jogging in the morning every day.
= She _____ goes jogging in the morning.

① always　　② often　　③ sometimes　　④ rarely

비교급과 최상급 만드는 법

정답 및 해설 p.23

형용사나 부사의 원래 형태를 원급이라고 하며, 비교급은 대부분 원급에 -er을 붙여서 만들고, 최상급은 대부분 원급에 -est를 붙여서 만든다. 비교급은 '더 ~한/하게'라는 의미이고, 최상급은 '가장 ~한/하게'라는 의미이다.

		원급	비교급	최상급
대부분의 경우	+ -er/-est	short	short**er**	short**est**
-e로 끝나는 경우	+ -r/-st	wide	wide**r**	wide**st**
「자음+-y」로 끝나는 경우	y를 i로 바꾸고 + -er/-est	easy happy	easi**er** happi**er**	easi**est** happi**est**
「단모음+단자음」으로 끝나는 경우	마지막 자음을 한 번 더 쓰고 + -er/-est	big thin	big**ger** thin**ner**	big**gest** thin**nest**
3음절 이상, -ful, -ous, -ing, -ive 등으로 끝나는 2음절인 경우	more/most + 원급	useful dangerous expensive	**more** useful **more** dangerous **more** expensive	**most** useful **most** dangerous **most** expensive
「형용사+-ly」 형태의 부사		gladly	**more** gladly	**most** gladly
불규칙 변화		good/well	**better**	**best**
		many/much	**more**	**most**
		bad/ill	**worse**	**worst**
		little	**less**	**least**

개념확인 옳은 표현 고르기

1 더 큰 소리로

☐ loud　☐ louder

2 가장 잘

☐ well　☐ best

3 가장 도움이 되는

☐ helpfulest　☐ most helpful

기본연습 다음 단어의 비교급과 최상급을 쓰시오.

1 cheap　－ ＿＿＿＿＿ － ＿＿＿＿＿

2 young　－ ＿＿＿＿＿ － ＿＿＿＿＿

3 large　－ ＿＿＿＿＿ － ＿＿＿＿＿

4 pretty　－ ＿＿＿＿＿ － ＿＿＿＿＿

5 gladly　－ ＿＿＿＿＿ － ＿＿＿＿＿

6 boring　－ ＿＿＿＿＿ － ＿＿＿＿＿

7 strong　－ ＿＿＿＿＿ － ＿＿＿＿＿

8 heavy　－ ＿＿＿＿＿ － ＿＿＿＿＿

9 serious　－ ＿＿＿＿＿ － ＿＿＿＿＿

10 hot　－ ＿＿＿＿＿ － ＿＿＿＿＿

11 well　－ ＿＿＿＿＿ － ＿＿＿＿＿

12 interesting　－ ＿＿＿＿＿ － ＿＿＿＿＿

13 happily　－ ＿＿＿＿＿ － ＿＿＿＿＿

14 dark　－ ＿＿＿＿＿ － ＿＿＿＿＿

15 lucky　－ ＿＿＿＿＿ － ＿＿＿＿＿

16 popular　－ ＿＿＿＿＿ － ＿＿＿＿＿

비교급 비교

두 개의 대상을 비교할 때 「비교급＋than」의 형태로 쓰며, '〜보다 더 …한/하게'를 의미한다.

	비교급＋than		
My bag is	**heavier than**	yours.	내 가방은 네 것**보다 더 무겁**다.
Jiho speaks	**more slowly than**	Homin.	지호는 호민이**보다 더 천천히** 말한다.

Tips much, even, still, far, a lot을 비교급 앞에 써서 '훨씬'이라는 의미로 비교급을 강조할 수 있다.
Gold is **much** more expensive than silver. 금은 은보다 훨씬 더 비싸다.

주의 very(매우)는 비교급이 아닌 원급을 강조한다.

「비교급＋and＋비교급」은 '점점 더 〜한/하게'라는 의미이다.

The weather is getting	**colder and colder.**	날씨가 **점점 더** 추워지고 있다.

「The＋비교급 〜, the＋비교급 …」은 '〜하면 할수록, 더 …하다'의 의미이다.

The more	I know,	**the better**	I can understand.	내가 **더 많이** 알면 알수록, 나는 **더 잘** 이해할 수 있다.

개념확인 비교급 찾기

1 This sofa is lighter than that one.　　　　**2** It is getting darker and darker.

기본연습 **A** 우리말과 일치하도록 괄호 안의 말을 이용하여 문장을 완성하시오.

1 파란색 상자는 노란색 상자보다 더 무겁다. (heavy)

→ The blue box is ＿＿＿＿＿＿＿＿＿＿ the yellow one.

2 그는 점점 더 바빠지고 있다. (busy)

→ He is getting ＿＿＿＿＿＿＿＿＿＿.

3 그 나무는 그 집보다 훨씬 더 컸다. (even, tall)

→ The tree was ＿＿＿＿＿＿＿＿＿＿ the house.

4 내 영어 점수는 내 과학 점수보다 더 나쁘다. (bad)

→ My English score is ＿＿＿＿＿＿＿＿＿＿ my science score.

5 이 드레스가 저 드레스보다 더 예쁘다. (pretty)

→ This dress is ＿＿＿＿＿＿＿＿＿＿ that one.

6 아버지의 건강이 점점 더 좋아지고 있다. (good)

→ Dad's health is getting ＿＿＿＿＿＿＿＿＿＿.

7 우리가 더 나이가 들면 들수록, 우리는 더 현명해진다. (old, wise)

→ _____ we grow, _____ we become.

8 Susie는 Sam보다 훨씬 더 조심스럽게 운전한다. (far, carefully)

→ Susie drives _____ Sam.

9 날씨가 점점 더 더워지고 있다. (hot)

→ The weather is getting _____.

10 너희가 더 일찍 출발하면 할수록, 너희는 더 빨리 도착할 것이다. (early, soon)

→ _____ you leave, _____ you will arrive.

11 건강은 돈보다 훨씬 더 중요하다. (much, important)

→ Health is _____ money.

12 네가 더 적게 쓸수록, 너는 더 많이 저축할 수 있다. (little, much)

→ _____ you spend, _____ you can save.

B 보기의 말을 이용하여 두 문장을 비교급 문장으로 바꿔 쓰시오.

보기	young	expensive	strong	early	long	short

1 Minho is 165 cm. Tom is 179 cm.

→ Minho is _____ Tom.

2 The red shirt is $15. The white shirt is $40.

→ The white shirt is _____ the red one.

3 Eric can carry a 10 kg box. Andy can carry only a 3 kg box.

→ Eric is _____ Andy.

4 Jessy is 18 years old. Kevin 15 years old.

→ Kevin is _____ Jessy.

5 Jane has long blond hair. Yuri has short curly hair.

→ Jane's hair is _____ Yuri's.

6 I went to school at 7:30 this morning. My brother went to school at 8 o'clock.

→ I went to school _____ my brother.

틀 리 기 쉬 운
내/신/포/인/트

비교급을 강조할 때 쓰는
부사를 기억해요.

밑줄 친 부분과 바꿔 쓸 수 없는 것은?

Tom runs <u>much</u> faster than Eric.

① a lot　　　② very　　　③ even　　　④ far

POINT **9** 최상급 비교

셋 이상의 대상을 비교할 때 「the＋최상급」의 형태로 쓰며, '가장 …한/하게'를 의미한다. 뒤에 in이나 of를 사용하여 비교 범위를 나타낼 수 있다.

	the＋최상급	
Mina is	**the fastest**	runner **of** the four.
Eric is	**the most popular**	student **in** my school.

미나는 네 명 중에서 **가장 빠른** 주자이다.

Eric은 우리 학교에서 **가장 인기 있는** 학생이다.

「one of the＋최상급＋복수명사」는 '가장 ~한 … 중의 하나'라는 의미이다.

Seoul is	**one of the busiest cities**	in the world.

↳ 복수명사

서울은 세계에서 **가장 분주한** 도시 중 **하나**이다.

주의 '가장 ~한 … 중의 하나'는 여러 대상 중 하나를 가리키므로, 최상급 뒤에 항상 복수명사를 쓴다.

> 궁금해요! of와 in은 어떻게 구분해서 쓰나요?

> of 뒤에는 비교 대상을, in 뒤에는 장소나 범위를 나타내는 말을 써요.

개념확인 옳은 표현 고르기

1 우리 반에서 가장 큰 학생
- ☐ the tallest student in my class
- ☐ the tallest student of my class

2 가장 아름다운 것 중 하나
- ☐ one of the most beautiful thing
- ☐ one of the most beautiful things

기본연습 **A** 우리말과 일치하도록 괄호 안의 말을 이용하여 문장을 완성하시오.

1 Sam은 우리 반에서 가장 똑똑한 학생이다. (smart)

→ Sam is _____ student in my class.

2 가을은 책 읽기에 가장 좋은 계절이다. (good)

→ Autumn is _____ season for reading.

3 Beethoven은 가장 위대한 작곡가 중 한 명이다. (great, composer)

→ Beethoven is _____.

4 에베레스트 산은 세계에서 가장 높은 산이다. (high)

→ Mt. Everest is _____ mountain in the world.

5 파리는 세계에서 가장 아름다운 도시 중 하나이다. (beautiful, city)

→ Paris is _____ in the world.

6 이 식당은 우리 마을에서 가장 맛있는 음식을 제공한다. (delicious, food)

→ This restaurant serves _____ in my town.

B 밑줄 친 부분을 어법상 바르게 고쳐 쓰시오.

1 Minsu picked up <u>the bigger</u> apple in the basket. → _____

2 My sister is <u>the most tall</u> of her friends. → _____

3 Baseball is one of <u>the most popular sport</u>. → _____

4 She is one of <u>the more famous</u> writers in the world. → _____

5 The egg sandwich is the cheapest food <u>of</u> the restaurant. → _____

6 Mr. Smith is one of <u>the most kind</u> neighbors in my town. → _____

C 그림을 보고, 보기 에서 알맞은 말을 골라 최상급 문장을 완성하시오.

| 보기 | high | fast | expensive | young | cold | long |

1
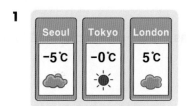

2

3

4

5
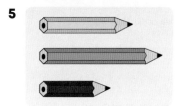

6

1 Seoul is _____ city of the three.

2 The yellow hat is _____ hat in the store.

3 Tom can jump _____ of the three.

4 My sister is _____ in my family.

5 The blue pencil is _____ of the three.

6 Jason is _____ runner of the three.

틀리기 쉬운 내/신/포/인/트

최상급을 이용한 표현인 「one of the + 최상급 + 복수명사」에서 명사의 수에 주의해야 해요.

밑줄 친 부분이 어법상 틀린 것은?

① Teddy is <u>the most handsome</u> boy of my friends.
② This church is <u>the oldest</u> building in my town.
③ Nancy is one of <u>the smartest girl</u> in my class.
④ Who is <u>the tallest</u> in your family?

정답 및 해설 p.24

POINT 10 원급 비교

두 대상의 정도가 같음을 표현할 때 「as+원급+as」의 형태로 쓰며, '~만큼 …한/하게'를 의미한다.

		as+원급+as		
Mike is		**as smart as**	his brother.	Mike는 그의 형만큼 똑똑하다.
The car is	**not**	**as fast as**	the plane.	자동차는 비행기만큼 빠르지 않다.

주의 비교하는 두 대상은 문법적으로 같은 형태여야 한다.
Cooking is **as interesting as** drawing. 요리하는 것은 그림 그리는 것만큼 재미있다.

> 배수사는 '~배'라는 의미로 두 배일 때는 twice, 세 배부터는 three times, four times 등 「기수+times」 형태로 써요.

「배수사+as+원급+as」는 '~보다 …배 더 ~한/하게'라는 의미이다.

	배수사	as+원급+as		
My bag is	**twice**	**as heavy as**	Sam's.	내 가방은 Sam의 가방보다 두 배 더 무겁다.
Tom eats	**three times**	**as much as**	Kate does.	Tom은 Kate보다 세 배 더 먹는다.

「as+원급+as possible」은 '가능한 한 ~한/하게'라는 의미이며, 「as+원급+as+주어+can(could)」으로 바꿔 쓸 수 있다. →과거시제

		possible.	
Come back	**as soon as**	**you can.**	가능한 한 빨리 돌아와라.

→ 이때 주어는 대명사 형태로 써요.

개념확인 옳은 표현 고르기

1 미나만큼 어린
☐ as young as Mina
☐ as Mina as young

2 가능한 한 많은
☐ as many as possible
☐ many as possible as

3 ~보다 세 배 더 빠른
☐ three as fast as
☐ three times as fast as

기본연습 **A** 괄호 안에서 알맞은 것을 고르시오.

1 Skiing is as (exciting / more exciting) as snowboarding.

2 Sera is (not as busy as / as not busy as) her sister.

3 Minsu cooks as (well / better) as the chef in the restaurant.

4 My brother's chair is (not as comfortable as / not comfortable as) mine.

5 This lake is (third / three times) as deep as the lake in my town.

6 My bag is as heavy as (yours / you).

7 Please carry this vase as carefully as you (can / could).

8 This building is (two / twice) as tall as that one.

9 You should get up (early as possible as / as early as possible).

B 우리말과 일치하도록 괄호 안의 말을 이용하여 원급 비교 문장을 완성하시오.

1 Nick은 그의 아버지만큼 용감하다. (brave)

→ Nick is _____ his father.

2 수민이는 그 배우만큼 유명해지고 싶어 한다. (famous)

→ Sumin wants to be _____ the actor.

3 내게 자전거 타는 것은 등산하는 것만큼 흥미롭지 않다. (interesting)

→ Riding a bike is _____ hiking to me.

4 이 강은 우리 도시의 강보다 네 배 더 길다. (long)

→ This river is _____ the river in my city.

5 우리는 여행 중에 가능한 한 많은 사진을 찍었다. (many)

→ We took pictures _____ during the trip.

6 Mike는 가능한 한 크게 노래를 불렀다. (loudly, can)

→ Mike sang _____.

C 주어진 문장을 원급 비교 구문을 사용하여 바꿔 쓰시오.

1 I get up at 6 a.m., and my mother gets up at 6 a.m., too. (early)

→ I get up _____ my mom.

2 The cheesecake tastes good, but the carrot cake doesn't taste good. (delicious)

→ The carrot cake is _____ the cheesecake.

3 This painting is $300, and that painting is $100. (배수사, expensive)

→ This painting is _____ that painting.

4 The math exam was easy, but the science exam was not easy. (difficult)

→ The math exam was _____ the science exam.

5 The temperature in Seoul is 15℃. The temperature in New York is 30℃. (배수사, high)

→ The temperature in New York is _____
the temperature in Seoul.

틀 리 기 쉬 운 내/신/포/인/트	우리말과 일치하도록 괄호 안의 말을 이용하여 원급 비교 문장을 완성하시오.
배수사를 이용한 원급 비교 구문은 「배수사 + as + 원급 + as」의 형태로 써요.	그 도서관은 학교보다 두 배 더 높다. (high) The library is _____ the school.

형용사, 부사, 비교구문 **153**

개 | 념 | 완 | 성 | TEST

정답 및 해설 p.24

STEP 1 Map으로 개념 정리하기

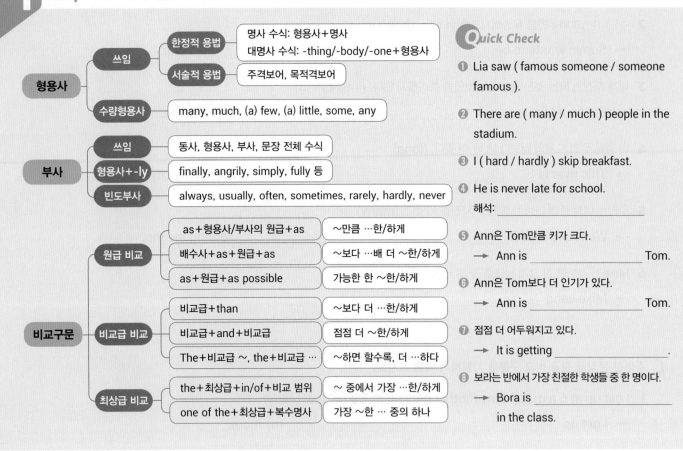

Quick Check

❶ Lia saw (famous someone / someone famous).

❷ There are (many / much) people in the stadium.

❸ I (hard / hardly) skip breakfast.

❹ He is never late for school.
해석: _____

❺ Ann은 Tom만큼 키가 크다.
→ Ann is _____ Tom.

❻ Ann은 Tom보다 더 인기가 있다.
→ Ann is _____ Tom.

❼ 점점 더 어두워지고 있다.
→ It is getting _____.

❽ 보라는 반에서 가장 친절한 학생들 중 한 명이다.
→ Bora is _____ in the class.

STEP 2 기본 다지기

빈칸완성

A 우리말과 일치하도록 빈칸에 알맞은 말을 넣어 문장을 완성하시오.

1 우리 가족은 자주 할머니 댁을 방문한다.
→ My family _____ visits my grandmother's house.

2 지금 나는 매운 무언가를 먹고 싶다.
→ I want to eat _____ _____ now.

3 그는 세계에서 가장 빠른 사람이다.
→ He is _____ _____ person in the world.

4 오늘의 상황은 어제보다 더 나쁘다.
→ Today's situation is _____ yesterday's.

5 오늘은 도서관에 학생이 거의 없다.
→ There are _____ students in the library today.

6 내 가방은 Mia의 것만큼 무겁다.
→ My bag is _____ _____ Mia's.

7 그들은 조심스럽게 꽃병을 내려놓았다.
→ They put the vase down _____.

8 Tim은 창문 가까이 앉아 있다.
→ Tim is sitting _____ to the window.

B 밑줄 친 부분이 어법상 맞으면 ○ 표시를 하고, **틀리면** 바르게 고쳐 쓰시오.

1 I met friendly somebody at the party. → _____

2 He spent a lot of time watching TV on the weekend. → _____

3 The weather is getting cold and cold. → _____

4 Mike exercised hard to keep healthy during the vacation. → _____

5 Sujin had a stomachache and didn't eat some food. → _____

6 I will explain it as easily as I could. → _____

7 The dolphin is one of the smartest animal in the world. → _____

8 The dictionary is three times as thicker as this book. → _____

C 밑줄 친 부분에 유의하여 우리말 해석을 쓰시오.

1 We had little time to read any books yesterday.

→ _____

2 I rarely cry in front of my friends.

→ _____

3 The students raised their hands up high.

→ _____

4 The sky is getting darker and darker.

→ _____

5 Sue sometimes goes to the theater to see a movie.

→ _____

6 Peter threw the ball as far as possible.

→ _____

7 Ben is the most creative student in my school.

→ _____

8 Julie came to school later than me this morning.

→ _____

STEP 3 서술형 따라잡기

그림이해

A 그림을 보고, 알맞은 수량형용사와 명사를 넣어 빈칸을 완성하시오.

1  **2**  **3**

1 There are _____ _____ on the road.

2 There is _____ _____ in the store.

3 There is _____ _____ in her bottle.

영작완성

B 우리말과 일치하도록 괄호 안의 말을 바르게 배열하여 문장을 쓰시오.

1 John은 그의 이웃들에게 항상 친절하다. (to his neighbors, John, is, always, friendly)

→ _____

2 너는 가능한 한 조심스럽게 이 상자를 옮겨야 한다. (carefully, have to, as, you, carry, as, possible, this box)

→ _____

3 다행스럽게도, 그 환자는 점점 더 나아졌다. (the patient, better, fortunately, and, got, better)

→ _____

4 문어는 바다에서 가장 똑똑한 동물 중 하나이다.

(of, is, animals, one, the, an octopus, in the ocean, smartest)

→ _____

문장영작

C 우리말과 일치하도록 괄호 안의 말을 이용하여 영작하시오.

1 Ron은 우리 반에서 가장 정직한 학생이다. (honest, in my class)

→ _____

2 신문에 흥미로운 무언가가 있나요? (anything, interesting, in the newspaper)

→ _____

3 네가 더 열심히 공부하면 할수록, 너는 더 많은 것을 배울 것이다. (hard, study, much, learn)

→ _____

4 거실은 내 방만큼 밝다. (the living room, bright)

→ _____

1 밑줄 친 형용사의 쓰임이 나머지와 다른 것은?

① Somi has a <u>cute</u> dog.

② I want to eat <u>spicy</u> food.

③ We traveled to many <u>beautiful</u> places.

④ The smell made me <u>hungry</u>.

⑤ He found some <u>helpful</u> information.

2 형용사와 부사가 바르게 짝 지어지지 않은 것은?

① soft – softly   ② fast – fastly

③ good – well   ④ easy – easily

⑤ quick – quickly

3 원급, 비교급, 최상급이 바르게 짝 지어진 것은?

① bad – badder – baddest

② thin – thiner – thinest

③ heavy – heavyer – heavyest

④ gladly – gladlyer – gladlyest

⑤ popular – more popular – most popular

4 밑줄 친 부분이 어법상 옳은 것은?

① Don't sleep too <u>lately</u> at night.

② Jiho <u>hardly</u> ate anything all day.

③ I <u>high</u> recommend this menu.

④ Have you seen her <u>late</u>?

⑤ Lia hit the ball <u>highly</u> into the air.

[5-6] 빈칸에 들어갈 말이 순서대로 짝 지어진 것을 고르시오.

5

> • I want to learn _____ new.
>
> • My sister baked _____ cookies for me.

① things – few   ② things – a few

③ things – a little   ④ something – a few

⑤ something – a little

6

> • Homin is the fastest _____ the three.
>
> • Daegu is the hottest city _____ Korea.

① of – as   ② of – of

③ of – in   ④ in – in

⑤ in – of

7 밑줄 친 부분과 바꿔 쓸 수 있는 것은?

> Tom spent <u>a lot of</u> time playing computer games.

① much   ② many   ③ few

④ a few   ⑤ any

8 밑줄 친 부분이 어법상 틀린 것은?

① This chair is <u>not as comfortable as</u> that chair.

② This dress is <u>three times as expensive as</u> mine.

③ The train is <u>very faster than</u> the bicycle.

④ Friendship is <u>as important as</u> love.

⑤ This is <u>the heaviest</u> pig on my uncle's farm.

9 빈칸 (A)~(C)에 들어갈 말이 바르게 짝 지어진 것은?

> • I took ___(A)___ photos of my family during the trip.
> • We're looking for ___(B)___ for the volunteer work.
> • There was ___(C)___ snow this winter in Gangneung.

	(A)	(B)	(C)
①	any	someone friendly	few
②	any	friendly someone	little
③	some	friendly someone	few
④	some	someone friendly	few
⑤	some	someone friendly	little

10 빈칸에 공통으로 들어갈 말로 알맞은 것은?

> • I drank too _____ soda before the movie started.
> • This movie is _____ more interesting than the web cartoon.

① many   ② most   ③ even
④ much   ⑤ little

11 어법상 틀린 문장끼리 짝 지어진 것은?

> ⓐ I usually have dinner with my family.
> ⓑ You are lately for the meeting again.
> ⓒ It is important to exercise regular.
> ⓓ They studied hardly to pass the test.

① ⓐ   ② ⓐ, ⓑ   ③ ⓑ, ⓒ
④ ⓒ, ⓓ   ⑤ ⓑ, ⓒ, ⓓ

12 표의 내용과 일치하지 <u>않는</u> 것은?

〈Subin's Weekly Routine〉

	Mon.	Tue.	Wed.	Thur.	Fri.	Sat.	Sun.
go jogging	○	○	○	○	○	○	○
watch movies	×	×	×	×	×	○	×
read books	○	×	○	×	○	×	×
meet friends	○	×	○	×	○	○	○
go to the library	×	×	×	×	×	×	○

① Subin always goes jogging.
② Subin never watches movies.
③ Subin sometimes reads books.
④ Subin often meets her friends.
⑤ Subin rarely goes to the library.

고난도

13 어법상 옳은 것을 <u>모두</u> 고르면?

① The bee is not as big as the bird.
② This is one of the tallest building in Korea.
③ The pumpkin pie is much tastier than the apple pie.
④ Music is the difficultest subject to me.
⑤ The weather is getting more hot and hot.

14 두 문장을 한 문장으로 연결할 때 빈칸에 알맞은 것은?

> Mr. Han is 42 years old. My uncle is 32 years old.
> → My uncle is not _____ Mr. Han.

① older   ② younger
③ younger than   ④ as old as
⑤ as young as

15 표의 내용과 일치하는 것은?

Name	Jiwoo	Suho	Bora
키	172 cm	178 cm	162 cm
체중	68 kg	65 kg	50 kg
시력	1.2 / 1.2	1.0 / 0.8	0.5 / 0.7

① Bora is the tallest of the three.

② Jiwoo's eye sight is worse than Suho's.

③ Suho is as tall as Jiwoo.

④ Jiwoo is lighter than Suho.

⑤ Bora's eye sight is the worst of the three.

16 우리말 해석이 알맞지 <u>않은</u> 것은?

① My hands are much smaller than Mira's.

= 내 손은 미라의 손보다 훨씬 더 작다.

② Please call me back as soon as possible.

= 가능한 한 빨리 내게 다시 전화해 줘.

③ This bag is three times as big as that one.

= 이 가방은 저것보다 세 배 더 크다.

④ The weather is getting colder and colder.

= 날씨가 점점 더 추워지고 있다.

⑤ Seoul is one of the busiest cities in the world.

= 서울은 세계에서 가장 분주한 도시이다.

17 빈칸에 **more**가 들어갈 수 <u>없는</u> 것은?

① The baby cried _____ loudly than before.

② Sumin exercised twice as _____ as Tom.

③ My brother walks _____ slowly than me.

④ The musical became _____ and more exciting.

⑤ Ann is much _____ popular than Mary.

18 우리말을 영어로 바르게 옮긴 것은?

> 나는 내 컴퓨터에 잘못된 무언가를 발견했다.

① I found wrong thing with my computer.

② I found wrong something with my computer.

③ I found something wrong with my computer.

④ I found wrong anything with my computer.

⑤ I found anything wrong with my computer.

19 전달하는 의미가 같도록 바꿔 쓴 문장이 알맞지 <u>않은</u> 것은?

① Get up as early as you can.

→ Get up as early as possible.

② Ron and Somi are the same age.

→ Ron is as old as Somi.

③ My foot size is 225 mm. Sue's foot size is 220 mm.

→ Sue's foot size is as small as mine.

④ Jenny is 172 cm tall. Sumin and Jisu are 165 cm tall.

→ Jenny is the tallest of the three.

⑤ Today's temperature is 34°C. Yesterday's temperature was 27°C.

→ Today is hotter than yesterday.

고난도
20 어법상 옳은 문장의 개수는?

> ⓐ Can you recommend something interesting to read?
>
> ⓑ Sam hardly slept last night because of a headache.
>
> ⓒ Jenny's house is very close to her school.
>
> ⓓ The more you study, the smarter you will be.

① 0개　　② 1개　　③ 2개

④ 3개　　⑤ 4개

21 보기 에서 두 개의 단어를 이용하여 우리말을 영작하시오.

> | 보기 | great | more | most | one |

> Pablo Picasso는 세계에서 가장 위대한 예술가 중 한 명이었다.

→ _____

_____

22 주어진 말을 바르게 배열하여 문장을 쓰고, 우리말 해석을 쓰시오.

> at the party, meet, did, famous, you, anyone, ?

→ _____

해석: _____

23 다음 표를 보고, 괄호 안의 말을 이용하여 문장을 완성하시오.

Seoul	Toronto	London	Rome
12℃	7℃	12℃	24℃

(1) Rome's temperature is _____ _____

_____ _____ London's. (high)

(2) Toronto's temperature is _____ _____

_____ the four. (low)

(3) Seoul's temperature is _____ _____

_____ London's. (high)

[24-25] 다음 글을 읽고, 물음에 답하시오.

> (A) 건강은 우리 삶에서 가장 중요한 것이다. ⓐ We should choose our food careful. ⓑ Let's eat more vegetables and less meat. ⓒ Try to exercise as often as possible. (B) 우리가 더 열심히 운동하면 할수록, 우리는 더 건강해질 것이다. A small change will make us better.

24 윗글의 밑줄 친 우리말 (A)와 (B)를 괄호 안의 말을 이용하여 영작하시오.

(A) (important, our life)

→ _____

(B) (hard, healthy)

→ _____

고난도
25 윗글의 밑줄 친 ⓐ ~ ⓒ 중 어법상 틀린 문장을 찾아 그 기호를 쓰고, 문장을 고쳐 쓰시오.

_____ → _____

C H A P T E R

9

문장의 종류

POINT 1   명령문 + and/or

POINT 2   부가의문문

POINT 3   의문사 의문문

POINT 4   간접의문문: 의문사가 있는 경우

POINT 5   간접의문문: 의문사가 없는 경우

What is it?
How tall is it?
Who designed it?
When was it built?

'~해라'라고 명령하는 말을 명령문이라고 하고, '~하니?'라고 물어보는 말을 의문문이라고 한다.
의문사 who, when, what 등을 써서 구체적인 내용을 물을 수 있다.

「명령문, and ...」는 '～해라, 그러면 …'의 의미이고, 「명령문, or ...」는 '～해라, 그렇지 않으면 …'의 의미이다.

명령문, and+주어+동사 (～해라, 그러면 …할 것이다)
Take a break, and you will feel better.

휴식을 취해라, 그러면 너는 기분이 나아질 것이다.

명령문, or+주어+동사 (～해라, 그렇지 않으면 …할 것이다)
Walk slowly, or you may fall down.

천천히 걸어라, 그렇지 않으면 너는 넘어질 수도 있다.

↳ 이때 and나 or 뒤에 오는 절에는 will, can, may 등의 조동사가 와요.

「명령문＋and/or ...」는 if(만약 ～한다면)를 사용한 문장으로 바꿔 쓸 수 있다.

명령문, and+주어+동사	←	If you ～, ... (네가 ～한다면, …할 것이다)
명령문, or+주어+동사		If you don't ～, ... (네가 ～하지 않는다면, …할 것이다)

Take a break, **and** you will feel better.

→ **If** you take a break, you will feel better. 휴식을 취하면, 너는 기분이 나아질 것이다.

Walk slowly, **or** you may fall down.

→ **If** you **don't** walk slowly, you may fall down. 천천히 걷지 않으면, 너는 넘어질 수도 있다.

(= **Unless** you walk slowly, you may fall down.) 「if ～ not」은 unless로 바꿔 쓸 수 있어요.

개념확인 옳은 해석 고르기

1 Put on your coat, or you will catch a cold.

☐ 그러면　☐ 그렇지 않으면

2 Help me, and I'll help you too.

☐ 그러면　☐ 그렇지 않으면

기본연습 괄호 안에서 문맥상 알맞은 것을 고르시오.

1 Hurry up, (and / or) you will miss your plane.

2 Wipe your glasses, (and / or) you will see better.

3 Don't water the plant too often, (and / or) it'll die.

4 Open the window, (and / or) the fresh air will come in.

5 Don't make a noise, (and / or) the baby will wake up.

틀 리 기 쉬 운
내/신/포/인/트

「명령문, and/or ...」를 if를 포함하는 문장으로 바꿔 쓸 때, 긍정과 부정의 의미를 잘 구분해야 해요.

주어진 문장과 의미가 같은 것은?

Leave now, and you will catch the train.

① If you leave now, you will catch the train.
② If you leave now, you won't catch the train.
③ If you don't leave now, you will catch the train.
④ If you don't leave now, she will catch the train.

부가의문문은 평서문 뒤에 덧붙이는 의문문으로, '그렇지?' 또는 '그렇지 않니?'라는 의미로 상대방에게 사실을 확인하거나 동의를 구할 때 쓴다.

Tony was invited, **wasn't he?** Tony는 초대 받았어, 그렇지 않니?

You **can** drive, **can't you?** 너는 운전할 수 있어, 그렇지 않니?

Cathy **likes** jazz, **doesn't she?** Cathy는 재즈를 좋아해, 그렇지 않니?

He **hasn't** met her, **has he?** 그는 그녀를 만난 적이 없어, 그렇지?

↪ 현재완료 문장의 부가의문문은 have/has를 사용해요.

① 긍정문 뒤에는 부정의 부가의문문을, 부정문 뒤에는 긍정의 부가의문문을 쓴다. 부정어는 축약형으로 쓴다.
② 앞에 나온 동사가 be동사와 조동사이면 그대로 사용하고, 일반동사이면 do/does/did를 사용한다. 시제는 앞 문장과 일치시킨다.
③ 앞 문장의 주어는 대명사로 바꿔 쓴다.

부가의문문에 대해서 대답하는 내용이 긍정이면 Yes로, 부정이면 No로 답한다.

A: He went back to China, **didn't he?** 그는 중국으로 돌아갔어, 그렇지 않니?

B: **Yes, he did.** (돌아갔음) / **No, he didn't.** (돌아가지 않았음)

명령문과 제안문의 부가의문문

| 명령문, will you? | Open the window, **will you?** | 창문 좀 열어줄래? |
| 제안문, shall we? | Let's take guitar lessons, **shall we?** | 기타 수업을 들을래? |

개념확인 부가의문문 찾기

1 She didn't come, did she? **2** He has been there, hasn't he? **3** You can swim, can't you?

기본연습 빈칸에 알맞은 말을 써서 부가의문문을 완성하시오.

1 He isn't interested in music, _____ _____?

2 She got an A in science, _____ _____?

3 Alice hasn't read the novel yet, _____ _____?

4 Let's watch a volleyball game on TV, _____ _____?

5 Clear the table before we have dinner, _____ _____?

틀리기 쉬운 내/신/포/인/트

앞문장의 동사의 종류와 시제에 따라 부가의문문의 동사가 달라짐에 주의해요.

빈칸에 들어갈 말이 순서대로 짝 지어진 것은?

• He looks so happy, _____ he?
• They aren't going to build a bridge, _____ they?

① do – are
② does – aren't
③ don't – aren't
④ doesn't – are

POINT 3 의문사 의문문

의문사 의문문은 구체적인 정보를 묻는 의문사로 시작하는 의문문이다.

be동사가 있는 의문사 의문문	의문사+be동사+주어 ~?	
	What is your dream?	너의 꿈은 **무엇**이니?
일반동사가 있는 의문사 의문문	의문사+do/does/did+주어+동사원형 ~?	
	How do you **go** to school?	너는 **어떻게** 학교에 가니?
조동사가 있는 의문사 의문문	의문사+조동사+주어+동사원형 ~?	
	When will you **come** back to Korea?	너는 **언제** 한국에 돌아올 거니?
의문사가 주어인 의문문	의문사+동사 ~?	
	Who came first?	**누가** 처음으로 왔니?

주의 의문사 의문문에는 Yes나 No가 아닌 각 의문사가 묻는 정보로 대답한다.
- A: **Who** is this boy in the picture? 사진에 있는 이 소년은 누구니?
  B: He is my brother, Hojin. 그는 내 남동생인 호진이야.
- A: **Where** did you find this bag? 어디에서 이 가방을 찾았니?
  B: I found it under the bed. 침대 아래에서 찾았어.

의문사 뒤에 명사나 형용사/부사가 올 수 있다.

What/Which/Whose+명사 ~?	**What color** do you like?	너는 **무슨 색**을 좋아하니?
	Which house is hers?	**어느 집**이 그녀의 집이니?
	Whose cell phone is this?	이것은 **누구의 휴대 전화**니?
How+형용사/부사 ~?	**How old** are you?	너는 **몇 살**이니?
	How often do you go swimming?	너는 **얼마나 자주** 수영을 하러 가니?
How many/much+명사 ~?	**How many eggs** do you have?	너는 **얼마나 많은 달걀**을 가지고 있니?
	How much milk is left?	**얼마나 많은 우유**가 남았니?

Tips How come은 '왜, 어째서'라는 의미이며, 「How come+주어+동사 ~?」의 어순으로 쓴다.
How come you're still here? 어째서 너는 아직 여기에 있니?

개념확인 의문사 찾기

1 Who is that girl?   **2** Which one is yours?   **3** What were you doing?

기본연습 A 자연스러운 대화가 되도록 질문과 대답을 연결하시오.

1 Whose guitar is this?   •   • ⓐ I met him at the theater.

2 When will the game begin?   •   • ⓑ She's Olivia, my sister.

3 Who is the girl over there?   •   • ⓒ It'll begin at 4 p.m.

4 Where did you meet Thomas?   •   • ⓓ It's my father's.

B 주어진 대답을 보고, 의문문의 빈칸에 알맞은 말을 쓰시오.

1 A: _____ are you reading?　　　　　B: I am reading a novel.

2 A: _____ was he absent from school?　　B: Because he had a bad cold.

3 A: _____ does he water the plant?　　　B: He waters it once a week.

4 A: _____ did she buy the cap?　　　　B: She bought it at a gift shop.

5 A: _____ did you go to the museum?　　B: I went there by subway.

6 A: _____ money did you save?　　　　B: I saved about 100 dollars.

7 A: _____ umbrella is this?　　　　　　B: That's mine.

C 우리말과 일치하도록 괄호 안의 말을 배열하여 문장을 완성하시오.

1 너는 저녁 식사로 무엇을 원하니? (for dinner, want, do, what, you)

→ _____

2 그는 언제 수원으로 이사했니? (he, when, move, did, to Suwon)

→ _____

3 너는 어제 어디에 있었니? (were, where, yesterday, you)

→ _____

4 내가 어떻게 이 기계를 멈출 수 있니? (can, stop, I, how, this machine)

→ _____

5 누가 오늘 아침에 그에게 전화했니? (called, this morning, him, who)

→ _____

6 그는 Boston에서 얼마나 오래 살았니? (how, did, he, live, long, in Boston)

→ _____

7 어느 팀이 경기에서 이겼니? (team, the game, which, won)

→ _____

틀리기 쉬운
내/신/포/인/트

각 의문사의 의미와 쓰임을
구별하여 기억해요.

빈칸에 공통으로 들어갈 말로 알맞은 것은?

- _____ did you solve the problem?
- _____ many books do you have?

① When　　　　　　　② Where
③ How　　　　　　　④ Why

간접의문문: 의문사가 있는 경우

정답 및 해설 p.26

의문문이 문장의 일부로 쓰여 간접적으로 묻는 의문문을 간접의문문이라고 한다. 의문사가 있는 간접의문문은 「의문사＋주어＋동사」의 어순으로 쓴다.

→ 의문사는 그대로 쓰고, 주어와 동사는 순서를 바꿔서 써요.

be동사가 있는 간접의문문	I don't know. + What is his job? → I don't know **what his job is**. 　　　　　　　　　　의문사　　주어　　동사	나는 그의 직업이 무엇인지 모른다.
일반동사가 있는 간접의문문	Tell me. + When does the train leave? → Tell me **when the train leaves**. 　　　　　　　의문사　　주어　　동사	기차가 언제 출발하는지 내게 말해 줘.
조동사가 있는 간접의문문	I'm not sure. + When will she come? → I'm not sure **when she will come**. 　　　　　　　　의문사　　주어　조동사　동사	나는 그녀가 언제 올지 확실히 알지 못한다.
의문사가 간접의문문의 주어인 경우	Do you know? + Who won the race? → Do you know **who won** the race? 　　　　　　　　의문사　　동사	너는 누가 그 경기에서 이겼는지 아니?

간접의문문이 있는 문장의 주절에 생각이나 추측을 나타내는 동사인 think, believe 등이 있을 경우, 의문사를 문장 맨 앞에 쓴다.

Do you think? + What will he do?

→ **What** do you think **he will do**? 너는 그가 무엇을 할 거라고 생각하니?

주의 간접의문문에 「what/which＋명사」나 「how＋형용사/부사」가 쓰인 경우, 하나의 의문사로 취급한다.
Do you know? + **How old** is his little sister?
→ Do you know **how old** his little sister is? 너는 그의 여동생이 몇 살인지 아니?

개념확인 간접의문문 찾기

1 Do you know where I can find the bank?　　　　**2** Please tell me how much it is?

기본연습 **A** 괄호 안에서 알맞은 것을 고르시오.

1 Do you know how tall (she is / is she)?

2 Tell me how (did you find / you found) them.

3 He asked me where (they met / met they) first.

4 Joy wondered (why she was / she was why) so sad.

5 Can you tell me when (you will / will you) have lunch?

6 I don't know how (he solved / solved he) the question.

B 우리말과 일치하도록 괄호 안의 말을 이용하여 문장을 완성하시오. (단, 필요시 동사의 형태를 바꿀 것)

1 나는 그녀가 왜 일찍 집에 갔는지 궁금하다. (go home, early)

→ I wonder _____.

2 누가 교실 창문을 깼는지 나에게 말해 줘. (break, the classroom window)

→ Tell me _____.

3 그녀는 누가 그녀에게 장미꽃을 보냈는지 모른다. (send, the roses)

→ She doesn't know _____ to her.

4 나는 이 단어가 무엇을 의미하는지 알고 싶다. (this word, mean)

→ I want to know _____.

5 나는 그가 그곳에 얼마나 오래 머물지 확실히 알지 못한다. (will, stay, there)

→ I'm not sure _____.

C 주어진 두 문장을 간접의문문을 포함한 문장으로 바꿔 쓰시오.

1 Do you know? Where does Tony work?

→ _____

2 I wonder. Why did he tell a lie?

→ _____

3 Do you think? What is the reason?

→ _____

4 I'd like to know. What will you buy for her?

→ _____

5 Do you think? Why was Sujin angry?

→ _____

틀리기 쉬운
내/신/포/인/트

의문문을 간접의문으로
바꿀 때 어순이 달라지는
것을 주의해야 해요.

빈칸에 들어갈 말로 알맞지 <u>않은</u> 것은?

I don't know _____.

① why she is crying
② when he left for Seoul
③ what time the movie starts
④ where can I find Helen

의문사가 없는 간접의문문은 「whether(if)＋주어＋동사」의 형태로 쓰고, '～인지 (아닌지)'로 해석한다.

I'm not sure. + Is this her pen?
→ I'm not sure **whether(if) this is** her pen.
whether(if)　주어　동사

나는 **이것이 그녀의 펜인지** 확실히 알지 못한다.

Do you know? + Did she arrive?
→ Do you know **whether(if) she arrived**?
whether(if)　주어　동사

너는 **그녀가 도착했는지** 아니?

I wonder. + Will it rain tomorrow?
→ I wonder **whether(if) it will rain** tomorrow.
whether(if)　주어 조동사

나는 내일 **비가 올지** 궁금하다.

개념확인 옳은 해석 고르기

1 I wonder whether he has a pet.
　☐ 그가 애완동물이 있다면
　☐ 그가 애완동물이 있는지

2 Do you remember if you closed the door?
　☐ 네가 문을 닫았다면
　☐ 네가 문을 닫았는지

기본연습 A 우리말과 일치하도록 빈칸에 들어갈 말로 알맞은 것을 고르시오.

1 I'm not sure _____. (나는 이것이 옳은지 확실히 알지 못한다.)
　☐ if this is right　　☐ whether is this right　　☐ what this is right

2 I'd like to know _____. (나는 그녀가 오고 있는지 알고 싶다.)
　☐ that she is coming　　☐ whether is she coming　　☐ if she is coming

3 I don't know _____. (나는 그가 거짓말을 했는지 모르겠다.)
　☐ that he lied　　☐ whether he lied　　☐ if did he lie

4 I want to know _____. (나는 그가 내 계획을 좋아하는지 알고 싶다.)
　☐ if he liked my plan　　☐ why he likes my plan　　☐ whether he likes my plan

5 Tell me _____. (네가 떠나고 싶은지 나에게 말해 줘.)
　☐ do you want to leave　　☐ whether you want to leave　　☐ if you don't want to leave

6 I wonder _____. (나는 그가 나를 도와줄 수 있는지 궁금하다.)
　☐ he can help me　　☐ if he can help me　　☐ how he can help me

7 Ask him _____. (그 소문이 사실인지 그에게 물어봐라.)
　☐ the rumor is true　　☐ if the rumor is true　　☐ if is the rumor true

B 주어진 의문문을 간접의문문으로 바꿔 문장을 완성하시오.

1 Is this the right road?

→ Do you know _____ ?

2 Will he remember my birthday?

→ I don't know _____ .

3 Does she like to go hiking?

→ I'm not sure _____ .

4 Did they go to the park yesterday?

→ I'd like to know _____ .

5 Can I finish this report today?

→ I wonder _____ .

6 Did you buy a gift for your mother?

→ Tell me _____ .

C 우리말과 일치하도록 괄호 안의 말을 이용하여 문장을 완성하시오. (단, 필요시 동사의 형태를 바꿀 것)

1 너는 그가 시험에 통과했는지 아니? (pass, the exam)

→ Do you know _____ ?

2 나는 Amy가 한국 음식을 좋아하는지 모르겠다. (like, Korean food)

→ I don't know _____ .

3 나는 그녀가 그와 결혼할지 궁금하다. (will, marry)

→ I wonder _____ .

4 나는 그 비행기가 제시간에 도착했는지 확실히 알지 못한다. (arrive, on time)

→ I'm not sure _____ .

5 그가 학교에 올 수 있는지 말해 주세요. (can, come)

→ Please tell me _____ .

**틀 리 기 쉬 운
내/신/포/인/트**

의문사가 없는 간접의문문의
어순을 기억해야 해요.

밑줄 친 부분이 어법상 **틀린** 것은?

① Do you know if the train left on time?
② I wonder whether he lives near here.
③ I'm not sure whether do they go.
④ I don't know if he is a student.

개│념│완│성 TEST

정답 및 해설 p.27

STEP 1 Map으로 개념 정리하기

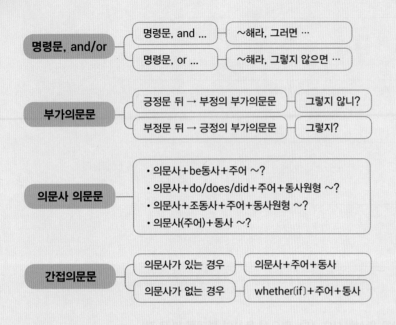

명령문, and/or ─┬─ 명령문, and ... ─── ~해라, 그러면 ...
                └─ 명령문, or ... ─── ~해라, 그렇지 않으면 ...

부가의문문 ─┬─ 긍정문 뒤 → 부정의 부가의문문 ─── 그렇지 않니?
            └─ 부정문 뒤 → 긍정의 부가의문문 ─── 그렇지?

의문사 의문문 ─── • 의문사+be동사+주어 ~?
                 • 의문사+do/does/did+주어+동사원형 ~?
                 • 의문사+조동사+주어+동사원형 ~?
                 • 의문사(주어)+동사 ~?

간접의문문 ─┬─ 의문사가 있는 경우 ─── 의문사+주어+동사
            └─ 의문사가 없는 경우 ─── whether(if)+주어+동사

Quick Check

❶ Drink some water, (and / or) you'll be thirsty.

❷ Go now, (and / or) you'll meet her.

❸ We should bring our lunch, (should / shouldn't) we?

❹ You didn't like her, (did / didn't) you?

❺ A: (What / Where) did you buy it?
   B: I bought it at a gift shop.

❻ What color do you like best?
   해석: _____

❼ Do you know who (he is / is he)?

❽ 나는 그가 파티에 올지 궁금하다.
   → I wonder _____ he will come to the party.

STEP 2 기본 다지기

빈칸완성

A 자연스러운 대화가 되도록 빈칸에 알맞은 말을 쓰시오.

1 A: _____ does the soccer game start?

   B: It starts at 7:30 p.m.

2 A: She didn't forget to do her homework, _____ _____?

   B: No, she didn't. She finished it on hour ago.

3 A: _____ _____ books will you borrow from the library?

   B: I will borrow three books.

4 A: The twins were born in 2018, weren't they?

   B: _____, _____ _____. They were born in 2019.

5 A: Can you tell me _____ he left so early?

   B: He left early because he had to take a train.

B 밑줄 친 부분이 어법상 맞으면 ○ 표시를 하고, 틀리면 바르게 고쳐 쓰시오.

1 How <u>many</u> water do you drink a day?　　→ ＿＿＿＿＿＿＿＿＿＿

2 Be careful with the knife, <u>and</u> you may get hurt.　　→ ＿＿＿＿＿＿＿＿＿＿

3 <u>Who do you know</u> won the contest?　　→ ＿＿＿＿＿＿＿＿＿＿

4 Your favorite restaurant is near here, <u>it isn't</u>?　　→ ＿＿＿＿＿＿＿＿＿＿

5 What do you think <u>is the right answer</u>?　　→ ＿＿＿＿＿＿＿＿＿＿

6 I want to know <u>if</u> he lives in Daejeon.　　→ ＿＿＿＿＿＿＿＿＿＿

7 Let's order a cheese pizza, <u>will we</u>?　　→ ＿＿＿＿＿＿＿＿＿＿

8 Take a taxi now, <u>and</u> you will get there early.　　→ ＿＿＿＿＿＿＿＿＿＿

9 <u>How far it is</u> to your school from here?　　→ ＿＿＿＿＿＿＿＿＿＿

10 Exercise regularly, <u>or</u> you will be healthy.　　→ ＿＿＿＿＿＿＿＿＿＿

C 주어진 문장을 괄호 안의 지시대로 바꿔 쓰시오.

1 If you press the button, the bell will ring. (「명령문＋and/or」의 형태로)
→ ＿＿＿＿＿＿＿＿＿＿＿＿＿＿＿＿ the bell will ring.

2 How long will it take to fix it? (간접의문문으로)
→ Can you tell me ＿＿＿＿＿＿＿＿＿＿＿＿＿＿＿＿ ?

3 Did you call me this morning? (간접의문문으로)
→ I wonder ＿＿＿＿＿＿＿＿＿＿＿＿＿＿＿＿ .

4 If you don't bring an umbrella, you will get wet. (「명령문＋and/or」의 형태로)
→ ＿＿＿＿＿＿＿＿＿＿＿＿＿＿＿＿ you will get wet.

5 Jinsu is listening to classical music. (부가의문문이 있는 문장으로)
→ ＿＿＿＿＿＿＿＿＿＿＿＿＿＿＿＿

6 Steve's family is going to stay <u>at the hotel</u> for three days. (밑줄 친 부분을 묻는 의문문으로)
→ ＿＿＿＿＿＿＿＿＿＿＿＿＿＿＿＿

7 We don't need any more boxes. (부가의문문이 있는 문장으로)
→ ＿＿＿＿＿＿＿＿＿＿＿＿＿＿＿＿

STEP 3 서술형 따라잡기

그림이해

A 달력을 보고, 대화를 완성하시오.

May 5th

☐ go to the
amusement park

☐ eat sandwiches

1 A: _____ on May 5th?

B: I went to the amusement park.

2 A: _____ in the amusement park?

B: I ate sandwiches.

영작완성

B 우리말과 일치하도록 괄호 안의 말을 바르게 배열하여 문장을 쓰시오.

1 그녀는 얼마나 자주 운동을 하니? (often, exercise, she, how, does)

→ _____

2 너는 무엇이 최고의 영화라고 생각하니? (is, do, the best, think, movie, you, what)

→ _____

3 너희 아버지는 파스타를 요리하셨어, 그렇지 않니? (father, he, pasta, your, didn't, cooked)

→ _____

4 너는 문을 잠갔는지 기억하니? (remember, locked, you, the door, if, do, you)

→ _____

문장영작

C 우리말과 일치하도록 괄호 안의 말을 이용하여 영작하시오. (단, 필요시 동사의 형태를 바꿀 것)

1 나에게 거짓말을 하지 마라, 그렇지 않으면 나는 화가 날 것이다. (lie, be angry)

→ _____

2 너는 그 동아리에 가입할 거야, 그렇지 않니? (be going to, join the club)

→ _____

3 너는 언제 Jim과 함께 농구를 했니? (play basketball)

→ _____

4 너는 누가 그 노인을 도왔는지 알고 있니? (know, help)

→ _____

정답 및 해설 p.27

[1-2] 빈칸에 들어갈 말로 알맞은 것을 고르시오.

1

> Cindy hasn't arrived yet, _____ she?

① did
② didn't
③ has
④ hasn't
⑤ does

2

> Keep your body warm, _____ you'll catch a cold.

① if
② or
③ and
④ but
⑤ when

3 빈칸에 들어갈 말로 알맞지 <u>않은</u> 것은?

> Can you tell me _____?

① how much the bag is
② when the movie starts
③ who ate the cookies
④ where the library is
⑤ when will he visit

4 빈칸에 공통으로 들어갈 말로 알맞은 것은?

> • _____ did you eat for dinner?
> • _____ time did you get up?

① Who
② How
③ When
④ What
⑤ Which

5 빈칸에 들어갈 말이 순서대로 짝 지어진 것은?

> • _____ old is your brother?
> • Clean the classroom, _____ you?

① How − shall
② How − do
③ How − will
④ What − won't
⑤ What − don't

6 밑줄 친 부분 중 어법상 <u>틀린</u> 것은?

① <u>How</u> do you go to school?
② I wonder <u>if she is</u> your friend.
③ Do you know <u>what is his name</u>?
④ Call your mom, <u>or she'll</u> be worried.
⑤ Linda returned from London, <u>didn't she</u>?

7 짝 지어진 대화가 <u>어색한</u> 것은?

① A: When did you visit Mr. Brown?
  B: I visited him yesterday.
② A: Where does Christine live?
  B: She lives in Rome.
③ A: He's going to move to Seoul, isn't he?
  B: Yes, he is.
④ A: How can I get to the bookstore?
  B: Yes, go straight and turn left.
⑤ A: Do you know where he is?
  B: No. I haven't seen him since yesterday.

8 주어진 두 문장을 한 문장으로 바르게 바꾼 것은?

> • Please tell me.
> • Where is the bus stop?

① Please tell me if the bus stop is.
② Please tell me where is the bus stop.
③ Please tell me where the bus stop is.
④ Where please tell me the bus stop is.
⑤ Where please tell me is the bus stop.

9 밑줄 친 부분의 쓰임이 나머지와 다른 것은?

① Joe will go there by bus or on foot.
② Would you like some coffee or juice?
③ You can choose a red cap or a blue cap.
④ Is your brother younger or older than you?
⑤ Speak louder, or nobody will hear you.

[10-11] 빈칸에 들어갈 말이 나머지와 다른 하나를 고르시오.

10 ① _____ often do you go camping?
② _____ kind of music do you like?
③ _____ long is the Golden Gate Bridge?
④ _____ many colors are there in a rainbow?
⑤ _____ far is it to the train station from here?

11 ① He forgot to lock the door, _____ he?
② He has traveled to Indonesia, _____ he?
③ The onion soup smelled good, _____ it?
④ The policeman found the boy, _____ he?
⑤ She expected her parents to come, _____ she?

12 빈칸에 whether가 들어갈 수 있는 문장을 모두 고르면?

① I wonder _____ the girl is.
② _____ far is it to your office?
③ Let's see _____ there's a restaurant near here.
④ Do you know _____ he's at home?
⑤ Call her name, _____ she'll look at you.

고난도

13 밑줄 친 부분의 쓰임이 보기 와 다른 것은?

> 보기 Which book did you buy for her?

① Which house is Mr. John's?
② Which movie do you want to see?
③ Do you know what this sign means?
④ Can you tell me what size you wear?
⑤ Do you know what number your mom likes?

14 주어진 문장과 의미가 같은 것은?

> Look up at the sky, and you'll see the stars.

① There are many stars in the sky.
② You'll see the stars only in the sky.
③ You should look up at the sky to see the stars.
④ If you want to look up at the sky, see the stars.
⑤ If you look up at the sky, you'll see the stars.

[15-16] 우리말을 영어로 바르게 옮긴 것을 고르시오.

15

사하라 사막은 얼마나 크니?

① How is the Sahara Desert big?
② How big is the Sahara Desert?
③ How large the Sahara Desert is?
④ How huge was the Sahara Desert?
⑤ How much big is the Sahara Desert?

16

너는 누가 최고의 작가라고 생각하니?

① Do you think who is the best writer?
② Do you think who the best writer is?
③ Do you think the best writer is who?
④ Who do you think is the best writer?
⑤ Who do you think the best writer is?

고난도
17 다음 중 어법상 틀린 것의 개수는?

ⓐ Throw the ball, I'll catch it.
ⓑ How can I get to the museum?
ⓒ I'm not sure what did she say.
ⓓ She watched the musical, did she?
ⓔ Do you know if she came to help him?

① 1개　　② 2개　　③ 3개
④ 4개　　⑤ 5개

18 어법상 틀린 부분을 바르게 고친 것은?

I wonder whether can I use your computer.
(나는 내가 네 컴퓨터를 사용할 수 있는지 궁금하다.)

① whether → that
② can → could
③ can I → I can
④ use → used
⑤ your → my

19 빈칸 (A) ~ (C)에 들어갈 말이 바르게 짝 지어진 것은?

• You can go with us, ____(A)____ you?
• Do you remember ____(B)____ the date was?
• Hurry up, ____(C)____ you'll be late.

　　(A)　　(B)　　(C)
① can't － when － and
② can't － what － or
③ can't － what － and
④ can － when － and
⑤ can － when － or

고난도
20 어법상 올바른 것끼리 짝 지어진 것은?

ⓐ Do you know who called you?
ⓑ I'm not sure if it is the right answer.
ⓒ If you try hard, and you will succeed.
ⓓ How often you have dinner with her?
ⓔ Have you seen her before, haven't you?
ⓕ Unless you shout at birds, they won't fly away.

① ⓐ, ⓑ, ⓔ　　② ⓐ, ⓑ, ⓕ
③ ⓑ, ⓒ, ⓕ　　④ ⓒ, ⓓ, ⓔ
⑤ ⓒ, ⓓ, ⓕ

21 주어진 의문문을 간접의문문으로 바꿔 문장을 완성하시오.

(1) Did he finish his homework?

→ I wonder _____

_____.

(2) Why were you late for school?

→ Can you tell me _____

_____?

22 우리말과 일치하도록 괄호 안의 말을 이용하여 문장을 완성하시오.

(1) 그는 도서관에서 공부하고 있어, 그렇지 않니?

(study, the library)

→ He is _____?

(2) 누가 어제 너에게 그 이야기를 했니?

(tell, the story)

→ _____ yesterday?

23 밑줄 친 부분이 의미상 또는 어법상 바르지 않은 것을 모두 골라 바르게 고쳐 쓰시오.

ⓐ I don't know when the concert starts.

ⓑ Have breakfast now, and you'll be hungry.

ⓒ Harry did his best in the race, didn't he?

ⓓ How old this tree is?

→ _____

24 그림을 보고, 괄호 안의 말을 이용하여 충고하는 문장을 완성하시오.

(1)   (2)

(get up, late)   (healthy)

(1) Go to bed early, _____.

(2) Exercise hard, _____.

고난도
25 Eric과 Amy의 여행 일정표를 보고, 조건에 맞게 문장을 완성하시오.

Time	Activities
8 a.m.	have breakfast
9 a.m.	go hiking
12 p.m.	have lunch
2 p.m.	make kimchi at the Folk Village

조건 1. 알맞은 의문사를 이용할 것
2. 조동사 will을 이용할 것

(1) A: _____

have breakfast?

B: At 8 a.m.

(2) A: _____

after they have lunch?

B: They will go to the Folk Village.

(3) A: _____

at the Folk Village?

B: They will make kimchi there.

10 문장의 구조

POINT 1   1형식

POINT 2   2형식

POINT 3   3형식

POINT 4   4형식

POINT 5   5형식: 명사/형용사를 목적격보어로 쓰는 동사

POINT 6   5형식: to부정사를 목적격보어로 쓰는 동사

POINT 7   5형식: 사역동사

POINT 8   5형식: 지각동사

문장을 이루는 최소 단위는 주어와 동사이며, 동사 뒤에 어떤 문장 성분이 오는지에
따라 다섯 가지의 문장 형식으로 나눌 수 있다.

POINT 1 1형식

1형식 문장은 「주어+동사」의 형태이며 뒤에 수식어(구)가 붙기도 한다.

주어 + 동사		수식어(구)	
Birds	sing.		새들이 노래한다.
He	sleeps	too much.	그는 너무 많이 잔다.
The sun	rises	in the east.	태양은 동쪽에서 떠오른다.

> 수식어(구)는 문장의 형식에 영향을 주지 않아요.

1형식 동사	come(오다), go(가다), happen(일어나다), arrive(도착하다), live(살다), walk(걷다), run(달리다), sleep(자다), cry(울다) 등

「There+be동사 ~」는 '~이 있다'라는 뜻으로, 1형식 문장이다. be동사 뒤에 오는 명사가 주어이다.

There + be동사 +		주어	수식어(구)	
There	is	a ball	under the desk.	책상 밑에 공이 한 개 있다.
	are	many students	in the classroom.	교실에 많은 학생들이 있다.

☆
주의 「There+be동사 ~」에서 be동사는 뒤에 나오는 명사의 수에 일치시킨다.

개념확인 주어와 동사 찾기

1 The dog ran very fast.　　**2** They are talking quietly.　　**3** There is a pen in my bag.

기본연습 우리말과 일치하도록 괄호 안의 말을 바르게 배열하여 문장을 쓰시오.

1 그들은 인천에 산다. (in Incheon, they, live)

→ _____

2 그는 큰 소리로 웃었다. (loudly, he, laughed)

→ _____

3 그녀는 매일 걸어서 학교에 간다. (every day, walks, she, to school)

→ _____

4 탁자 위에 접시가 하나 있다. (is, a plate, there, on the table)

→ _____

5 그 교통사고는 어제 일어났다. (yesterday, the traffic accident, happened)

→ _____

6 우리 마을에는 두 개의 중학교가 있었다. (there, two middle schools, in my town, were)

→ _____

POINT 2 2형식

2형식 문장은 「주어＋동사＋주격보어」의 형태이며, 주격보어로는 명사(구)나 형용사(구)가 온다.

주격보어로 부사는 올 수 없다는 것에 주의해요.
You must keep quietly. (X)

주어	+	동사	+	주격보어	수식어(구)	
You		**must keep**		quiet	for a minute.	너는 잠시 동안 조용히 해야 한다.
She		**became**		a doctor	in 2010.	그녀는 2010년에 의사가 되었다.

상태·변화 동사	be(~이다), keep(~인 상태를 유지하다), remain(~인 채로 있다), become(~이 되다), turn(~하게 변하다), grow(~하게 되다), get(~해지다) 등

감각을 나타내는 동사 뒤에는 주격보어로 형용사가 온다.

주어	+	감각동사	+	주격보어	
The music		**sounds**		beautiful.	그 음악은 아름답게 들린다.
The wind		**feels**		cold.	바람이 차갑게 느껴진다.

감각동사	look(~해 보이다), sound(~하게 들리다), smell(~한 냄새가 나다), taste(~한 맛이 나다), feel(~하게 느끼다)

☆
Tips 감각동사 뒤에 명사가 오는 경우에는 「감각동사＋like＋명사」의 형태로 쓴다.
She **looks like** an angel. 그녀는 천사처럼 보인다.

개념확인 주격보어 찾기

1 He is my new friend.   **2** The noise grew louder.   **3** The soup tastes terrible.

기본연습 괄호 안에서 알맞은 것을 고르시오.

1 It's getting (dark / darkly) outside.

2 My mother looked really (happy / happily) today.

3 His face (turned / turned to) red with anger.

4 That (sounds / sounds like) a good idea.

5 The food smells (delicious / deliciously).

6 My brother (became / works) a singer.

틀리기 쉬운 내/신/포/인/트

감각동사 뒤에 명사가 오는 경우에는 「감각동사+like+명사」의 형태로 써요.

빈칸에 들어갈 말로 알맞은 것은?

Mira looks like _____.

① smart   ② a model
③ kindly   ④ happy

3형식 문장은 「주어+동사+목적어」의 형태이며, 목적어로 명사(구/절), 대명사, to부정사(구), 동명사(구) 등이 쓰인다.

주어 +	동사 +	목적어	수식어(구)	
Tom	**met**	his sister	at the theater.	Tom은 극장에서 그의 여동생을 만났다.
Jina	**knows**	him	well.	지나는 그를 잘 안다.
I	**want**	to go home.		나는 집에 가기를 원한다.
She	**enjoys**	taking pictures	in the park.	그녀는 공원에서 사진 찍기를 즐긴다.

3형식 동사	want(원하다), like(좋아하다), enjoy(즐기다), buy(사다), think(생각하다), meet(만나다), see(보다), know(알다), use(사용하다) 등

주의 discuss(~에 대해 토론하다), marry(~와 결혼하다), enter(~에 들어가다), answer(~에 대답하다)는 3형식 동사이므로, 동사 뒤에 전치사를 쓰지 않도록 주의한다 ☆
She <u>married</u> Brian. 그녀는 Brian과 결혼했다.
married with (×)

개념확인 목적어 찾기

1 He bought a new cap.　　**2** I saw him yesterday.　　**3** She likes playing the guitar.

기본연습 우리말과 일치하도록 빈칸에 알맞은 말을 **보기** 에서 골라 올바른 형태로 쓰시오.

보기	discuss	use	meet	study	enter	answer	like

1 나는 병원에서 그녀를 만났다.　　→ I ＿＿＿＿＿＿ her in the hospital.

2 그는 대학에서 역사를 공부하기를 원한다.　　→ He wants ＿＿＿＿＿＿ history in university.

3 그녀는 내 질문에 대답했다.　　→ She ＿＿＿＿＿＿ my question.

4 그는 내 휴대 전화를 사용했다.　　→ He ＿＿＿＿＿＿ my cell phone.

5 Rick은 한 시간 전에 그 건물에 들어갔다.　　→ Rick ＿＿＿＿＿＿ the building an hour ago.

6 Emily는 내 귀여운 강아지를 좋아한다.　　→ Emily ＿＿＿＿＿＿ my cute puppy.

7 우리는 환경 문제에 대해 토론했다.　　→ We ＿＿＿＿＿＿ the environmental problem.

틀리기 쉬운 내/신/포/인/트

「주어+동사」 외에 어떤 문장 성분으로 이루어진 문장인지를 살펴봐야 해요.

문장의 형식이 나머지와 다른 하나는?

① I bought a nice bicycle.
② She plays tennis very well.
③ We go to school on foot.
④ He enjoys swimming in the pool.

POINT 4 4형식

4형식 문장은 「주어＋동사＋간접목적어(~에게)＋직접목적어(~을)」의 형태이다.

주어	+	동사	+	간접목적어	+	직접목적어	
I		**sent**		him		a present.	나는 그에게 선물을 보냈다.
She		**bought**		John		a movie ticket.	그녀는 John에게 영화표를 사 주었다.
Brian		**asked**		his mom		a lot of questions.	Brian은 그의 엄마에게 많은 질문을 했다.

수여동사	give(주다), send(보내다), make(만들어 주다), buy(사 주다), write(쓰다), teach(가르치다), show(보여주다), ask(물어보다), tell(말해 주다), bring(가져오다) 등

↪ 4형식 동사를 수여동사라고 부르며, '~에게 ~을 해 주다'라는 의미예요.

4형식 문장은 「주어＋동사＋직접목적어＋전치사＋간접목적어」 형태의 3형식 문장으로 바꿀 수 있다.

	주어	동사	간접목적어	직접목적어	
4형식	Hana	showed	me	her photos.	하나는 내게 그녀의 사진을 보여줬다.

	주어	동사	직접목적어	전치사	간접목적어
3형식	Hana	showed	her photos	**to**	me.

to를 쓰는 동사	give, send, tell, bring, lend, show, teach, write, pass 등
for를 쓰는 동사	buy, make, build, cook, find, get 등
of를 쓰는 동사	ask 등

개념확인 간접목적어와 직접목적어 찾기

1 Mr. Kim teaches us Korean history.

2 The girl wrote her mom a letter.

기본연습 주어진 문장의 형식에 표시하고, 4형식 문장은 3형식으로, 3형식 문장은 4형식으로 바꿔 쓰시오.

1 He showed his report card to his parents. ☐ 3형식 ☐ 4형식
→ _____

2 He made some orange juice and a sandwich for me. ☐ 3형식 ☐ 4형식
→ _____

3 She gave Jacob the bulgogi recipe. ☐ 3형식 ☐ 4형식
→ _____

4 Mr. Brown bought his son a pair of sneakers. ☐ 3형식 ☐ 4형식
→ _____

5형식: 명사/형용사를 목적격보어로 쓰는 동사

정답 및 해설 p.29

5형식 문장은 「주어＋동사＋목적어＋목적격보어」의 형태이다. 목적격보어는 목적어를 보충 설명해 주는 말로, 명사나 형용사를 쓴다.

주어	+	동사	+	목적어	+	목적격보어(명사/형용사)	
We		**call**		him		Genius.	우리는 그를 Genius라고 부른다.
The movie		**made**		her		a famous star.	그 영화는 그녀를 유명한 스타로 만들었다.
Kate		**found**		the book		interesting.	Kate는 그 책이 흥미롭다는 것을 알게 되었다.
This heater		**kept**		the room		warm.	이 난로는 방을 따뜻하게 했다.

목적격보어로 명사/형용사를 쓰는 동사	call(~을 …라고 부르다), elect(~을 …로 선출하다), make(~을 …하게 하다/만들다), think(~이 …라고 생각하다), appoint(~을 …로 임명하다), name(~을 …라고 이름 짓다), keep(~을 …하게 유지하다), find(~이 …함을 알게 되다), turn(~을 …되게 바꾸다) 등

주의 목적격보어로 부사를 쓰지 않도록 주의한다.
I **made** the man **angry**. 나는 그 남자를 화나게 만들었다.
~~angrily (✗)~~

개념확인 목적어와 목적격보어 찾기

1 They call her Princess.　　**2** We thought the idea pretty good.　　**3** She always keeps her desk clean.

기본연습 **A** 우리말과 일치하도록 괄호 안에서 알맞은 것을 고르시오.

1 그 기사는 나를 슬프게 했다.
　→ The article made me (sad / sadly).

2 나는 그가 친절하다고 생각했다.
　→ I thought him (kind / kindly).

3 Sam은 그 지도가 잘못된 것을 알게 되었다.
　→ Sam found the map (wrong / wrongly).

4 나는 내 강아지에게 Snoopy라는 이름을 지어주었다.
　→ I named (Snoopy my puppy / my puppy Snoopy).

5 규칙적으로 운동하는 것은 우리를 건강하게 한다.
　→ Exercising regularly keeps us (healthy / healthily).

6 그 학생들은 Emma를 그들의 대표로 선출했다.
　→ The students elected (Emma their leader / their leader Emma).

7 시간이 그의 머리카락을 회색으로 바꿨다.
　→ Time turned (gray his hair / his hair gray).

B 우리말과 일치하도록 빈칸에 알맞은 말을 (보기)에서 골라 올바른 형태로 쓰시오.

> (보기)　　　make　　　think　　　find　　　keep　　　call

1 나는 Steve가 영리하다고 생각한다.

→ I ＿＿＿＿＿＿ Steve clever.

2 그녀는 항상 정원을 아름답게 유지했다.

→ She always ＿＿＿＿＿＿ the garden beautiful.

3 그의 아이들은 그를 행복하게 했다.

→ His children ＿＿＿＿＿＿ him happy.

4 나는 중국어가 어렵다는 것을 알게 되었다.

→ I ＿＿＿＿＿＿ Chinese difficult.

5 우리는 그 남자를 Mr. Hairy라고 불렀다.

→ We ＿＿＿＿＿＿ the man Mr. Hairy.

C 우리말과 일치하도록 괄호 안의 주어진 말을 바르게 배열하여 쓰시오.

1 Jessica는 그녀의 고양이를 Moon이라고 이름 지었다. (Moon, her cat, named)

→ Jessica ＿＿＿＿＿＿＿＿＿＿＿＿＿＿＿＿＿＿.

2 신선한 과일을 먹는 것은 너를 건강하게 할 수 있다. (you, can, healthy, make)

→ Eating fresh fruit ＿＿＿＿＿＿＿＿＿＿＿＿＿＿＿＿.

3 그 코트는 너를 따뜻하게 해 줄 것이다. (you, keep, warm, will)

→ The coat ＿＿＿＿＿＿＿＿＿＿＿＿＿＿＿＿.

4 우리는 그 이야기가 매우 감동적이라는 것을 알게 되었다. (the story, found, very touching)

→ We ＿＿＿＿＿＿＿＿＿＿＿＿＿＿＿＿.

5 그 뉴스는 그 책을 베스트셀러로 만들었다. (a bestseller, the book, made)

→ The news ＿＿＿＿＿＿＿＿＿＿＿＿＿＿＿＿.

6 그는 그녀가 똑똑하고 친절하다고 생각한다. (thinks, smart and kind, her)

→ He ＿＿＿＿＿＿＿＿＿＿＿＿＿＿＿＿.

틀리기 쉬운 내/신/포/인/트

4형식은 목적어를 2개 갖는 문장이고, 5형식은 목적어와 목적격보어를 갖는 문장이에요.

문장의 형식이 나머지와 다른 하나는?

① He kept the room very clean.
② She made me sad.
③ Don't call your friend a fool.
④ She made us some cookies.

5형식: to부정사를 목적격보어로 쓰는 동사

정답 및 해설 p.30

5형식 문장에서 목적격보어 자리에 to부정사가 올 수 있다.

주어	+	동사	+	목적어	+	목적격보어(to부정사(구))	
He		wants		me		**to return** this book.	그는 내가 이 책을 반납하기를 원한다.
I		expected		her		**to keep** her promise.	나는 그녀가 약속을 지키기를 기대했다.
They		asked		me		**to take** pictures of them.	그들은 내게 그들의 사진을 찍어 달라고 부탁했다.

목적격보어로 to부정사를 쓰는 동사	want(원하다), ask(요청하다), advise(조언하다), order(명령하다), encourage(격려하다), tell(말하다), expect(기대하다), allow(허락하다), teach(가르치다) 등

개념확인 목적어와 목적격보어 찾기

1 I expected my grandparents to come.　　　**2** She asked them to speak in Italian.

기본연습 우리말과 일치하도록 괄호 안의 말을 이용하여 문장을 완성하시오.

1 우리 선생님은 내게 열심히 공부하라고 말씀하셨다. (tell, study)

→ My teacher _____ hard.

2 우리 부모님은 내가 컴퓨터 게임하는 것을 허락하지 않으신다. (allow, play)

→ My parents don't _____ computer games.

3 그 의사는 그에게 매일 운동하라고 조언했다. (advise, exercise)

→ The doctor _____ every day.

4 그는 나에게 자신과 함께 점심을 먹자고 요청했다. (ask, have)

→ He _____ lunch with him.

5 그의 엄마는 그에게 바이올린 연주하는 것을 가르쳐 주셨다. (teach, play)

→ His mother _____ the violin.

6 나는 그가 일등을 할 것을 기대한다. (expect, win)

→ I _____ the first place.

7 우리 엄마는 내가 여동생을 돌보기를 원하신다. (want, take care of)

→ My mom _____ my sister.

8 그는 그의 아들이 외국어를 배우도록 격려했다. (encourage, learn)

→ He _____ a foreign language.

POINT 7 5형식: 사역동사

사역동사는 '~가 …하게 하다'라는 뜻의 동사로, 목적격보어로 동사원형을 쓴다.

> 사역동사 make는 '시키다, 하게 하다', have는 '하게 하다', let은 '허락하다'의 의미로 뉘앙스 차이가 있어요.

사역동사	make, have, let

주어	+	사역동사	+	목적어	+	목적격보어(동사원형)	
His jokes		**make**		everyone		**laugh**.	그의 농담은 모든 사람들을 웃게 한다.
I		**had**		my brother		**wash** the dishes.	나는 남동생에게 설거지를 하게 했다.
My mom		**let**		me		**watch** TV.	우리 엄마는 내가 TV를 보도록 허락하셨다.

주의 사역동사의 목적격보어로 to부정사를 쓸 수 없는 것에 주의한다.

 개념확인 사역동사와 목적격보어 찾기

1 She had Tom clean his room.　　**2** Don't let a child watch this movie.

기본연습 괄호 안에서 알맞은 것을 고르시오.

1 Mr. Wood (told / made) me do my homework.

2 The doctor had her (take / taken) the medicine.

3 Tom made his sister (close / to close) the window.

4 Peter sometimes (lets / allows) his dog sleep on his bed.

5 I (asked / had) Bob lock the door.

6 The girl let her sister (wear / to wear) her hat.

7 The teacher made us (write / written) a report.

8 Mom (wanted / had) my brother go to bed early.

9 The police made him (get out of / to get out of) the car.

10 Ms. Frank had her son (read / reading) lots of books.

11 My father never lets me (go out / to go out) late at night.

12 Mr. Park had his students (ask / to ask) many questions in class.

13 She had me (carried / carry) the box.

14 This novel makes him (think / thought) of his childhood.

15 Dad doesn't let me (eat / eating) fast food.

5형식: 지각동사

정답 및 해설 p.30

지각동사는 '~가 …하는 것을 보다/듣다/냄새 맡다/느끼다'라는 뜻의 동사로, 목적격보어로 동사원형이나 현재분사
(동사원형-ing)를 쓴다.

지각동사	see(보다), watch(보다), look at(~을 보다), hear(듣다), listen to(~을 듣다), smell(냄새 맡다), feel(느끼다)

주어	+	지각동사	+	목적어	+	목적격보어(동사원형/현재분사)	
I		**heard**		them		**talk(talking)** about my sister.	나는 그들이 내 여동생에 대해 이야기하는 것을 들었다.
Sally		**saw**		Tom		**walk(walking)** along the street.	Sally는 Tom이 길을 따라 걸어가는 것을 봤다.
He		**watched**		me		**play(playing)** the guitar.	그는 내가 기타를 치는 것을 지켜봤다.

Tips 동작이 진행 중임을 강조할 때 목적격보어로 현재분사(동사원형-ing)를 쓴다.
I **heard** them **laughing** loudly. 나는 그들이 큰 소리로 웃는 것을 들었다.

개념확인 지각동사와 목적격보어 찾기

1 I saw him enter the house.

2 Mike heard the phone ringing.

기본연습 우리말과 일치하도록 괄호 안의 말을 바르게 배열하여 문장을 쓰시오.

1 그들은 그 남자가 그 상점에 들어가는 것을 봤다. (the man, entering, saw)

→ They _____ the shop.

2 그는 누군가가 자신의 어깨를 만지는 것을 느꼈다. (touching, felt, somebody)

→ He _____ his shoulder.

3 나는 그가 내 이름을 부르는 것을 들었다. (calling, him, heard)

→ I _____ my name.

4 너는 그들이 길을 건너는 것을 봤니? (them, see, crossing)

→ Did you _____ the road?

5 그녀는 부엌에서 뭔가 타는 냄새를 맡았다. (smelled, burning, something)

→ She _____ in the kitchen.

6 우리는 그녀가 음악에 맞춰 춤추는 것을 보았다. (her, dancing, looked at)

→ We _____ to the music.

7 그녀는 건물이 흔들리는 것을 느꼈다. (the building, shaking, felt)

→ She _____ .

개 념 완 성 TEST

STEP 1 Map으로 개념 정리하기

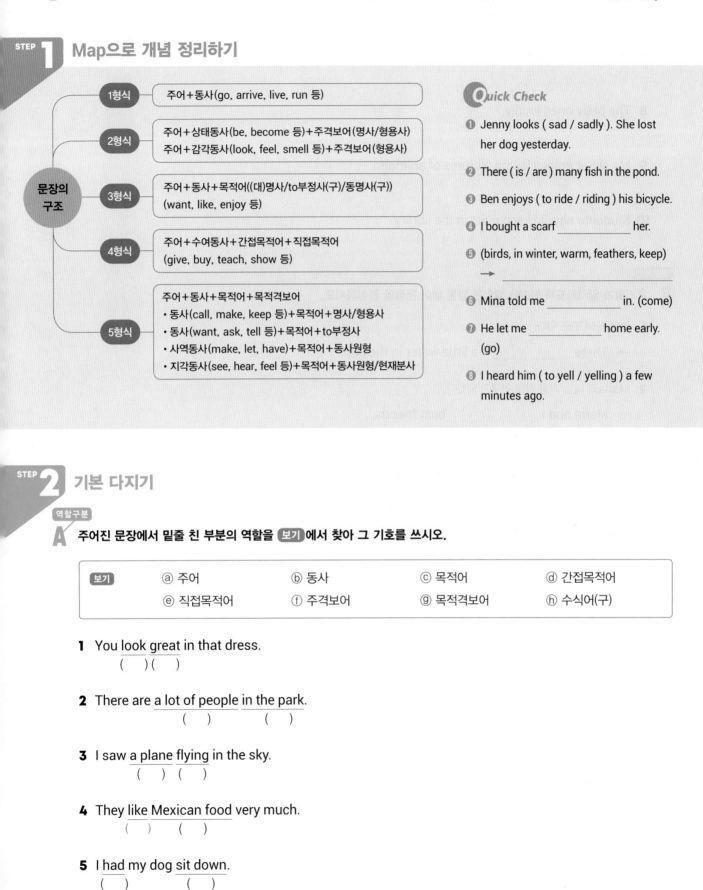

문장의 구조

1형식 — 주어+동사(go, arrive, live, run 등)

2형식 — 주어+상태동사(be, become 등)+주격보어(명사/형용사)
주어+감각동사(look, feel, smell 등)+주격보어(형용사)

3형식 — 주어+동사+목적어((대)명사/to부정사(구)/동명사(구))
(want, like, enjoy 등)

4형식 — 주어+수여동사+간접목적어+직접목적어
(give, buy, teach, show 등)

5형식 — 주어+동사+목적어+목적격보어
• 동사(call, make, keep 등)+목적어+명사/형용사
• 동사(want, ask, tell 등)+목적어+to부정사
• 사역동사(make, let, have)+목적어+동사원형
• 지각동사(see, hear, feel 등)+목적어+동사원형/현재분사

Quick Check

❶ Jenny looks (sad / sadly). She lost her dog yesterday.

❷ There (is / are) many fish in the pond.

❸ Ben enjoys (to ride / riding) his bicycle.

❹ I bought a scarf _____ her.

❺ (birds, in winter, warm, feathers, keep)
→ _____

❻ Mina told me _____ in. (come)

❼ He let me _____ home early. (go)

❽ I heard him (to yell / yelling) a few minutes ago.

STEP 2 기본 다지기

역할구분

A 주어진 문장에서 밑줄 친 부분의 역할을 보기 에서 찾아 그 기호를 쓰시오.

보기	ⓐ 주어	ⓑ 동사	ⓒ 목적어	ⓓ 간접목적어
	ⓔ 직접목적어	ⓕ 주격보어	ⓖ 목적격보어	ⓗ 수식어(구)

1 You look great in that dress.
  (   ) (   )

2 There are a lot of people in the park.
         (   )   (   )

3 I saw a plane flying in the sky.
       (   )   (   )

4 They like Mexican food very much.
       (   )   (   )

5 I had my dog sit down.
     (   )   (   )

6 The story sounds strange.
  (　)　　　　(　)

7 Please show me the letter.
  (　)　(　)

8 The baby cried loudly.
  (　)　(　)

9 My sister enjoys taking pictures of animals.
  (　)　　　　　(　)

10 Students should keep quiet in the library.
  (　)　　　(　)

B 우리말과 일치하도록 빈칸에 알맞은 말을 넣어 문장을 완성하시오.

1 컵에 물이 조금 있다.
  → There _____ a little water in the cup.

2 Maria와 나는 가장 친한 친구가 되었다.
  → Maria and I _____ best friends.

3 그 수프는 약간 짠맛이 난다.
  → The soup _____ a little salty.

4 Sam은 아프리카의 아이들을 돕기를 원한다.
  → Sam wants _____ children in Africa.

5 수민이는 오늘 Judy에게 이메일을 보낼 것이다.
  → Sumin will _____ an email _____ Judy today.

6 그들은 나에게 부탁을 했다.
  → They _____ a favor _____ me.

7 그녀는 오늘 아침 내게 아침 식사를 만들어 주었다.
  → She _____ breakfast _____ me this morning.

8 그는 과학 시험이 어렵다는 것을 알게 되었다.
  → He found the science exam _____.

9 그는 내게 사실을 말하라고 충고했다.
  → He advised me _____ the truth.

10 나는 호수에서 소년들이 수영하는 것을 보았다.
  → I saw the boys _____ in the lake.

C 밑줄 친 부분이 어법상 맞으면 ○ 표시를 하고, **틀리면** 바르게 고쳐 쓰시오.

1 That cloud <u>looks</u> a cat. → _____

2 There <u>many books are</u> on the shelf. → _____

3 I saw the tears <u>to fall</u> down her cheeks. → _____

4 The potato soup went <u>bad</u>. → _____

5 Will you show me <u>to your album</u>? → _____

6 My dad made a chair <u>to my brother</u>. → _____

7 I will give some flower <u>for the girl</u>. → _____

8 She found the information <u>usefully</u>. → _____

9 Her friends expected her <u>come</u> to the party. → _____

10 Ms. Wilson lets her kids <u>to stay up</u> late on Saturdays. → _____

D 주어진 문장을 괄호 안의 지시대로 바꿔 쓰시오.

1 Can you lend me a pen? (3형식으로)

→ _____

2 The teacher asked him several questions. (3형식으로)

→ _____

3 My mom bought me a chocolate cake. (3형식으로)

→ _____

4 I will show a few photos to you. (4형식으로)

→ _____

5 Did your dad build a tree house for you? (4형식으로)

→ _____

6 She thought that the children were happy. (5형식으로)

→ _____

7 I found that the novel was interesting. (5형식으로)

→ _____

서술형 따라잡기

그림이해

A 그림을 보고, 감각동사를 이용하여 문장을 쓰시오.

1

A: How does the boy look?

B: _____

2

A: What does this soap smell like?

B: _____

영작완성

B 우리말과 일치하도록 괄호 안의 말을 바르게 배열하여 문장을 쓰시오.

1 내 남동생은 내게 우산을 가져다주었다. (brought, me, my brother, an umbrella)

→ _____

2 그의 무례함이 나를 너무 화나게 했다. (made, his rudeness, very, me, angry)

→ _____

3 의사는 그녀에게 휴식을 취하라고 말했다. (take a rest, told, to, the doctor, her)

→ _____

4 미나는 어제 새 컴퓨터를 샀다. (Mina, a new computer, bought, yesterday)

→ _____

문장영작

C 우리말과 일치하도록 괄호 안의 말을 이용하여 영작하시오.

1 Brian은 엄마에게 피자를 요리해 드릴 것이다. (cook, a pizza)

→ _____

2 구명 조끼는 당신을 안전하게 지켜줄 수 있다. (the life jacket, can keep)

→ _____

3 너는 어젯밤에 잘 잤니? (sleep, last night)

→ _____

4 나는 비가 지붕에 떨어지는 것을 들었다. (hear, fall, on the roof)

→ _____

5 그녀는 내가 자신의 휴대 전화를 사용하도록 허락했다. (allow, use)

→ _____

1 밑줄 친 부분이 어법상 <u>틀린</u> 쓰인 것은?

① The book sells <u>good</u>.

② The noodle tastes <u>great</u>.

③ Do you feel <u>happy</u> now?

④ The boy became <u>hungry</u>.

⑤ The song sounds very <u>sad</u>.

2 주어진 우리말을 영어로 바르게 옮긴 것은?

> 방에 곰 인형들이 있다.

① It is a teddy bear in the room.

② This is a teddy bear in the room.

③ These are teddy bears in the room.

④ There is a teddy bear in the room.

⑤ There are teddy bears in the room.

[3-4] 빈칸에 들어갈 말로 알맞지 <u>않은</u> 것을 고르시오.

3

> Her sister looked _____.

① kind   ② nice   ③ healthy

④ beautiful   ⑤ an actress

4

> He will give _____ the camera.

① you   ② his   ③ me

④ them   ⑤ us

5 우리말과 같도록 할 때 빈칸에 들어갈 말로 알맞은 것은?

> 하늘이 갑자기 밝아졌다.
> → The sky suddenly grew _____.

① bright   ② brightly   ③ brighten

④ brightening   ⑤ to brighten

6 빈칸에 들어갈 말이 나머지와 <u>다른</u> 하나는?

① Sora showed her paintings _____ them.

② Jessica teaches English _____ us.

③ My mother made a sweater _____ me.

④ His grandmother gave money _____ him.

⑤ He passed the towel _____ us.

[7-8] 문장의 형식이 나머지 넷과 다른 하나를 고르시오.

7 ① Jina has a bed in her room.

② Can you buy an orange juice for me?

③ He walks to school every day.

④ We reached Seoul after dark.

⑤ She enjoys playing badminton.

8 ① The story made me sad.

② People call her an angel.

③ Ted bought me an ice cream.

④ He kept the desk pretty clean.

⑤ He found the math problem difficult.

9 다음 중 문장 전환이 <u>잘못된</u> 것은?

① He asked me a favor.

　→ He asked a favor of me.

② She brought me some cookies.

　→ She brought some cookies to me.

③ Tommy sent me a card.

　→ Tommy sent a card for me.

④ My brother bought me a pen.

　→ My brother bought a pen for me.

⑤ Jake told us a surprising story.

　→ Jake told a surprising story to us.

10 다음 중 4형식 문장으로 바꿀 수 <u>없는</u> 것은?

① She sent a letter to Jenny.

② He teaches English to us.

③ I discussed the problem with Betty.

④ We bought some clothes for the children.

⑤ She showed her ID card to me.

11 밑줄 친 부분의 쓰임이 나머지 넷과 <u>다른</u> 하나는?

① The news <u>made</u> me sad.

② Music always <u>makes</u> us happy.

③ My brother <u>made</u> me upset.

④ He <u>made</u> me a desk and a chair.

⑤ What <u>made</u> her so angry?

[12-13] 빈칸에 들어갈 말이 순서대로 짝 지어진 것을 고르시오.

12

> • The man spoke to her _____.
>
> • The man looked _____ and tired.

① sad – sad　　　　　② sad – sadly

③ sadly – sadly　　　④ sadly – sad

⑤ sadly – like sad

13

> • His parents had him _____ Chinese.
>
> • He told his son _____ some sleep.

① study – to get　　　② study – get

③ to study – to get　④ to study – get

⑤ studying – get

고난도

14 대화의 (A)~(C)에서 어법상 알맞은 말이 바르게 짝 지어진 것은?

> A: Wow! There are lots of trees and flowers in this park.
>
> B: You're right. The flowers smell (A) sweet / sweetly .
>
> A: Oh, I'm hungry. Do you have something to eat?
>
> B: Yes. My mom made some sandwiches (B) to / for us.
>
> A: Wow! They (C) look / look like delicious.

	(A)	(B)	(C)
①	sweet	– to –	look
②	sweet	– for –	look
③	sweet	– for –	look like
④	sweetly	– to –	look
⑤	sweetly	– to –	look like

15 빈칸에 들어갈 말로 알맞은 것은?

> She _____ me to design a poster for the campaign.

① made   ② had   ③ watched
④ asked   ⑤ let

16 빈칸에 공통으로 들어갈 말로 알맞은 것은?

> • My mom made me _____ the dishes.
> • I saw Sally _____ her homework at night.

① do   ② doing   ③ to do
④ does   ⑤ did

17 주어진 문장과 의미가 같도록 어법상 바르게 바꾼 것은?

> The teacher allowed him to go home.

① He asked the teacher to go home.
② The teacher wanted him go home.
③ The teacher wanted him to go home.
④ The teacher let him go home.
⑤ The teacher let him to go home.

18 빈칸에 들어갈 말로 알맞은 것을 <u>모두</u> 고르면?

> When I was walking home, I saw a car _____ into a wall.

① crash   ② to crash
③ crashed   ④ crashing
⑤ will crash

19 어법상 옳은 문장은?

① Amy told me carry the boxes.
② I saw the birds to fly away.
③ I felt the sweat ran down my back.
④ He asked me attend the meeting.
⑤ His mom had him water the garden.

고난도
20 빈칸에 made가 들어갈 수 있는 문장끼리 짝지어진 것은?

> ⓐ Mom _____ her child go to bed early.
> ⓑ She _____ pizza for us all.
> ⓒ I _____ the boy calling out for his mother.
> ⓓ My parents _____ me to pass the exam.
> ⓔ The homework _____ him stay up all night.

① ⓐ, ⓑ   ② ⓐ, ⓓ   ③ ⓑ, ⓔ
④ ⓐ, ⓑ, ⓔ   ⑤ ⓑ, ⓒ, ⓓ

21 주어진 4형식 문장을 3형식 문장으로 바꿔 쓰시오.

(1) My parents bought us pizza and fried chicken.

→ _____

_____

(2) May I ask you a favor?

→ _____

_____

(3) She gave me some useful information.

→ _____

_____

22 주어진 두 문장을 의미가 같도록 한 문장으로 쓰시오.

> Ruby walked the dog. Her mother made her do that.
> → Ruby's mother made _____.

23 괄호 안의 말을 바르게 배열하여 문장을 쓰시오.

(1) (we, a famous restaurant, to, went)

→ _____

(2) (looks, James, a fashion model, like)

→ _____

(3) (have to, fresh, the food, you, keep)

→ _____

24 우리말과 일치하도록 보기 에서 알맞은 말을 골라 5형식 문장을 완성하시오.

> 보기   see   smell   feel   hear

(1) 나는 소년들이 야구하는 것을 보았다.

→ I _____.

(2) 그녀는 그 새가 나무에서 노래하는 것을 들었다.

→ _____ in the tree.

(3) 그 소년은 누군가가 자신의 어깨를 만지는 것을 느꼈다.

→ The boy _____ his shoulder.

고난도
25 글을 읽고, 어법상 틀린 문장 3개를 찾아 바르게 고쳐 쓰시오.

> Mom is on a trip now. She left a note to me. She didn't let me to go out at night. She also asked me wash the dishes after eating a meal. Finally, she wanted me go to bed early.

(1) _____

(2) _____

(3) _____

CHAPTER

11

접속사

POINT 1   등위접속사

POINT 2   상관접속사

POINT 3   시간의 접속사

POINT 4   조건의 접속사

POINT 5   이유 · 양보의 접속사

POINT 6   목적 · 결과의 접속사

POINT 7   다양한 의미를 나타내는 접속사

POINT 8   접속사 that

I missed the train because I got up late.

접속사는 단어와 단어, 구와 구, 절과 절을 연결해 주는 말이다. 접속사가 이끄는 절은 부사 또는 명사 역할을 한다.

등위접속사는 단어와 단어, 구와 구, 절과 절 등 문법적으로 대등한 말들을 연결해 주는 접속사이며, **and, but, or, so**가 있다.

and	~과, 그리고	I opened the book and read it aloud. 동사구　　　　　　　　동사구	나는 책을 펴고 소리 내어 읽었다.
but	그러나, ~이지만	This watch is expensive but useful. 단어　　　　단어	이 손목시계는 비싸지만 유용하다.
or	~이나, 또는	You can go there by bus or on foot. 전치사구　　전치사구	너는 버스를 타거나 걸어서 그곳에 갈 수 있다.
so	그래서	She skipped breakfast, so she was hungry. 절　　　　　　　　　절	그녀는 아침을 걸러서, 배가 고팠다.

개념확인 접속사가 연결하는 말 찾기

1 He ate soup and salad.　　**2** Which is yours, this one or that one?　　**3** It was cold, so I went home.

기본연습 빈칸에 and, but, or, so 중 알맞은 것을 쓰시오.

1 I'd like to go home, _____ I'm too busy.

2 She was sick, _____ she took some medicine.

3 You can pay in cash _____ by credit card.

4 Daniel liked the shirt, _____ he bought it.

5 You can fix your bike, _____ buy a new one.

6 Susan called her dad, _____ he didn't answer.

7 He picked up the pen _____ put it on the desk.

8 He ran to the bus stop, _____ missed the bus.

9 She likes to meet her friends _____ chat.

10 He has a test tomorrow, _____ he is studying in his room.

틀 리 기 쉬 운
내/신/포/인/트

등위접속사는 문법적으로
대등한 말들을 연결해요.

빈칸에 들어갈 말로 알맞은 것은?

You can watch movies or _____.

① are singing　　　　　② take a walk
③ to play games　　　　④ reading comics

상관접속사는 서로 떨어져 있지만, 문법적으로 대등한 어구를 연결해 주는 접속사이다.

both A and B	A와 B 둘 다	She can **both speak and write** French. 그녀는 프랑스어를 말하고 쓸 수 있다.
not only A but (also) B	A뿐만 아니라 B도 (= B as well as A)	He is **not only a singer but also an actor**. 그는 가수일 뿐만 아니라 배우이다. (= He is **an actor as well as a singer**.)
either A or B	A 또는 B 중 하나	**Either Emma or Kevin** is lying to me. Emma나 Kevin 중 한 명은 나에게 거짓말을 하고 있다.
neither A nor B	A도 B도 아닌	The movie is **neither exciting nor moving**. 그 영화는 흥미진진하**지도** 감동적이**지도** 않다.

주의 상관접속사로 연결된 주어가 쓰인 경우, 「both A and B」는 복수 취급하고, 나머지는 모두 B에 동사의 수를 일치시킨다.
Both Mom **and** Dad **have** been to Jeju-do. 엄마와 아빠 두 분 모두 제주도에 다녀오신 적이 있다.
Not only I **but also** he **is** happy. 나뿐만 아니라 그도 행복하다.

개념확인 상관접속사 찾기

1 Either he or I am right. **2** Both he and Amy are teachers. **3** He likes neither coffee nor tea.

기본연습 A 우리말과 일치하도록 빈칸에 알맞은 말을 쓰시오.

1 Jessica는 개도 고양이도 없다.

→ Jessica has _____ a dog _____ a cat.

2 너는 오늘이나 내일 떠날 수 있다.

→ You can leave _____ today _____ tomorrow.

3 그는 버스에서 핸드폰과 지갑을 둘 다 잃어버렸다.

→ He lost _____ his cell phone _____ his wallet on the bus.

4 그 샐러드는 맛있을 뿐만 아니라 값도 싸다.

→ The salad is _____ _____ delicious _____ _____ cheap.

B 괄호 안에서 알맞은 것을 고르시오.

1 Not only Sam but also his friends (plays / play) basketball well.

2 Both Tom and Brian (was / were) late for school today.

3 Neither Kate nor her sister (is / are) busy these days.

4 Either you or your brother (have / has) to do the dishes.

시간의 접속사

정답 및 해설 p.32

시간의 접속사는 시간을 나타내는 부사절을 이끈다.

when	~할 때	**When I saw her**, she smiled at me. 내가 그녀를 보았을 **때**, 그녀는 나에게 미소 지었다.
while	~하는 동안	I read the book **while I was on the train**. 나는 기차를 타고 있는 **동안** 그 책을 읽었다.
before	~하기 전에	You have to go home **before it gets dark**. 어두워지기 **전에** 너는 집에 가야 한다.
after	~한 후에	He brushed his teeth **after he had dinner**. 그는 저녁을 먹은 **후에** 이를 닦았다.
until(till)	~할 때까지	Please stay home **until the rain stops**. 비가 그칠 **때까지** 집에 머무르세요.
since	~한 이후로	She has lived in London **since she was nine**. 그녀는 아홉 살 **때부터** (계속) 런던에 살았다.
as soon as	~하자마자	Ben turned on the TV **as soon as he got home**. Ben은 집에 오**자마자** TV를 켰다.

> 부사절은 주절의 앞이나 뒤에 모두 올 수 있어요. 부사절이 주절의 앞에 올 경우 부사절 끝에 콤마(,)를 써요.

> 주로 접속사 since가 이끄는 시간의 부사절에서는 과거시제를 쓰고, 주절에서는 현재완료를 써요.

주의 시간을 나타내는 부사절에서는 미래의 일을 나타낼 때 미래시제 대신 현재시제를 쓴다.
I'll give it to her when she arrives. 그녀가 도착하면 내가 그것을 그녀에게 줄 것이다.

개념확인 옳은 해석 고르기

1 I feel happy when I sing.
　□ ~할 때　□ ~하는 동안

2 Clean your room while I'm out.
　□ ~할 때　□ ~하는 동안

3 Don't go until I get home.
　□ ~할 때까지　□ ~한 이후로

기본연습 괄호 안에서 알맞은 것을 고르시오.

1 (When / Since) I grow up, I will be a singer.

2 Can you wait here (as soon as / until) Linda comes back?

3 I haven't seen him (since / before) he moved to Seoul.

4 People left the stadium (after / while) the game was over.

5 (As soon as / Until) he heard the news, he called his wife.

6 My mom told me to turn off the lights (after / before) I go out.

틀 리 기 쉬 운 내/신/포/인/트

시간의 부사절에서는 미래의 일을 현재시제로 쓴다는 것을 기억해요.

빈칸에 들어갈 말로 알맞은 것은?

> When Amy _____ to Korea next week, she'll call you.

① come　　② comes　　③ came　　④ will come

조건의 접속사

정답 및 해설 p.32

접속사 if와 unless는 조건을 나타내는 부사절을 이끈다.

if	(만약) ~ 한다면	**If you hurry**, you will catch the bus.	네가 서두른**다면**, 너는 버스를 탈 수 있을 것이다.
unless	(만약) ~하지 않으면 (= if ~ not)	He won't come **unless you are here**. (= He won't come **if** you are **not** here.)	네가 여기 있**지 않으면** 그는 오지 않을 것이다.

↳ unless는 부정의 의미를 가지고 있으므로 not과 함께 쓰지 않아요.

주의 조건의 부사절에서는 미래의 일을 나타낼 때 미래시제 대신 현재시제를 써야 한다.
If he **wants**, I will help him. 그가 원한다면, 나는 그를 도울 것이다.

개념확인 옳은 해석 고르기

1 We'll be late <u>unless we run</u>.
- ☐ 우리가 달리면
- ☐ 우리가 달리지 않으면

2 <u>If you're sick</u>, see a doctor.
- ☐ 네가 아프면
- ☐ 네가 아프지 않으면

3 <u>If it doesn't rain</u>, I'll go out.
- ☐ 비가 오면
- ☐ 비가 오지 않으면

기본연습 빈칸에 if와 unless 중 알맞은 말을 쓰시오.

1 She will catch a cold ＿＿＿＿＿＿ she wears a coat.

2 ＿＿＿＿＿＿ I drink coffee at night, I can't sleep.

3 ＿＿＿＿＿＿ you go jogging, I'll go with you.

4 ＿＿＿＿＿＿ you buy a ticket in a hurry, you won't get a seat.

5 ＿＿＿＿＿＿ you forget the password, you can't read the email.

6 Your mom will be upset ＿＿＿＿＿＿ you clean your room.

7 ＿＿＿＿＿＿ it rains tomorrow, we will go on a picnic.

8 ＿＿＿＿＿＿ you have a garden, you can grow many flowers.

9 ＿＿＿＿＿＿ he exercises every day, he will be healthier.

10 You can't play basketball ＿＿＿＿＿＿ you finish your homework.

틀리기 쉬운 내/신/포/인/트

unless는 부정의 의미를 가지고 있으므로 not과 함께 쓰지 않아요.

빈칸에 들어갈 말로 알맞지 <u>않은</u> 것은?

Unless ＿＿＿＿＿＿, we won't finish the project.

① we work hard　　② we do our best
③ we don't ask for help　　④ we help each other

이유 · 양보의 접속사

정답 및 해설 p.32

접속사 because, as, since는 이유를 나타내는 부사절을 이끌고, 접속사 although, though, even though는 양보를 나타내는 부사절을 이끈다.

because		I went to a restaurant **because I was hungry**. 나는 배가 고팠기 **때문에** 식당에 갔다.
as	~ 때문에	**As Jessica was busy**, she couldn't come here. Jessica는 바빴기 **때문에**, 여기에 올 수 없었다.
since		I couldn't see anything **since it was very dark**. 너무 어두워**서** 나는 아무것도 볼 수 없었다.
although (though)	비록 ~이지만, ~에도 불구하고	**Although(Though) he is young**, he is brave. 비록 그는 나이가 어리**지만**, 용감하다.
even though		**Even though she is rich**, she is not happy. 비록 그녀는 부자**일지라도**, 행복하지 않다.

주의 접속사 because와 전치사 because of는 둘 다 '~ 때문에'라는 의미이지만, because는 뒤에는 「주어+동사」를 포함하는 절이 오고, because of는 뒤에는 명사(구)가 온다.
They stayed home **because** <u>the weather was bad</u>. 〈접속사〉 날씨가 나빴기 **때문에** 그들은 집에 머물렀다.
주어+동사

They stayed home **because of** <u>bad weather</u>. 〈전치사〉 나쁜 날씨 **때문에** 그들은 집에 머물렀다.
명사구

개념확인 옳은 해석 고르기

1 I went out even though it was snowing.

☐ 비록 눈이 오고 있었지만
☐ 눈이 오고 있었기 때문에

2 I fell asleep quickly since I was so tired.

☐ 내가 너무 피곤한 이후로
☐ 나는 너무 피곤했기 때문에

기본연습 A 괄호 안의 접속사가 들어갈 위치를 고르시오.

1 (though)　　(ⓐ) I studied hard, (ⓑ) I failed the test.

2 (though)　　(ⓐ) Minsu was sick, (ⓑ) he didn't miss any classes.

3 (even though)　　(ⓐ) Mike ate the whole pizza (ⓑ) he is still hungry.

4 (although)　　(ⓐ) I couldn't eat anything (ⓑ) I was very hungry.

5 (although)　　(ⓐ) Sarah didn't feel good, (ⓑ) she went to work.

6 (as)　　(ⓐ) Jenny is popular (ⓑ) she is kind to everyone.

7 (as)　　(ⓐ) Betty couldn't come here (ⓑ) she had to study for the test.

8 (since)　　(ⓐ) I love the restaurant (ⓑ) the food is great.

9 (since)　　(ⓐ) I missed my mom and dad, (ⓑ) I cried.

10 (because)　　(ⓐ) Kevin couldn't eat meat, (ⓑ) he ordered a salad.

B 부사절의 우리말 뜻을 참고해 괄호 안에서 알맞은 것을 고르시오.

1 He arrived late (as / **even though**) he left home early. (그가 일찍 집을 떠났다.)

2 (Because / **Though**) she had a toothache, she couldn't eat well. (그녀는 치통이 있었다.)

3 (Because / **Even though**) this car is very old, it runs well. (이 자동차는 매우 오래됐다.)

4 They missed the bus (**although** / since) they ran fast to the bus stop. (그들은 버스 정거장까지 빨리 달렸다.)

5 (**Since** / Though) the weather was bad, the flight was canceled. (날씨가 나빴다.)

6 (**Although** / Because) she felt really tired, she couldn't fall asleep. (그녀는 매우 피곤했다.)

7 (**As** / If) the price was too high, they couldn't rent the house. (가격이 너무 비쌌다.)

8 Amy didn't want to leave (**because** / unless) she was having a great time.
(그녀는 즐거운 시간을 보내고 있었다.)

C 빈칸에 because나 because of 중 알맞은 것을 쓰시오.

1 She felt bad _____ the smell.

2 He was angry _____ his sister broke his laptop.

3 We stayed inside _____ the heavy snow.

4 The car wouldn't start _____ the battery was dead.

5 He had to walk _____ there were no buses.

6 I couldn't sleep yesterday _____ a bad headache.

D 보기 에서 알맞은 말을 골라 문장을 완성하시오.

보기	because of	while	because	if	although

1 _____ she is shy, she has many friends.

2 Let's cancel the trip _____ it snows tomorrow.

3 They arrived _____ we were having lunch.

4 _____ it was really cold, he put on his gloves.

5 Everyone likes my brother _____ his kindness.

틀 리 기 쉬 운
내/신/포/인/트

주절과 부사절의 내용을 잘
파악하여 알맞은 접속사를
써야 해요.

빈칸에 들어갈 말로 알맞지 <u>않은</u> 것은?

_____ they practiced hard, they lost the game.

① Though   ② Unless   ③ Although   ④ Even though

POINT 6 목적 · 결과의 접속사

정답 및 해설 p.32

「so that ~」은 '~하기 위해서, ~하도록'이라는 의미로 목적을 나타내는 부사절을 이끈다. 「so ~ that …」은 '너무 〔매우〕 ~해서 …하다'라는 의미로 결과를 나타내는 부사절을 이끈다.

> so that 뒤에 오는 절의 동사는 주로 「can/will + 동사원형」의 형태로 써요.

| so that ~ | ~하기 위해서, ~하도록 | I turned on the light **so that I could read the book**.
나는 책을 읽기 위해서 불을 켰다. |
| so + 형용사/부사 + that … | 너무〔매우〕 ~해서 …하다 | The book was **so interesting that he read it twice**.
그 책은 너무 재미있어서 그는 그것을 두 번 읽었다. |

개념확인 옳은 해석 고르기

1 He is <u>so kind that everybody likes him</u>.

☐ 모두가 그를 좋아하도록 친절히 대한다
☐ 매우 친절해서 모두가 그를 좋아한다

2 She hurried <u>so that she could get there on time</u>.

☐ 그녀가 제시간에 도착하기 위해서
☐ 그녀가 제시간에 도착하지 못해서

기본연습 우리말과 일치하도록 괄호 안의 말을 바르게 배열하여 쓰시오.

1 그녀는 너무 행복해서 큰 소리로 웃었다. (that, happy, so)

→ She felt ＿＿＿＿＿ ＿＿＿＿＿ ＿＿＿＿＿ she laughed loudly.

2 그는 너무 긴장해서 실수를 했다. (nervous, that, so)

→ He was ＿＿＿＿＿ ＿＿＿＿＿ ＿＿＿＿＿ he made a mistake.

3 날씨가 너무 더워서 나는 목이 말랐다. (that, so, hot)

→ The weather was ＿＿＿＿＿ ＿＿＿＿＿ ＿＿＿＿＿ I was thirsty.

4 그녀는 그들이 노래할 수 있도록 기타를 연주했다. (they, sing, that, so, could)

→ She played the guitar ＿＿＿＿＿ ＿＿＿＿＿ ＿＿＿＿＿ ＿＿＿＿＿
＿＿＿＿＿.

5 Luca는 시험에 통과하기 위해서 열심히 공부했다. (that, pass, so, could, he)

→ Luca studied hard ＿＿＿＿＿ ＿＿＿＿＿ ＿＿＿＿＿ ＿＿＿＿＿
＿＿＿＿＿ the test.

틀 리 기 쉬 운 내/신/포/인/트

목적을 나타내는 「so that ~」 과 결과를 나타내는 「so ~ that …」을 구별해야 해요.

우리말을 영어로 바르게 옮긴 것은?

너무 추워서 나는 집에 갔다.

① It was cold so that I went home.
② I went home so that it was cold.
③ It was so cold that I went home.
④ So that it was cold, I went home.

POINT 7 다양한 의미를 나타내는 접속사

접속사 as는 '~할 때', '~함에 따라', '~ 때문에'라는 다양한 의미를 나타낸다.

~할 때, ~하면서	**As I finish the work**, he asked me for help. 내가 그 일을 끝냈을 **때**, 그는 나에게 도움을 요청했다. **As she walked home**, she listened to music. 그녀는 집에 걸어오**면서** 음악을 들었다.
~함에 따라	**As we go up**, the air grows colder. 높이 올라감**에 따라** 공기는 차가워진다.
~ 때문에	**As I didn't sleep last night**, I'm tired now. 나는 어젯밤에 잠을 못 자서 지금 피곤하다.

접속사 since는 시간(~한 이후로), 이유(~ 때문에)의 의미를 나타낸다.

시간	~한 이후로	I have known her **since I was eleven**. 나는 11살 **이후로** 그녀를 알고 있다.
이유	~ 때문에	**Since she was tired**, she took a nap. 그녀는 피곤했기 **때문에** 낮잠을 잤다.

개념확인 옳은 해석 고르기

1 Turn off the light <u>as</u> you go out.

☐ ~할 때 ☐ ~ 때문에

2 I couldn't help you <u>since</u> I was busy.

☐ ~할 때 ☐ ~ 때문에

기본연습 밑줄 친 as와 since의 알맞은 의미를 고르시오.

	~할 때, ~하면서	~함에 따라	~한 이후로	~ 때문에
1 <u>As</u> time passed, she became weaker.	☐	☐	☐	☐
2 <u>As</u> he lives near us, we often see him.	☐	☐	☐	☐
3 He watched TV <u>as</u> he was having dinner.	☐	☐	☐	☐
4 <u>As</u> it is Sunday today, the shop is closed.	☐	☐	☐	☐
5 I have liked him <u>since</u> we first met.	☐	☐	☐	☐
6 <u>Since</u> I have no money, I can't buy the car.	☐	☐	☐	☐
7 The dog has been here <u>since</u> you left.	☐	☐	☐	☐
8 I opened the window <u>since</u> the room smelled bad.	☐	☐	☐	☐

틀리기 쉬운 내/신/포/인/트

접속사 as와 since의 의미를 문맥상 구별해야 해요.

밑줄 친 As의 의미가 다른 하나는?

① <u>As</u> I was leaving, she called me.
② <u>As</u> he knew the way, I followed him.
③ <u>As</u> you go in, show your ticket.
④ <u>As</u> she did her homework, she sang a song

접속사 **that**은 '~라는 것'이라는 의미로 문장에서 주어, 목적어, 보어 역할을 하는 명사절을 이끈다.

주어 (~하는 것은)	**It** is true **that Dave's sister is a singer**. 가주어　　　　　　　　　진주어 ↳ 주어 자리에 가주어 it을 쓰고, 진주어인 that절을 문장 뒤에 써요.	Dave의 여동생이 가수라는 것은 사실이다.
목적어 (~하는 것을)	I believe **(that) he can finish the race**. ↳ that절이 목적어로 쓰일 때 접속사 that은 생략할 수 있어요.	나는 그가 경주를 마칠 수 있을 것이라고 믿는다.
보어 (~하는 것(이다))	The problem is **that I don't have time**.	문제는 내가 시간이 없다는 것이다.

Tips 가주어 it이 쓰인 문장에서 가주어 it은 '그것'이라고 해석하지 않는다.
It is surprising **that** dogs cannot see red. 개가 빨간색을 볼 수 없다는 것은 놀랍다.

주의 that절을 목적어로 갖는 동사에는 think, know, believe, hear, find, say, hope, feel 등이 있다.
I **think (that)** Fred is a good man. 나는 Fred가 좋은 사람이라고 생각한다.
I didn't **know (that)** he lives in Hong Kong. 나는 그가 홍콩에 살고 있다는 것을 몰랐다.

개념확인 that이 이끄는 명사절 찾기

1 I think that he's smart.　　**2** It's sad that she lost her cat.　　**3** The fact is that we don't have time.

기본연습 **A** 밑줄 친 that절의 쓰임과 같은 것을 보기 에서 골라 그 기호를 쓰시오.

> 보기 ⓐ I believe that you will pass the exam.
> ⓑ It is true that she is only 13 years old.
> ⓒ The fact is that he didn't know the answer.

1 I hope that the plan will succeed.　　　　　　　　　　　[　　　]

2 I don't think that the man is too lazy.　　　　　　　　　[　　　]

3 It is clear that it was not Jenny's fault.　　　　　　　　　[　　　]

4 He said that he wanted to visit New York.　　　　　　　　[　　　]

5 It is certain that vegetables are good for health.　　　　　[　　　]

6 The truth is that she has never been to Africa.　　　　　　[　　　]

7 The good news is that they solved the problem in time.　　[　　　]

8 It is not true that she bought an expensive car.　　　　　　[　　　]

9 I cannot believe that she failed the exam.　　　　　　　　[　　　]

10 The sad thing is that many people died in the war.　　　　[　　　]

B 우리말과 일치하도록 괄호 안의 말을 바르게 배열하여 문장을 완성하시오.

1 나는 그의 이야기가 사실이라고 생각하지 않는다. (true, that, think, his story, is)

→ I don't _____.

2 그가 그녀의 생일을 잊었다는 것은 놀라웠다. (he, surprising, it, forgot, was, that)

→ _____ her birthday.

3 중요한 것은 우리가 그 경기에 참가했다는 것이다. (took part in, that, we, is, the important, thing)

→ _____ the game.

4 나는 그가 어젯밤에 돌아오지 않았다는 것을 들었다. (come back, that, he, heard, didn't, I)

→ _____ last night.

5 고양이가 어둠 속에서 볼 수 있다는 것이 사실인가요? (in the dark, cats, see, that, can)

→ Is it true _____?

C 접속사 that을 이용하여 두 문장을 한 문장으로 바꿔 쓰시오.

1 Amy could speak three languages. We found that.

→ We found _____.

2 Something was wrong. She felt it.

→ She felt _____.

3 She wasn't hurt in the car accident. I heard it.

→ I heard _____.

4 We don't have enough time. That is the problem.

→ The problem is _____.

5 He met a famous singer on the street. He said it.

→ He said _____.

6 Emily didn't go to school today. I didn't know that.

→ I didn't know _____.

틀리기 쉬운
내/신/포/인/트

that절이 주어 역할을 하는
경우, 가주어 it을 문장의
주어로 쓰고 that절을 문장
뒤로 보낼 수 있어요.

밑줄 친 that의 쓰임이 보기 와 같은 것은?

보기 The news is that he won first prize.

① I don't believe that he met Jessy.
② It is important that she did her best.
③ Are you sure that you turned off the light?
④ The rumor is that the festival will be canceled.

개 ︱ 념 ︱ 완 ︱ 성 ︱ TEST

정답 및 해설 p.33

STEP 1 Map으로 개념 정리하기

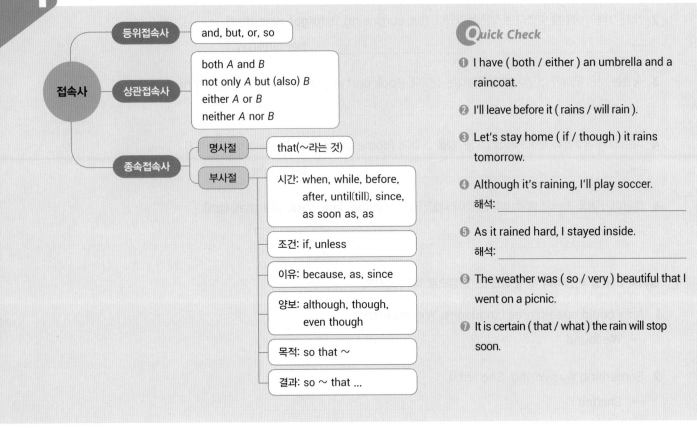

등위접속사 ─ and, but, or, so

상관접속사 ─
both A and B
not only A but (also) B
either A or B
neither A nor B

접속사

종속접속사 ─
명사절 ─ that(~라는 것)
부사절 ─
시간: when, while, before, after, until(till), since, as soon as, as
조건: if, unless
이유: because, as, since
양보: although, though, even though
목적: so that ~
결과: so ~ that ...

Quick Check

❶ I have (both / either) an umbrella and a raincoat.

❷ I'll leave before it (rains / will rain).

❸ Let's stay home (if / though) it rains tomorrow.

❹ Although it's raining, I'll play soccer.

해석: _____

❺ As it rained hard, I stayed inside.

해석: _____

❻ The weather was (so / very) beautiful that I went on a picnic.

❼ It is certain (that / what) the rain will stop soon.

STEP 2 기본 다지기

빈칸완성

A 우리말과 일치하도록 빈칸에 알맞은 말을 쓰시오.

1 오래 전이었음에도 불구하고 나는 그를 여전히 기억할 수 있다.

→ _____ it was long ago, I can still remember him.

2 내가 돌아올 때까지 너는 집에서 기다려야 한다.

→ You should wait at home _____ I come back.

3 그가 길을 잃지 않도록 나는 그에게 지도를 주었다.

→ I gave him a map _____ he wouldn't get lost.

4 그는 집에 도착하자마자 저녁식사를 요리하기 시작했다.

→ He started to cook dinner _____ he got home.

5 그는 그녀가 시드니로 떠난 이후로 그의 여동생을 보지 못했다.

→ He hasn't seen his sister _____ she left for Sydney.

6 날씨가 좋아지지 않는다면 우리는 그 계획을 취소할 것이다.

→ _____ the weather gets better, we'll cancel the plan.

7 나는 흰색 모자나 빨간색 모자 중에 하나를 살 것이다.

→ I'm going to buy _____ the white cap or the red cap.

8 중요한 것은 우리가 제시간에 프로젝트를 끝내야 한다는 것이다.

→ The important thing is _____ we should finish the project on time.

오류수정

B 밑줄 친 부분이 어법상 맞으면 ○ 표시를 하고, 틀리면 바르게 고쳐 쓰시오.

1 I believe her <u>because of</u> she never tells me a lie.　　　　→ _____

2 They can both speak and <u>writing</u> Germany.　　　　→ _____

3 If you <u>will fix</u> my computer, I'll buy you lunch.　　　　→ _____

4 We hope <u>though</u> more students will join our club.　　　　→ _____

5 The boy ran into the road <u>as</u> a car was coming.　　　　→ _____

6 <u>This</u> is surprising that Alex became a firefighter.　　　　→ _____

7 She spoke <u>very</u> quietly that we couldn't hear her.　　　　→ _____

8 <u>Since</u> I have no class today, I'll go hiking with Dad.　　　　→ _____

문장전환

C 다음 문장을 괄호 안의 접속사를 이용하여 한 문장으로 바꿔 쓰시오.

1 My grandfather is 85. He is very healthy. (even though)

→ _____

2 Can you take care of my dog? I will be on vacation. (while)

→ _____

3 She lied to us. We don't trust her any more. (after)

→ _____

4 Tony got home. He washed his hands. (as soon as)

→ _____

5 Ryan is a teacher. His wife is a teacher. (not only ~ but also ...)

→ _____

6 Cindy doesn't like coffee. She doesn't like chocolate. (neither ~ nor ...)

→ _____

STEP 3 서술형 따라잡기

그림이해

A 그림을 보고, 괄호 안의 말을 이용하여 문장을 완성하시오.

1

Amy is thinking of going to Cheonan _____.

(by train, by car)

2

Jiho likes _____.

(pizza, chicken)

영작완성

B 우리말과 일치하도록 괄호 안의 말을 바르게 배열하여 문장을 쓰시오.

1 그녀의 자동차가 도로에서 고장 난 것은 사실이다. (is, broke down, that, it, on the road, true, her car)

→ _____

2 그는 너무 키가 커서 머리가 천장에 닿는다. (that, is, his head, tall, the ceiling, he, so, touches)

→ _____

3 그와 그의 아내는 모두 캠핑 가는 것을 좋아한다. (like, and, go, he, to, camping, both, his wife)

→ _____

4 찰칵 소리가 날 때까지 버튼을 미세요. (until, push, hear, the button, you, the click)

→ _____

문장영작

C 우리말을 괄호 안의 말과 알맞은 접속사를 이용하여 영작하시오. (단, 필요시 동사의 형태를 바꿀 것)

1 그녀는 그녀의 꿈을 이루기 위해서 열심히 공부한다. (study hard, can, achieve her dream)

→ _____

2 그 수업은 재미있을 뿐만 아니라 유용하다. (the class, interesting, helpful)

→ _____

3 그는 그의 엄마를 보자마자, 그녀에게 달려갔다. (see, run to)

→ _____

4 만약 네가 그녀를 방문한다면, 그녀는 행복할 것이다. (visit, be)

→ _____

[1-2] 빈칸에 들어갈 말로 알맞은 것을 고르시오.

1

> I hated carrots _____ I was a little girl.

① if ② unless
③ that ④ when
⑤ although

2

> Neither Tom _____ Julie knew about the festival.

① or ② so
③ nor ④ and
⑤ but

3 빈칸에 들어갈 말로 알맞지 <u>않은</u> 것을 <u>모두</u> 고르면?

> He went to bed early _____ he was tired.

① as ② since
③ because ④ although
⑤ because of

4 빈칸에 공통으로 들어갈 말로 알맞은 것은?

> • He is _____ poor that he cannot buy the bag.
> • She gave me a present, _____ I was very happy.

① if ② as
③ so ④ until
⑤ that

5 빈칸에 들어갈 말이 순서대로 짝 지어진 것은?

> • _____ you can't find it, let me know.
> • I hope _____ you will have a good time during the vacation.

① Unless – until ② Unless – that
③ If – and ④ If – as
⑤ If – that

6 밑줄 친 부분이 어법상 틀린 것은?

① I was <u>so</u> tired <u>that</u> I fell asleep quickly.
② Brush your teeth <u>before you go to bed</u>.
③ He <u>neither</u> watched TV <u>nor</u> listened to music.
④ <u>Although he knew the answer</u>, he didn't say anything.
⑤ <u>If you'll touch the screen</u>, you'll see the picture.

7 밑줄 친 부분의 우리말 뜻이 바르지 <u>않은</u> 것은?

① I heard <u>that he had a car accident</u>.
(그가 자동차 사고를 당했다는 것을)
② They didn't move <u>until the police arrived</u>.
(경찰이 도착할 때까지)
③ You will be hungry <u>if you don't have breakfast</u>.
(아침을 먹지 않으면)
④ We've been friends <u>since we first met at the camp</u>. (우리가 캠프에서 처음 만났기 때문에)
⑤ They ate popcorn <u>while they watched the movie</u>.
(그들은 영화를 보는 동안)

8 ① I didn't know that she was sick.

  ② I found that John couldn't swim.

  ③ I hope that you'll enjoy yourself here.

  ④ Do you think that he will win first prize?

  ⑤ It was shocking that he forgot my name.

9 ① As he wasn't hungry, he skipped lunch.

  ② As he didn't answer, I called him again.

  ③ As time passed, the weather got worse.

  ④ She doesn't like the flowers as they smell bad.

  ⑤ As Betty didn't bring her umbrella, she got wet.

10 빈칸에 If가 들어가기에 어색한 하나는?

  ① _____ you don't want to eat it, I'll have it.

  ② _____ you need a pencil, I can lend you mine.

  ③ _____ you make a mistake again, your mom will be so angry.

  ④ _____ you apologize to her, she won't forgive you.

  ⑤ _____ you take a taxi, you won't be late for the train.

11 빈칸에 들어갈 말이 보기 의 빈칸에 들어갈 말과 같은 것은?

> 보기 His name is either Tom _____ Brian.

  ① He was sleepy, _____ he took a nap.

  ② They felt tired _____ happy after the trip.

  ③ The little baby neither smiled _____ cried.

  ④ She goes to school by bus _____ on foot.

  ⑤ Both Tom _____ Jay are my classmates.

12 밑줄 친 Since의 의미가 보기 와 다른 하나는?

> 보기 Since she lost the match, she was disappointed.

  ① Since he had to work, he couldn't play with his children.

  ② Since I had a fever, I didn't go to school.

  ③ Since he left for Berlin, she hasn't met him.

  ④ Since you're young, you still need your parents' help.

  ⑤ Since she studied hard, she got good grades.

13 주어진 문장과 의미하는 바가 같은 것은?

> Not only Tim but also Brad wants to join the club.

  ① Both Tim and Brad want to join the club.

  ② Either Tim or Brad wants to join the club.

  ③ Neither Tim nor Brad wants to join the club.

  ④ Tim wants to join the club, but Brad doesn't.

  ⑤ Both Tim and Brad don't want to join the club.

14 짝 지어진 두 문장의 의미가 서로 다른 것은?

  ① Somi is young, but she is wise.

    = Although Somi is young, she is wise.

  ② Before we went to a restaurant, we took a walk.

    = We went to a restaurant while we took a walk.

  ③ Unless you are careful, you'll get hurt.

    = If you're not careful, you'll get hurt.

  ④ Ann isn't tall. Jane isn't tall, either.

    = Neither Ann nor Jane is tall.

  ⑤ Because he was hungry, he ate some bread.

    = He was hungry, so he ate some bread.

[15-16] 다음 우리말을 영어로 바르게 옮긴 것을 고르시오.

15
> 그 상자는 너무 무거워서 나는 그것을 들 수가 없었다.

① The box is very heavy so that I can't lift it.
② As the box is very heavy, I can't lift it.
③ The box was so heavy that I couldn't lift it.
④ The box was so heavy, but I couldn't lift it.
⑤ Although the box was heavy, I couldn't lift it.

16
> 나는 버스에 타자마자 그녀에게 전화했다.

① I called her as I got on the bus.
② I called her until I got on the bus.
③ I called her before I got on the bus.
④ I called her even though I got on the bus.
⑤ I called her as soon as I got on the bus.

고난도
17 밑줄 친 부분 중 어법상 틀린 것의 개수는?

> ⓐ If you take a nap, you'll feel better.
> ⓑ He hopes that she will be a scientist.
> ⓒ This is certain that she knows the secret.
> ⓓ He will stay here until his mom will come.
> ⓔ Daisy likes to not only sing but also dances.

① 1개   ② 2개   ③ 3개
④ 4개   ⑤ 5개

18 다음 문장에서 어법상 틀린 부분을 바르게 고친 것은?

> He lived in London since he was 5 years old.

① lived → lives   ② lived → has lived
③ since → after   ④ was → is
⑤ was → has been

고난도
19 다음 중 어법상 옳은 것끼리 짝 지어진 것은?

> ⓐ Both Paul and Cindy is from Canada.
> ⓑ She thought Sam was honest.
> ⓒ Neither you nor he are good at French.
> ⓓ If you exercise regularly, you'll be healthy.
> ⓔ They will go hiking or going to the beach.
> ⓕ We watched the movie after we finished dinner.

① ⓐ, ⓒ, ⓔ   ② ⓐ, ⓓ, ⓕ
③ ⓑ, ⓒ, ⓔ   ④ ⓑ, ⓓ, ⓕ
⑤ ⓒ, ⓓ, ⓕ

20 빈칸 (A)～(C)에 들어갈 말이 바르게 짝 지어진 것은?

> • _____(A)_____ he did his best, he failed the test.
> • The truth is _____(B)_____ Amy is afraid of dogs.
> • He closed the window _____(C)_____ he felt cold.

	(A)	(B)	(C)
①	Since	that	as
②	Since	this	so
③	Although	that	so
④	Although	this	as
⑤	Although	that	as

21 자연스러운 문장이 되도록 각 상자에서 알맞은 말을 하나씩 골라 문장을 완성하시오.

unless	you go out
before	you take a taxi
when	it gets dark

(1) Let's play soccer _____.

(2) Turn off the light _____.

(3) You'll be late _____.

22 우리말과 일치하도록 알맞은 접속사를 이용하여 문장을 완성하시오.

(1) 그는 이탈리아에도 스페인에도 가본 적이 없다.
(Italy, Spain)

→ He has been to _____.

(2) 문제는 그가 자전거를 탈 수 없다는 것이다.
(ride, a bike)

→ The problem is _____.

23 다음 밑줄 친 부분 중 어법상 틀린 곳을 두 개 찾아 기호를 쓰고 바르게 고쳐 쓰시오.

> ⓐ The novel was <u>so interesting that</u> I read it several times.
> ⓑ <u>As soon as you'll arrive home</u>, you should call me.
> ⓒ <u>Unless she doesn't help me</u>, I can't finish my homework.

(   ) → _____

(   ) → _____

24 그림을 보고, 조건 에 맞게 문장을 완성하시오.

(1)   (2)

> 조건 1. so ~ that …을 이용할 것
> 2. 괄호 안의 말을 이용할 것 (필요시 동사의 형태를 바꿀 것)

(1) The movie was _____.
(boring, fall asleep)

(2) The wind is _____.
(strong, fly her kite)

고난도
25 다음 Amy의 토요일 계획표를 보고, 조건 에 맞게 문장을 쓰시오.

Weather	Activity
(1) rain	play board games with my family
(2) snow	make a snowman with John

> 조건 1. 접속사 if를 사용할 것
> 2. 주절은 will을 이용해 미래시제로 쓸 것

(1) _____
_____

(2) _____
_____

관계사

POINT 1   관계대명사

POINT 2   주격 관계대명사

POINT 3   목적격 관계대명사

POINT 4   소유격 관계대명사

POINT 5   관계대명사 what

POINT 6   관계대명사의 생략

POINT 7   관계부사

POINT 8   관계부사의 종류

관계사는 두 문장에서 공통되는 부분을 묶어서 하나의 문장으로 연결해 주는 역할을 한다.

관계대명사는 형용사처럼 명사를 꾸며 줄 때 사용하며, 꾸며주는 명사의 뒤에 위치한다. 이때 <u>관계대명사가 이끄는 절</u>
이 꾸며주는 명사를 선행사라고 한다. └→ 관계대명사절

| I have a friend | **who** lives in Canada. | 나는 캐나다에 사는 친구가 있다. |

선행사↑ 관계대명사
└─── 관계대명사절

관계대명사는 두 문장을 연결하는 접속사 역할과 두 문장에서 공통되는 말을 대신하는 대명사 역할을 동시에 한다.

I have **a friend**.	**He** lives in Canada.	< a friend = He > 공통되는 말
→ I have **a friend**,	**and** **he** lives in Canada.	< 접속사 + 대명사 >
→ I have **a friend**	**who** lives in Canada.	< 관계대명사 >

관계대명사는 선행사의 종류와 관계대명사절에서의 역할(주격, 목적격, 소유격)에 따라 다르게 사용된다.

선행사 \ 격	주격	목적격	소유격
사람	who	who/whom	whose
사물 · 동물	which	which	
사람 · 사물 · 동물	that		–

I know a girl **who** speaks Chinese well. 나는 중국어를 잘하는 소녀를 알고 있다.
This is a camera **which** I bought yesterday. 이것은 어제 내가 산 카메라이다.

개념확인 옳은 해석 고르기

1 the boy who helped me
☐ 나를 도와준 남자아이
☐ 남자아이는 나를 도와주었다

2 the store which is near my house
☐ 상점은 우리 집에서 가깝다
☐ 우리 집에서 가까운 상점

기본연습 관계대명사를 찾아 동그라미를 하고, 선행사에 밑줄을 그으시오.

1 He met a boy who is from Nigeria.

2 This is the book which everybody likes.

2 Do you know the girl who likes James?

4 She bought a house whose garden is large.

5 I know a bakery which sells delicious bread.

6 We don't know the person who sent this letter.

7 Look at the bag that my sister bought yesterday.

주격 관계대명사는 관계대명사절에서 주어 역할을 한다. <u>선행사가 사람일 때 who를 쓰고, 선행사가 사물이나 동물</u>
<u>일 때 which를 쓴다.</u> 선행사에 관계없이 that을 쓸 수 있다.

| I know **a boy**. | **He** is very tall. | < a boy = He > |

I know **a boy** who(that) is very tall. 나는 키가 매우 큰 한 소년을 안다.
선행사(사람) 주격 관계대명사

| Look at **the house**. | **It** has a big garden. | < the house = It > |

Look at **the house** which(that) has a big garden. 큰 정원이 있는 저 집을 봐.
선행사(사물) 주격 관계대명사

> 궁금해요!
> that은 선행사가 사람이어도 쓸 수 있나요?

> 네, that은 선행사가 사람, 사물, 동물인 경우에 모두 쓸 수 있어요.

관계대명사가 주어 역할을 하므로 주격 관계대명사 뒤에 나오는 동사는 선행사의 인칭과 수에 일치시킨다.

He has a sister **who** is five years old. 그는 다섯 살인 여동생이 있다.
선행사(단수 명사) 단수 동사
There are many students **who** skip breakfast. 아침을 거르는 학생들이 많이 있다.
선행사(복수 명사) 복수 동사

주의 관계대명사 who와 의문사 who를 혼동하지 않도록 주의한다. 관계대명사 who는 앞에 선행사가 있고 who를 따로 해석하지 않지만, 의문사 who는 '누구'라고 해석한다.
She is the student **who** helped me. 〈주격 관계대명사〉 그녀는 나를 도와준 학생이다.
선행사
They don't know **who** she is. 〈의문사〉 그들은 그녀가 누구인지 모른다.

개념확인 주격 관계대명사와 선행사 찾기

1 He is the boy who gave me a gift. **2** My pet is the dog which has short legs.

기본연습 **A** 괄호 안에서 알맞은 것을 고르시오.

1 This is the skirt (who / which) is too big for me.

2 He has an aunt (who / which) is a famous designer.

3 I joined a book club (who / which) has many members.

4 I like Mike who (study / studies) in the same class as me.

5 You can eat the cookies (who / that) are on the table.

6 I enjoy movies which (has / have) happy endings.

7 The man who is wearing glasses (is / are) my uncle.

8 Look at the birds which (is / are) sitting in the tree.

9 A pilot is a person who (fly / flies) airplanes.

B 밑줄 친 부분이 어법상 맞으면 ○ 표시를 하고, 틀리면 바르게 고쳐 쓰시오.

1 I met the boy <u>which</u> painted this picture.　　　　→ _____

2 Look at the monkey <u>which</u> is eating a banana.　　　→ _____

3 This is the song which <u>are</u> popular in Korea.　　　→ _____

4 I have a friend <u>that</u> can speak Spanish.　　　　→ _____

5 There are many cafes which <u>has</u> nice views.　　　→ _____

6 She has a cat <u>which it</u> has green eyes.　　　　→ _____

7 Andy is watching a movie <u>which</u> is about the environment.　→ _____

8 The man who is wearing sunglasses <u>are</u> Mr. Green.　→ _____

C 관계대명사 who나 which를 이용하여 주어진 두 문장을 한 문장으로 바꿔 쓰시오.

1 Ben is my neighbor. He works in the museum.

→ Ben is my neighbor _____.

2 I know the writer. She wrote this novel.

→ I know the writer _____.

3 I want to buy this pencil case. It has a zipper.

→ I want to buy this pencil case _____.

4 She bought the book. It has many stories.

→ She bought the book _____.

5 We're looking for a restaurant. It is near the library.

→ We're looking for a restaurant _____.

6 Do you know the woman? She teaches English in our school.

→ Do you know the woman _____?

7 He saw many children. They were playing soccer in the park.

→ He saw many children _____.

**틀 리 기 쉬 운
내/신/포/인/트**

주격 관계대명사는 선행사가
사람이면 who나 that을
쓰고 사물이면 which나
that을 써요.

다음 중 어법상 옳은 문장은?

① I know the girl which is eating ice cream.
② He found the house who has four rooms.
③ This is the tree which is 200 years old.
④ There is a store who opens on Sundays.

목적격 관계대명사

정답 및 해설 p.35

목적격 관계대명사는 관계대명사절에서 목적어 역할을 한다. 선행사가 사람일 때 who 또는 whom을 쓰고, 사물이나 동물일 때 which를 쓴다. 선행사에 관계없이 that을 쓸 수 있다.

| He is **the teacher**. | I respect **him**. | < the teacher = him > |

He is **the teacher** who/whom(that) I respect. — 그는 내가 존경하는 선생님이다.
선행사(사람) · 목적격 관계대명사

| This is **a bag**. | My mom made **it**. | < a bag = it > |

This is **a bag** which(that) my mom made. — 이것은 엄마가 만드신 가방이다.
선행사(사물) · 목적격 관계대명사

주의 목적격 관계대명사는 목적어를 대신하므로, 관계대명사절에 목적어를 또 쓰지 않도록 유의한다.
I lost the bike. I bought it yesterday. < the bike = it >
→ I lost the bike **which** I bought it yesterday. 나는 어제 산 자전거를 잃어버렸다.

개념확인 목적격 관계대명사와 선행사 찾기

1 This is the movie which I watched yesterday.   **2** The boy whom I like is called Peter.

기본연습 **A** 괄호 안에서 알맞은 것을 고르시오.

1 This is the painting (whom / which) my friend painted.

2 He is the singer (whom / which) many teenagers like.

3 Check the items (whom / that) you need for fishing.

4 She has a little baby (whom / which) she takes care of.

5 Where are the socks (who / which) my mom gave me?

6 The person (whom / which) I respect is a famous scientist.

7 The watch (whom / which) we saw yesterday was expensive.

8 Do you know the girl (whom / which) I'm talking about?

9 The woman (which / whom) you met in Busan is my cousin.

10 The cookies (who / which) Sam baked were very delicious.

11 The chair (who / which) I bought last year is broken.

12 Do you remember the park (who / that) we visited in Barcelona?

B 우리말과 일치하도록 괄호 안의 말을 바르게 배열하여 문장을 완성하시오.

1 이것은 내가 버스에서 잃어버린 우산이다. (on the bus, I, which, lost)

→ This is the umbrella _____ .

2 그는 많은 사람들이 사랑하는 뮤지컬 배우이다. (whom, love, many people)

→ He is the musical actor _____ .

3 나는 그녀가 작년에 쓴 책을 읽는 것을 좋아한다. (last year, which, wrote, she)

→ I love reading the book _____ .

4 그가 우리가 극장에서 봤던 남자니? (at the theater, whom, saw, we)

→ Is he the man _____ ?

5 너는 네가 파리에서 도와드렸던 노부인을 기억하니? (in Paris, whom, helped, you)

→ Do you remember the old lady _____ ?

6 내 친구가 나에게 추천해 준 책은 재미있다. (my friend, that, to me, recommended)

→ The book _____ is interesting.

C 관계대명사 who(m)나 which를 이용하여 두 문장을 한 문장으로 바꿔 쓰시오.

1 I like the dress. Sora is wearing it.

→ I like the dress _____ .

2 She is the singer. I want to meet her.

→ She is the singer _____ .

3 Tom didn't believe the news. He heard it from Jane.

→ Tom didn't believe the news _____ .

4 The boy was very kind. I met him in New York.

→ The boy _____ was very kind.

5 How was the food? Susan made it for you.

→ How was the food _____ ?

6 This is the tree. My family planted it last summer.

→ This is the tree _____ .

밑줄 친 ①~④ 중 어법상 틀린 것은?

Is this ① the movie ② which you ③ watched ④ it yesterday?

POINT 4 소유격 관계대명사

소유격 관계대명사는 관계대명사절에서 소유격 역할을 하며, <u>선행사에 관계없이 whose를 쓴다.</u> 소유격 관계대명사 뒤에는 소유의 대상이 되는 명사가 온다.

Jason has **a sister**.	**Her name** is Alice.

소유격

→ | Jason has **a sister** | **whose** | **name** is Alice. | Jason은 이름이 Alice인 여동생이 있다.

선행사 ← 소유격 관계대명사

Tips 관계대명사 바로 뒤에 오는 품사에 따라 주격, 목적격, 소유격 관계대명사를 구별할 수 있다.

She is the girl **who** likes comic books. 그녀는 만화책을 좋아하는 소녀이다. [주격 관계대명사 뒤 → 동사]
She is the girl **whom** I met yesterday. 그녀는 내가 어제 만난 소녀이다. [목적격 관계대명사 뒤 → 주어+동사]
She is the girl **whose** uncle is a poet. 그녀는 삼촌이 시인인 소녀이다. [소유격 관계대명사 뒤 → 명사]

> 궁금해요!
> 소유격 관계대명사 whose 대신 that을 써도 되나요?

> 아니요. 소유격 관계대명사는 whose 대신 that을 쓸 수 없어요.

개념확인 옳은 표현 고르기

1 오빠가 모델인 친구
- ☐ a friend who brother is a model
- ☐ a friend whose brother is a model

2 색깔이 노란색인 자전거
- ☐ a bike that color is yellow
- ☐ a bike whose color is yellow

기본연습 **A** **보기**에서 알맞은 관계대명사를 골라 빈칸에 쓰시오. (중복 사용 가능)

보기	who	which	whose

1 John saw a man _____ hair was green.

2 I have a little brother _____ cries every night.

3 I'm looking for a bag _____ pocket is very big.

4 This is the blanket _____ I bought in Nepal.

5 She has a house _____ garden is full of flowers.

B 관계대명사 whose를 이용하여 두 문장을 한 문장으로 바꿔 쓰시오.

1 A giraffe is an animal. Its neck is very long.
→ A giraffe is an animal _____.

2 I had lunch at the restaurant. Its owner is Vietnamese.
→ I had lunch at the restaurant _____.

3 The man called the police. His car was stolen.
→ The man _____ called the police.

관계대명사 **what**은 선행사를 포함하는 관계대명사로, '~하는(한) 것'으로 해석한다. 관계대명사 **what**이 이끄는 명사절은 문장에서 주어, 목적어, 보어 역할을 한다.

주어	**What** you heard (is) true. →문장의 주어로 쓰인 경우 단수 취급해요.	네가 들은 것은 사실이다.
목적어	I remember **what** you told me.	나는 네가 내게 말했던 것을 기억한다.
보어	This is **what** he wants to buy.	이것은 그가 사고 싶어 하는 것이다.

주의 관계대명사 what은 선행사를 포함하고 있으므로, what 앞에 선행사가 오지 않는다.
She forgot *the thing* **what** she learned today. 그녀는 그녀가 오늘 배운 것을 잊어버렸다.

주의 관계대명사 what과 의문사 what의 쓰임을 구분하도록 한다. 관계대명사 what은 '~하는(한) 것'으로 해석하는 반면에, 의문사 what은 '무엇'으로 해석한다.
What I need is your help. 〈관계대명사〉 내가 필요한 것은 네 도움이다.
What is he doing? 〈의문사〉 그는 무엇을 하고 있니?

개념확인 밑줄 친 부분의 역할 고르기

1 What I need is a bike.
　□주어　□목적어　□보어

2 She gave me what I wanted.
　□주어　□목적어　□보어

3 This is what I'm looking for.
　□주어　□목적어　□보어

기본연습 A 밑줄 친 what의 알맞은 쓰임을 고르시오.

	관계대명사	의문사
1 Do you like what I bought for you?	□	□
2 I don't know what David's phone number is.	□	□
3 Look at the horse. What is it eating?	□	□
4 Is that what you lost?	□	□

B 밑줄 친 부분이 어법상 맞으면 ○ 표시를 하고, 틀리면 바르게 고쳐 쓰시오.

1 Cooking is which I enjoy.　　　　　→ _____

2 Tell me what you ate last night.　　　→ _____

3 What I want is a new computer.　　　→ _____

4 Everybody liked the things what she made.　→ _____

5 Is this what you want to show us?　　→ _____

6 What I need now are your advice.　　→ _____

C 밑줄 친 부분의 역할을 고르고, 해석을 완성하시오.

1 Do you believe <u>what he told you</u>? ☐ 주어 ☐ 목적어 ☐ 보어
→ 너는 _____을 믿니?

2 <u>What she said</u> is true. ☐ 주어 ☐ 목적어 ☐ 보어
→ _____은 사실이다.

3 This smartphone is <u>what I want to have</u>. ☐ 주어 ☐ 목적어 ☐ 보어
→ 이 스마트폰은 _____이다.

4 Show me <u>what you bought yesterday</u>. ☐ 주어 ☐ 목적어 ☐ 보어
→ _____을 내게 보여 줘.

5 <u>What he enjoys in winter</u> is skiing. ☐ 주어 ☐ 목적어 ☐ 보어
→ _____은 스키를 타는 것이다.

6 She has <u>what I'm looking for</u>. ☐ 주어 ☐ 목적어 ☐ 보어
→ 그녀는 _____을 가지고 있다.

7 Do you like <u>what I made for you</u>? ☐ 주어 ☐ 목적어 ☐ 보어
→ 너는 _____이 마음에 드니?

8 <u>What we need now</u> is your help. ☐ 주어 ☐ 목적어 ☐ 보어
→ _____은 너의 도움이다.

9 The news was <u>what I expected</u>. ☐ 주어 ☐ 목적어 ☐ 보어
→ 그 소식은 _____이었다.

10 Tell me <u>what you want to eat</u>. ☐ 주어 ☐ 목적어 ☐ 보어
→ _____을 내게 말해 줘.

11 This is exactly <u>what I wanted</u>. ☐ 주어 ☐ 목적어 ☐ 보어
→ 이것이 정확히 _____이다.

12 I lost <u>what he gave me</u>. ☐ 주어 ☐ 목적어 ☐ 보어
→ 나는 _____을 잃어버렸다.

틀 리 기 쉬 운
내/신/포/인/트

관계대명사 what과
의문사 what의 쓰임을
구분해야 해요.

밑줄 친 What(what)의 쓰임이 나머지와 다른 하나는?

① This is <u>what</u> I want.
② Do you believe <u>what</u> he told us?
③ <u>What</u> you need now is a rest.
④ Can you tell me <u>what</u> your name is?

목적격 관계대명사 who(m), which, that은 생략할 수 있다.

Tom likes the girl **(who/whom/that)** he met in the library.	Tom은 도서관에서 만난 소녀를 좋아한다.
This is the old car **(which/that)** he wants to sell.	이것은 그가 팔고 싶어 하는 오래된 차이다.
The dress **(which/that)** she is wearing is beautiful.	그녀가 입고 있는 드레스는 아름답다.

> **주의** 관계대명사 앞에 전치사가 있는 경우에는 목적격 관계대명사를 생략할 수 없다.
> This is the picture **for which** I was looking. 이것이 내가 찾고 있던 사진이다.

「주격 관계대명사＋be동사」는 생략할 수 있다.

Look at the boy **(who〔that〕is)** standing next to Sally.	Sally 옆에 서 있는 소년을 봐.
He couldn't read the book **(which〔that〕was)** written in Spanish.	그는 스페인어로 쓰여진 책을 읽을 수 없었다.

> **주의** 주격 관계대명사 뒤에 일반동사가 오는 경우에는 생략할 수 없다.
> I have a friend **who** plays the guitar well. 나는 기타를 잘 치는 친구가 있다.

주격 관계대명사만 생략할 수는 없어요.

개념확인 생략할 수 있는 부분 찾기

1 The painter whom I like most is Picasso.　　**2** Look at the child who is flying a kite.

기본연습 주어진 문장에서 생략 가능한 부분이 있으면 밑줄을 그으시오. (없는 경우 X 표시를 할 것)

1 They are tomatoes which my grandma grows.

2 I want to buy a table which is made of wood.

3 My sister is feeding a cat whose name is Choco.

4 My mom is talking with a woman who I helped yesterday.

5 Look at the full moon which is shining in the sky.

6 Is this the treasure box that people are looking for?

7 We know the woman who is sitting on the bench.

8 This is the museum which was built in the 1900s.

9 Jiho is my friend who reads ten books every month.

10 English is a language that is used all over the world.

11 He likes films which come from India.

12 I have some tennis balls that you play with.

13 This is the place in which we're staying.

POINT 7 관계부사

관계부사는 접속사와 부사(구)의 역할을 동시에 하며, 관계부사가 이끄는 절은 앞에 나온 선행사를 수식한다.

| I visited **the town**. | I was born | **in the town**. | 나는 그 마을을 방문했다. 나는 그 마을에서 태어났다. |

부사구

→ | I visited **the town** | **where** | I was born. | 나는 내가 태어난 마을을 방문했다. |

선행사   관계부사

Tips 관계대명사 뒤에는 주어나 목적어가 없는 불완전한 문장이 오지만, 관계부사 뒤에는 완전한 문장이 온다.

〈관계대명사〉 This is the man **who** helped me. 이 사람이 나를 도운 남자이다.

This is the park **which** I love. 이곳은 내가 아주 좋아하는 공원이다.
└→ 동사+목적어

〈관계부사〉 This is the park **where** I fly a kite. 이곳은 내가 연을 날리는 공원이다.
└→ 주어+동사   └→ 주어+동사+목적어

주의 선행사가 같더라도 관계대명사와 관계부사가 쓰이는 경우가 다르므로, 선행사만 보고 판단하지 않도록 유의한다.

개념확인 관계부사 찾기

1 This is the place where the bus stop is.　　　　**2** This is the restaurant where we had lunch.

기본연습 괄호 안에서 알맞은 것을 고르시오.

1 This is the stadium (which / where) they play baseball.

2 They like the store (which / where) are full of toys.

3 This is the park (which / where) my dad and I ride our bikes.

4 I'll show you the store (which / where) I bought my pen.

5 The city has a castle (which / where) was built 200 years ago.

6 Let's go to the zoo (which / where) our children have a great time.

7 This is the apartment (which / where) he wants to buy.

8 Incheon is the city (which / where) I spent my childhood.

틀 리 기 쉬 운 내/신/포/인/트

관계부사 뒤에는 완전한 문장이 오고, 관계대명사 뒤에는 주어나 목적어가 없는 불완전한 문장이 와요.

빈칸에 where가 들어갈 수 없는 것은?

① I went to the village ＿＿＿＿＿＿ they lived.

② There is a bakery ＿＿＿＿＿＿ you can buy bread.

③ We visited the town ＿＿＿＿＿＿ is near the beach.

④ This is the store ＿＿＿＿＿＿ I bought my shoes.

관계부사의 종류

정답 및 해설 p.36

선행사에 따라 관계부사 **where**, **when**, **why**, **how**를 쓴다.

관계부사	선행사	
where	장소 (the place, the house 등)	Suwon is **the city where** I was born. 수원은 내가 태어난 도시이다. This is **the town where** my best friend lives. 이곳은 내 가장 친한 친구가 사는 마을이다.
when	시간 (the time, the day, the year 등)	I remember **the day when** I first met her. 나는 그녀를 처음 만난 날을 기억한다. Think about **the time when** we became friends. 우리가 친구가 된 때를 생각해 봐.
why	이유 (the reason)	Tell me **the reason why** you were late. 네가 늦은 이유를 내게 말해 줘. I know **the reason why** she called you. 나는 그녀가 네게 전화한 이유를 안다.
how	방법 (the way)	Tell me **how** you solved this puzzle. (= Tell me **the way** you solved this puzzle.) 네가 이 퍼즐을 푼 방법을 내게 말해 줘.

주의 관계부사 how와 선행사 the way는 함께 쓸 수 없고, 둘 중 하나만 써야 한다.

개념확인 관계부사와 선행사 찾기

1 This is the gym where I exercise every day.　　**2** Today is the day when we take a test.

기본연습 A 괄호 안에서 알맞은 것을 고르시오.

1 Monday is the day (where / when) the restaurant doesn't open.

2 I know the reason (why / how) Cindy looks so happy.

3 I remember (the day / the place) when I won the quiz show.

4 This is the store (where / when) Jina found my wallet.

5 Can you show me (how / the way how) you use chopsticks?

6 I don't know (the day / the reason) why the movie is popular.

7 Seoul is (the city / the time) where I was born.

8 I'll tell you (the way how / the way) I study Spanish.

B 빈칸에 알맞은 관계부사를 쓰시오.

1 Tomorrow is the day _____ my sister was born.

2 I want to know the reason _____ she was absent.

3 This is the bakery _____ my mom bought the chocolate cake for me.

4 2019 is the year _____ Jaemin moved to Busan.

5 He showed us _____ he solved the math problem.

6 This is the town _____ many people want to travel.

7 Can you tell me the reason _____ you left the party early?

8 Summer is the season _____ we enjoy swimming.

C 관계부사를 이용하여 두 문장을 한 문장으로 바꿔 쓰시오.

1 I won't forget the day. I passed the audition then.

→ I won't forget the day _____.

2 She showed us the way. She made the robot cleaner in the way.

→ She showed us _____.

3 I don't know the reason. She was upset for the reason.

→ I don't know the reason _____.

4 Italy is the country. We can enjoy a lot of delicious food there.

→ Italy is the country _____.

5 Tomorrow is the day. My brother has an important interview on the day.

→ Tomorrow is the day _____.

6 New York is the city. I want to live in the city.

→ New York is the city _____.

틀 리 기 쉬 운
내/신/포/인/트

관계부사 where는 장소,
when은 시간, why는 이
유의 선행사와 함께 쓸 수
있지만, how는 선행사와
함께 쓸 수 없어요.

밑줄 친 부분이 어법상 틀린 것은?

① Sunday is the day when we don't go to school.
② Do you know the reason why he looks sad?
③ I went to the house where my dad was born.
④ This is the way how she cooked the soup.

Map으로 개념 정리하기

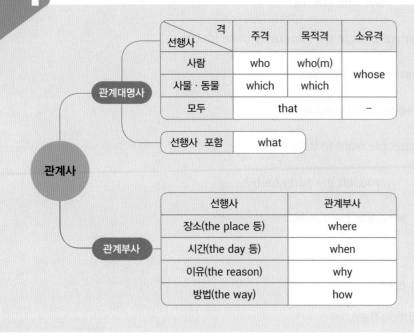

격 선행사	주격	목적격	소유격
사람	who	who(m)	whose
사물 · 동물	which	which	
모두	that		–

선행사 포함	what

관계대명사

관계사

선행사	관계부사
장소(the place 등)	where
시간(the day 등)	when
이유(the reason)	why
방법(the way)	how

관계부사

Quick Check

❶ This is the book (who / which) I like.

❷ He is the boy (who / which) I like.

❸ I know a girl _____ name is Sumi.

❹ Remember (which / what) I told you.

❺ This is the park _____ I take a rest.

❻ I remember the day (when / where) I first met her.

❼ Tell me the reason (why / how) she was late.

❽ I told her (the way how / how) I took the picture.

기본 다지기

빈칸완성

A 우리말과 일치하도록 빈칸에 알맞은 관계사를 넣어 문장을 완성하시오.

1 그녀는 집 옆에 있는 나무 아래에 앉아 있다.

→ She's sitting under the tree _____ is beside the house.

2 David는 차가 고장 난 여자를 도왔다.

→ David helped a woman _____ car broke down.

3 Jasmine은 우리가 축제에서 본 영화배우이다.

→ Jasmine is the movie star _____ we saw in the festival.

4 네가 시장에서 산 것을 나에게 보여 줘.

→ Show me _____ you bought at the market.

5 도서관은 우리가 책을 빌릴 수 있는 곳이다.

→ A library is a place _____ we can borrow books.

6 나는 Smith 씨가 우리 가족을 방문한 날을 기억한다.

→ I remember the day _____ Ms. Smith visited my family.

B 밑줄 친 부분이 어법상 맞으면 ○ 표시를 하고, 틀리면 바르게 고쳐 쓰시오.

1 The game result was not <u>which</u> I expected. → _____

2 The vase <u>what</u> I gave you was made in Germany. → _____

3 Harry saw a girl <u>which</u> was singing in the rain. → _____

4 Do you know the man <u>standing</u> at the gate? → _____

5 Rapunzel is a princess <u>which</u> hair is very long. → _____

6 I can't say the reason <u>when</u> my brother hates candies. → _____

7 Do you understand <u>what</u> she is saying? → _____

8 I want to know <u>the way how</u> he got there. → _____

9 <u>The person you met</u> on the station is my uncle. → _____

C 알맞은 관계사를 이용하여 주어진 두 문장을 한 문장으로 바꿔 쓰시오.

1 Dona has an old brother. He is a famous violinist.

→ _____

2 He is reading the letter. I sent it to him.

→ _____

3 A hippo is an animal. Its mouth is really big.

→ _____

4 There is a market. We can buy fresh fruit in the place.

→ _____

5 Do you know the reason? He gave up the speech contest for the reason.

→ _____

6 I want the special shoes. They can make me fly.

→ _____

7 Can you tell me the way? You changed her mind in the way.

→ _____

8 This is the house. My grandfather built it ten years ago.

→ _____

STEP 3 서술형 따라잡기

그림이해

A 그림을 보고, 보기 의 관계대명사와 괄호 안의 말을 이용하여 문장을 완성하시오.

보기	whom	which	whose

1

A camel is an animal _____.
(can, live, in deserts)

2

The man _____ is my favorite singer.
(see, on the street)

영작완성

B 우리말과 일치하도록 괄호 안의 말을 바르게 배열하여 문장을 쓰시오.

1 이 영화는 내가 보고 싶었던 것이다. (what, wanted, this movie, to, I, is, watch)

→ _____

2 그는 딸이 소방관인 이웃이 있다. (has, a firefighter, whose, a neighbor, daughter, is, he)

→ _____

3 나는 내 조카가 태어난 날을 기억한다. (my nephew, I, the day, when, remember, was born)

→ _____

4 그녀는 그녀가 작년에 머물렀던 마을을 그리워한다. (she, the town, she, stayed, misses, last year, where)

→ _____

문장영작

C 우리말과 일치하도록 알맞은 관계사와 괄호 안의 말을 이용하여 영작하시오. (that은 제외할 것)

1 Mark는 춤 경연 대회에서 우승한 소년이다. (the boy, win, the dance contest)

→ _____

2 그가 말한 것은 사실이 아니다. (say, true) (선행사를 포함하는 관계사를 쓸 것)

→ _____

3 이것은 Julie가 파리에서 산 신발이다. (the shoes, buy, in Paris)

→ _____

4 나는 그들이 늦은 이유를 모른다. (the reason, be, late)

→ _____

[1-2] 빈칸에 들어갈 말로 알맞은 것을 고르시오.

1
Do you know the boy _____ is playing the piano?

① who
② whom
③ what
④ which
⑤ whose

2
The girl _____ hair is red is my sister.

① which
② that
③ who
④ whose
⑤ whom

3 밑줄 친 부분과 바꿔 쓸 수 있는 말을 모두 고르면?

Mr. Johnson is the teacher whom many students respect.

① who
② which
③ whose
④ what
⑤ that

[4-5] 빈칸에 들어갈 말이 순서대로 짝 지어진 것을 고르시오.

4
• This is the toy car _____ my uncle made.
• Look at that house _____ roof is red.

① who – which
② who – whose
③ whose – which
④ which – whose
⑤ which – who

5
• This is _____ I was looking for.
• I need a place _____ I can take a rest.

① which – what
② which – where
③ what – which
④ what – what
⑤ what – where

[6-7] 빈칸에 공통으로 알맞은 말을 고르시오.

6
• This is the computer _____ my father bought for me.
• Marco is my friend _____ comes from Italy.

① who
② which
③ that
④ whose
⑤ what

7
• I don't know _____ she is.
• Helen is the person _____ sent me the letter.

① that
② what
③ which
④ who
⑤ whose

8 밑줄 친 What(what)의 쓰임이 보기와 같은 것은?

> 보기 What I need is a new pen.

① Do you know what it is?

② What's your favorite food?

③ What do you like to do in your free time?

④ What Emma said was very surprising.

⑤ What is he going to do tomorrow?

9 주어진 두 문장을 한 문장으로 바르게 바꾼 것은?

> Jason is a chef. I like him best.

① Jason is the chef which I like best.

② Jason is the chef which I like him best.

③ Jason is the chef whom I like best.

④ Jason is the chef whom I like him best.

⑤ Jason is the chef that I like him best.

10 밑줄 친 부분이 어법상 틀린 것은?

① The shirt which he bought is too big.

② A cheetah is an animal that runs really fast.

③ Do you know the boy whose name is Luke?

④ The library doesn't have the book what I want.

⑤ The woman who is wearing sunglasses is a famous singer.

11 빈칸에 where가 들어갈 수 없는 것은?

① Let's go to the place _____ we can swim.

② This is the shop _____ I bought my watch.

③ This is the town _____ my uncle lives.

④ Busan is the city _____ I was born.

⑤ We visited the museum _____ was built in 2000.

12 밑줄 친 that의 쓰임이 나머지와 다른 하나는?

① Look at the robot that I made.

② This is the present that Ann gave me.

③ I know the dog that you are talking about.

④ Julie is my classmate that lives next door.

⑤ The man that you saw yesterday is Mr. Baker.

13 밑줄 친 부분을 생략할 수 없는 것은?

① Jisu has a brother whom I know well.

② Do you know the girl who is dancing on the stage?

③ The house which he bought has a beautiful garden.

④ Mr. Kim lives in a house which is built in 1980.

⑤ She is the person who asked me the way to the station.

고난도
14 다음 중 어법상 옳은 문장의 개수는?

> ⓐ This smartphone is which I want to buy.
>
> ⓑ We saw a cat whose fur was brown.
>
> ⓒ The movie which I watched it yesterday was funny.
>
> ⓓ What I like is swimming in the pool.

① 0개   ② 1개   ③ 2개

④ 3개   ⑤ 4개

15 빈칸 (A)~(C)에 들어갈 말이 바르게 짝 지어진 것은?

> • Don't forget the day ___(A)___ we first met.
> • Show me ___(B)___ you have in your pocket.
> • Is there a bakery ___(C)___ opens on Sundays?

	(A)		(B)		(C)
①	where	−	that	−	where
②	where	−	what	−	which
③	when	−	what	−	which
④	when	−	what	−	where
⑤	when	−	that	−	which

16 밑줄 친 부분이 어법상 옳은 것은?

① I know <u>the reason where</u> he likes dessert.
② London is <u>the place how</u> they lived before.
③ Tell me <u>the way how</u> you solved the problem.
④ He remembers <u>the time why</u> I came to Korea.
⑤ This is <u>how</u> we fixed the machine.

17 다음 중 어법상 틀린 문장끼리 짝 지어진 것은?

> ⓐ He is watching the horror movie which I don't like.
> ⓑ Jenny is my classmate who run really fast.
> ⓒ I bought the T-shirt which color was green.
> ⓓ The old man reading a newspaper is my grandfather.

① ⓐ, ⓑ 　② ⓐ, ⓒ 　③ ⓑ, ⓒ
④ ⓑ, ⓓ 　⑤ ⓑ, ⓒ, ⓓ

18 우리말과 일치하도록 괄호 안의 말을 배열할 때 일곱 번째로 오는 단어는?

> 나는 요리할 수 있는 로봇을 사고 싶다.
> (can, I, to, a robot, want, which, buy, cook)

① can 　② a 　③ robot
④ which 　⑤ cook

19 빈칸에 들어갈 말이 나머지와 <u>다른</u> 하나는?

① I agree with _____ she said.
② This shop has _____ I'm looking for.
③ I'll tell you _____ she told me.
④ This is the scarf _____ Monica gave me.
⑤ _____ he needs now is a rest.

20 다음 빈칸에 들어가지 <u>않는</u> 것은?

> • I explained _____ we can do for the children.
> • He doesn't know the time _____ the train arrives.
> • Hand me the book _____ cover is blue.
> • We saw a boy _____ was walking his dog.

① when 　② where 　③ whose
④ who 　⑤ what

21 관계대명사 what과 괄호 안의 말을 이용하여 대화를 완성하시오.

> A: Let me know _____.
> 　　　　　　　　　　(want, eat)
> B: I want to eat spaghetti.

22 그림을 보고, 주어진 조건에 맞게 괄호 안의 말을 이용하여 문장을 완성하시오.

> 조건 1. 관계대명사를 이용할 것 (단, that은 제외)
> 　　　2. 현재시제로 쓸 것

(1) The boy _____
　　 is eating a sandwich. (have, red hair)

(2) The girl is riding a bike _____.
　　 (be, colorful)

23 알맞은 관계부사를 이용하여 주어진 두 문장을 한 문장으로 바꿔 쓰시오.

(1) This is the park. I play tennis in the park.

　　→ _____

(2) Tell me the reason. They are smiling at me for the reason.

　　→ _____

24 주어진 문장에서 생략할 수 있는 부분을 찾아 생략한 후, 문장을 다시 쓰시오.

(1) I'm looking for a sweater which I bought last week.

　　→ _____

(2) The boy who is playing the guitar is my brother.

　　→ _____

고난도
25 우리말과 일치하도록 조건에 맞게 문장을 쓰시오.

> 조건 1. 관계대명사 또는 관계부사를 반드시 포함할 것
> 　　　2. 괄호 안의 말을 이용해 총 9단어로 쓸 것

(1) 짧은 다리를 가진 개를 봐.
　　 (the dog, have, the short legs)

　　→ _____

(2) 이 케이크는 내가 너를 위해 오늘 구운 것이다.
　　 (this cake, bake, for you)

　　→ _____

(3) 나는 내가 그 배우를 보았던 그날을 기억한다.
　　 (the day, see, the actress)

　　→ _____

CHAPTER 13

가정법

POINT 1   조건문 vs. 가정법

POINT 2   가정법 과거

POINT 3   가정법 과거완료

POINT 4   I wish 가정법

POINT 5   as if 가정법

If I were a bird ...

가정법은 실현 불가능한 일을 가정하여 말할 때 쓴다.

조건문은 어떤 일이 실제로 일어날 가능성이 있을 때 쓰고, 가정법은 현재 또는 과거 사실과 반대되거나 일어나기 힘든 일을 가정하여 말할 때 쓴다.

조건문	If I **have** time, I **will go** shopping. └─if절─┘ └────주절────┘	내가 시간이 **있으면**, 나는 쇼핑을 갈 것이다. (→ 시간이 있을 가능성이 있고, 시간이 있으면 쇼핑을 갈 수 있음)
가정법	If I **had** time, I **would go** shopping. └─if절─┘ └────주절────┘	내가 시간이 **있다면**, 나는 쇼핑을 갈 텐데. (→ 현재 시간이 없거나 시간이 있을 가능성이 (거의) 없어서 쇼핑을 가지 못함)

둘 다 '(만약) ~라면'이라는 뜻의 접속사 if를 사용해요.

if절과 주절의 동사 형태를 보면, 조건문인지 가정법인지 구분할 수 있다.

조건문	If you **go** to Egypt, you **can see** the pyramids. 네가 이집트에 **가면**, 너는 피라미드를 볼 수 있다. (→ 이집트에 갈 가능성이 있고, 이집트에 가면 피라미드를 볼 수 있음)	if절의 동사는 현재형, 주절의 동사는 현재형 또는 미래형을 써요.
가정법	If you **went** to Egypt, you **could see** the pyramids. 네가 이집트에 **간다면**, 너는 피라미드를 볼 수 있을 텐데. (→ 현재 이집트에 가지 않거나 이집트에 갈 가능성이 (거의) 없어서 피라미드를 볼 수 없음)	if절과 주절 모두 과거형을 써요.

개념확인 조건문과 가정법 구분하기

1 If I have enough money, I'll buy a watch.

☐ 조건문　☐ 가정법

2 If I had the book, I would lend it to you.

☐ 조건문　☐ 가정법

기본연습 밑줄 친 동사 형태에 유의하여 각 문장이 나타내는 올바른 의미를 고르시오.

1 If they <u>were</u> here, I <u>would be</u> happy.

☐ 그들은 현재 여기에 있다.　☐ 그들은 현재 여기에 없다.

2 If he <u>is</u> busy, he <u>won't go</u> to the movies.

☐ 그는 바쁘다.　☐ 그는 바쁠 수도 있다.

3 If I <u>knew</u> his address, I <u>could write</u> him a letter.

☐ 나는 그의 주소를 알고 있다.　☐ 나는 그의 주소를 알지 못한다.

4 If he <u>has</u> enough time, he <u>will cook</u> dinner.

☐ 그는 시간이 충분하면 요리를 할 것이다.　☐ 그는 시간이 없어서 요리를 할 수 없다.

5 If she <u>had</u> the key, she <u>could open</u> the box.

☐ 그녀는 현재 열쇠가 있다.　☐ 그녀는 현재 열쇠가 없다.

6 If it <u>is</u> sunny tomorrow, we <u>will go</u> fishing.

☐ 내일 날씨가 맑으면 낚시를 갈 것이다.　☐ 내일 날씨와 상관없이 낚시를 갈 것이다.

7 If I <u>remembered</u> her phone number, I <u>could call</u> her.

☐ 나는 그녀의 전화번호를 기억한다.　☐ 나는 그녀의 전화번호를 기억하지 못한다.

가정법 과거는 현재 사실과 반대되거나 일어나기 힘든 일을 가정할 때 쓴다. '(만약) ~한다면, …할 텐데.'의 의미를 나타낸다.

> 조동사의 쓰임에 따라 해석이 달라져요.
> • would: …할 텐데 • could: …할 수 있을 텐데 • might: …할지도 모를 텐데

If	+주어	+동사의 과거형	~,	주어	+조동사의 과거형	+동사원형 …	
If	I	**knew**	the answer,	I	**would**	**tell** you.	내가 답을 **안다면**, 너에게 **말할 텐데**. (현재 답을 몰라서 말하지 못함)
If	I	**were**	a bird,	I	**could**	**fly**.	내가 새라면, 나는 날 수 있을 텐데. (새가 아니라서 날 수 없음)

if절의 be동사는 주어에 상관없이 주로 were를 써요.

가정법 과거는 사실 그대로를 말하는 직설법 현재로 바꿔 쓸 수 있다. 이때 if 대신 이유를 나타내는 접속사 as나 because를 사용한다.

가정법 과거	**If** it **were** sunny, I **would go** hiking.	날씨가 맑으면, 나는 등산을 갈 텐데.
직설법 현재	**As** it **isn't** sunny, I **can't go** hiking.	날씨가 맑지 않기 때문에, 등산을 갈 수 없다.

가정법 과거가 '긍정'이면 직설법 현재는 '부정'으로, 가정법 과거가 '부정'이면 직설법 현재는 '긍정'으로 바꿔 써야 해요.

If I **didn't know** the password, I **couldn't open** the door. 내가 비밀번호를 모르면, 나는 문을 열 수 없을 텐데.

→ **As** I **know** the password, I **can open** the door. 나는 비밀번호를 알기 때문에, 문을 열 수 있다.

Tips 가정법 과거는 동사의 형태는 과거형이지만 현재에 대한 내용이므로, 직설법으로 바꿀 때 시제를 현재로 바꿔 써야 한다.

개념확인 올바른 의미 고르기

1 If I were not tired, I would play soccer.
- ☐ 나는 피곤하지 않아서 축구를 한다.
- ☐ 나는 피곤해서 축구를 하지 못한다.

2 If I had wings, I could fly in the sky.
- ☐ 나는 날개가 없어서 하늘을 날 수 없다.
- ☐ 나는 날개가 있어서 하늘을 날 수 있다.

기본연습 **A** 우리말과 일치하도록 괄호 안에서 알맞은 것을 고르시오.

1 그가 서울에 있다면, 나는 그를 만날 수 있을 텐데.

→ If he (is / were) in Seoul, I could meet him.

2 네가 여기에 산다면, 나는 너를 매일 볼 수 있을 텐데.

→ If you lived here, I (can / could) see you every day.

3 내가 숙제를 끝낸다면, 나는 TV를 볼 텐데.

→ If I (finish / finished) my homework, I would watch TV.

4 그녀가 감기에 걸린 게 아니라면, 그녀는 테니스를 칠 수 있을 텐데.

→ If she (doesn't / didn't) have the flu, she could play tennis.

5 내가 부자라면, 나는 전 세계를 여행할 텐데.

→ If I (am / were) rich, I (traveled / would travel) around the world.

B 우리말과 일치하도록 괄호 안의 말을 이용하여 문장을 완성하시오.

1 내가 그의 주소를 안다면, 나는 그에게 편지를 쓸 텐데. (know, write)

→ If I _____ his address, I _____ _____ him a letter.

2 내가 너라면, 미술 동아리에 가입할 텐데. (be, join)

→ If I _____ you, I _____ _____ the art club.

3 우리가 시간이 있다면, 우리는 함께 운동을 할 수 있을 텐데. (have, exercise)

→ If we _____ time, we _____ _____ together.

4 Jane이 일찍 잠자리에 든다면, 그녀는 피곤하지 않을 텐데. (go, be)

→ If Jane _____ to bed early, she _____ _____ so tired.

5 그가 열심히 공부한다면, 그는 시험에 통과할 수 있을 텐데. (study, pass)

→ If he _____ hard, he _____ _____ the test.

6 그 개가 더 깊이 땅을 판다면, 그 뼈다귀를 찾을 수 있을 텐데. (dig, find)

→ If the dog _____ deeper, it _____ _____ the bone.

C 주어진 문장을 가정법 과거 문장으로 바꿔 쓸 때, 빈칸에 알맞은 말을 쓰시오.

1 As David is sick, he can't play outside.

→ If David _____ sick, he _____ _____ outside.

2 As we don't have enough money, we can't buy a new car.

→ If we _____ enough money, we _____ _____ a new car.

3 As she is busy, she can't ride her bike.

→ If she _____ busy, she _____ _____ her bike.

4 As I don't have a ticket, I can't see the musical.

→ If I _____ a ticket, I _____ _____ the musical.

5 As Sora doesn't speak English well, she can't talk with foreigners.

→ If Sora _____ English well, she _____ _____ with foreigners.

6 As she doesn't live there, she cannot see the sea every day.

→ If she _____ there, she _____ _____ the sea every day.

틀리기 쉬운 내/신/포/인/트

가정법 과거 문장에서는 if절과 주절의 시제를 과거로 써야 해요.

빈칸에 들어갈 말로 알맞은 것은?

If he _____ a flying carpet, he would fly in the sky.

① have   ② has   ③ had   ④ has had

POINT 3 가정법 과거완료
* 과거완료는 「had + 과거분사」의 형태로 과거의 어느 시점보다 이전에 일어난 일을 나타낼 때 써요.

가정법 과거완료는 과거 사실과 반대되거나 과거에 이루지 못한 일을 가정할 때 쓴다. '(만약) ~했다면, …했을 텐데.'라는 의미를 나타낸다.

If	+주어	+had+과거분사 ~,	주어	+조동사의 과거형	+have+과거분사 ….	
If	I	had run,	I	would	have caught the bus.	내가 **뛰었다면**, 나는 버스를 **잡아탔을 텐데**. (과거에 뛰지 않아서 버스를 잡아타지 못했음)
If	he	had been here,	he	could	have helped me.	그가 여기 **있었다면**, 그는 나를 **도울 수 있었을 텐데**. (과거에 그가 여기 없었기 때문에 나를 도와줄 수 없었음)

가정법 과거완료는 접속사 as나 because를 사용하여 직설법 과거로 바꿔 쓸 수 있다.

가정법 과거완료	If I **had had** a ticket, I **would have watched** the movie.	내게 표가 **있었다면**, 그 영화를 **봤을 텐데**.
직설법 과거	As I **didn't have** a ticket, I **didn't watch** the movie.	나는 표가 **없었기** 때문에, 그 영화를 **보지 못했다**.

가정법 과거완료가 '긍정'이면 직설법 과거는 '부정'으로, 가정법 과거완료가 '부정'이면 직설법 과거는 '긍정'으로 바꿔 써야 해요.

If he **had not come** late, he **could have met** her. 그가 늦게 오지 않았다면, 그는 그녀를 만날 수 있었을 텐데.

→ **As** he **came** late, he **couldn't meet** her. 그가 늦게 왔기 때문에, 그는 그녀를 만날 수 없었다.

개념확인 올바른 의미 고르기

If I had had time, I would have cleaned my room.

☐ 시간이 있어서 방을 청소했다.　　　☐ 시간이 없어서 방을 청소하지 못했다.

기본연습 **A** 우리말과 일치하도록 괄호 안에서 알맞은 것을 고르시오.

1 내가 배가 고팠다면, 나는 햄버거 두 개를 먹었을 텐데.

→ If I (were / had been) hungry, I would have eaten two hamburgers.

2 그들이 택시를 탔다면, 그들은 제시간에 도착했을 텐데.

→ If they had taken a taxi, they (would arrive / would have arrived) on time.

3 네가 일찍 왔다면, 너는 네가 가장 좋아하는 가수를 볼 수 있었을 텐데.

→ If you (came / had come) earlier, you could have seen your favorite singer.

4 내가 일찍 출발했다면, 나는 기차를 놓치지 않았을 텐데.

→ If I had left early, I (wouldn't miss / wouldn't have missed) the train.

5 그녀가 다리를 다치지 않았다면, 그녀는 마라톤을 뛸 수 있었을 텐데.

→ If she hadn't hurt her leg, she (could run / could have run) the marathon.

6 그가 나를 도와주었다면, 나는 그 일을 할 수 있었을 텐데.

→ If he (has helped / had helped) me, I could have done the work.

B 우리말과 일치하도록 괄호 안의 말을 이용하여 문장을 완성하시오.

1 그가 이 마을에 살았다면, 그는 나를 방문했을 텐데. (live, visit)

→ If he ＿＿＿＿＿ ＿＿＿＿＿ in this town, he ＿＿＿＿＿ ＿＿＿＿＿ ＿＿＿＿＿ me.

2 우리가 열심히 연습했다면, 우리는 경기를 이길 수 있었을 텐데. (practice, win)

→ If we ＿＿＿＿＿ ＿＿＿＿＿ hard, we ＿＿＿＿＿ ＿＿＿＿＿ ＿＿＿＿＿ the game.

3 내가 운동을 규칙적으로 했다면, 나는 더 건강했을 텐데. (exercise, be)

→ If I ＿＿＿＿＿ ＿＿＿＿＿ regularly, I ＿＿＿＿＿ ＿＿＿＿＿ ＿＿＿＿＿ healthier.

4 내가 시간이 더 있었다면, 나는 숙제를 끝낼 수 있었을 텐데. (have, finish)

→ If I ＿＿＿＿＿ ＿＿＿＿＿ more time, I ＿＿＿＿＿ ＿＿＿＿＿ ＿＿＿＿＿ my homework.

5 그녀가 아프지 않았다면, 그녀는 파티에 왔을 텐데. (be, come)

→ If she ＿＿＿＿＿ ＿＿＿＿＿ sick, she ＿＿＿＿＿ ＿＿＿＿＿ ＿＿＿＿＿ to the party.

C 주어진 문장을 가정법 과거완료로 바꿔 쓸 때, 빈칸에 알맞은 말을 쓰시오.

1 As we didn't eat dinner, we were hungry.

→ If we ＿＿＿＿＿ ＿＿＿＿＿ dinner, we ＿＿＿＿＿ ＿＿＿＿＿ ＿＿＿＿＿ hungry.

2 As I wasn't careful, I broke the vase.

→ If I ＿＿＿＿＿ ＿＿＿＿＿ careful, I ＿＿＿＿＿ ＿＿＿＿＿ ＿＿＿＿＿ the vase.

3 As I ran to school, I wasn't late for class.

→ If I ＿＿＿＿＿ ＿＿＿＿＿ to school, I ＿＿＿＿＿ ＿＿＿＿＿ ＿＿＿＿＿ late for class.

4 As you helped me, I could make a cheesecake.

→ If you ＿＿＿＿＿ ＿＿＿＿＿ me, I ＿＿＿＿＿ ＿＿＿＿＿ ＿＿＿＿＿ a cheesecake.

5 As he didn't have time, he couldn't play basketball.

→ If he ＿＿＿＿＿ ＿＿＿＿＿ time, he ＿＿＿＿＿ ＿＿＿＿＿ ＿＿＿＿＿ basketball.

틀리기 쉬운
내/신/포/인/트

if절과 주절의 동사 형태를 보고 가정법 과거인지 가정법 과거완료인지 구별할 수 있어야 해요.

빈칸에 들어갈 말이 바르게 짝 지어진 것은?

- If I ＿＿＿＿＿ you, I would buy the blue bag.
- If I ＿＿＿＿＿ shopping, I would have bought a gift for him.

① am − went
② were − went
③ were − had gone
④ had been − had gone

〈I wish+가정법 과거〉는 현재의 이루기 힘든 소망이나 아쉬움을 표현하며, '(현재) ~라면 좋을 텐데.'라는 의미를 나타낸다.

I wish	+주어+동사의 과거형 ~.
I wish	I **had** a new computer.
	I **were** a movie star.

내가 새 컴퓨터를 가지고 있다면 좋을 텐데.

내가 영화배우라면 좋을 텐데.

→ be동사는 주어에 상관없이 주로 were를 써요.

> 궁금해요!
> '내가 날 수 있다면 좋을 텐데.'는 어떻게 표현하나요?
>
> I wish I could fly.라고 표현해요. 동사의 과거형 대신에 「조동사의 과거형+동사원형」 을 쓸 수 있어요.

「I wish+주어+동사의 과거형 ~.」은 「I'm sorry (that)+주어+동사의 현재형 ~.」으로 바꿔 쓸 수 있다.

I wish we **were** in the same class. 우리가 같은 반이라면 좋을 텐데.

→ **I'm sorry (that)** we **aren't** in the same class. (현재) 우리가 같은 반이 아니라서 유감이다.

〈I wish+가정법 과거완료〉는 과거에 이루지 못한 일에 대한 아쉬움을 표현하며, '(과거에) ~했더라면 좋았을 텐데.' 라는 의미를 나타낸다.

I wish	+주어+had+과거분사 ~.
I wish	I **had brought** my umbrella.
	I **had been** there with you.

내가 우산을 가지고 왔더라면 좋았을 텐데.

내가 그곳에 너와 함께 있었다면 좋았을 텐데.

「I wish+주어+had+과거분사 ~.」는 「I'm sorry (that)+주어+동사의 과거형 ~.」으로 바꿔 쓸 수 있다.

I wish you **had helped** me yesterday. 네가 어제 나를 도와줬더라면 좋았을 텐데.

→ **I'm sorry (that)** you **didn't help** me yesterday. 네가 어제 나를 도와주지 않아서 유감이다.

개념확인 올바른 의미 고르기

1 I wish today were my birthday.

☐ 오늘은 내 생일이다.　☐ 오늘은 내 생일이 아니다.

2 I wish I had won the game.

☐ 경기를 이겼다.　☐ 경기를 이기지 못했다.

기본연습 **A** 우리말과 일치하도록 괄호 안에서 알맞은 것을 고르시오.

1 내가 춤을 잘 춘다면 좋을 텐데.　　→ I wish I (danced / had danced) well.

2 내가 작가라면 좋을 텐데.　　→ I wish I (am / were) a writer.

3 네가 일찍 왔더라면 좋았을 텐데.　　→ I wish you (have come / had come) early.

4 네가 나를 더 자주 방문하면 좋을 텐데.　　→ I wish you (visited / had visited) me more often.

5 그가 내 사진을 봤더라면 좋았을 텐데.　　→ I wish he (has seen / had seen) my picture.

6 우리가 캠핑을 갈 수 있다면 좋을 텐데.　　→ I wish we (will go / could go) camping.

B 우리말과 일치하도록 괄호 안의 말을 이용하여 가정법 문장을 완성하시오.

1 내가 학급 회장이라면 좋을 텐데. (be)

→ I wish I _____ the class president.

2 Jason이 역사 시험에 통과했더라면 좋았을 텐데. (pass)

→ I wish Jason _____ the history test.

3 내가 Lisa에게 그 사실을 말했더라면 좋았을 텐데. (tell)

→ I wish I _____ Lisa the truth.

4 그가 록 콘서트에 갈 수 있다면 좋을 텐데. (go)

→ I wish he _____ to the rock concert.

5 네가 그 액션 영화를 봤더라면 좋았을 텐데. (watch)

→ I wish you _____ the action movie.

C 두 문장의 의미가 같도록 I wish를 이용하여 가정법 문장으로 바꿔 쓰시오.

1 I'm sorry that she doesn't exercise every day.

→ _____ every day.

2 I'm sorry that you didn't do your homework.

→ _____ your homework.

3 I'm sorry that I can't play the violin.

→ _____ the violin.

4 I'm sorry that I didn't take a picture of the view.

→ _____ a picture of the view.

5 I'm sorry I am not healthy.

→ _____ healthy.

주어진 우리말을 영어로 바르게 옮긴 것은?

나에게 여동생이 있다면 좋을 텐데.

① I wish I have a sister.
② I wish I had a sister.
③ I wish I have had a sister.
④ I wish I had had a sister

POINT 5 as if 가정법

〈as if+가정법 과거〉는 주절과 같은 시제의 상황을 반대로 가정하며, '마치 ~인/한 것처럼'의 의미를 나타낸다.

주어+동사	+as if+주어+동사의 과거형 ~.	
She talks	**as if** she **knew** the answer.	그녀는 **마치** 답을 **아는** 것처럼 말한다. (사실 현재 답을 알지 못한다.)
Tom acts	**as if** he **were** rich.	Tom은 **마치** 부자**인** 것처럼 행동한다. (사실 현재 부자가 아니다.)

He walks **as if** he **were** a model. 그는 마치 그가 모델인 것처럼 걷는다.

→ In fact, he **isn't** a model. 사실, 그는 모델이 아니다.

〈as if+가정법 과거완료〉는 주절보다 이전 시점의 상황을 반대로 가정하며, '마치 ~였던/했던 것처럼'의 의미를 나타낸다.

주어+동사	+as if+주어+had+과거분사 ~.	
He talks	**as if** he **had lived** in Paris.	그는 **마치** 파리에 **살았던** 것처럼 말한다. (사실 과거에 파리에 살지 않았다.)
Amy acts	**as if** she **had been** sick.	Amy는 **마치** 아팠던 것처럼 행동한다. (사실 과거에 아프지 않았다.)

She talks **as if** she **had watched** the movie. 그녀는 **마치** 그 영화를 **봤던** 것처럼 말한다.

→ In fact, she **didn't watch** the movie. 사실, 그녀는 그 영화를 **보지 않았다**.

개념확인 올바른 의미 고르기

1 Sue acts as if she were a child.

☐ Sue는 아이다.　☐ Sue는 아이가 아니다.

2 He talks as if he had been busy.

☐ 그는 바빴다.　☐ 그는 바쁘지 않았다.

기본연습 우리말과 일치하도록 괄호 안의 동사를 알맞은 형태로 바꿔 쓰시오.

1 그녀는 마치 모든 것을 아는 것처럼 말한다. (know)

→ She talks as if she ＿＿＿＿＿＿＿＿＿ everything.

2 그는 마치 유명한 가수인 것처럼 노래한다. (be)

→ He sings as if he ＿＿＿＿＿＿＿＿＿ a famous singer.

3 그녀는 마치 그 소식을 들었던 것처럼 말한다. (hear)

→ She talks as if she ＿＿＿＿＿＿＿＿＿ the news.

4 Ann은 마치 역사 시험에 통과했던 것처럼 말한다. (pass)

→ Ann talks as if she ＿＿＿＿＿＿＿＿＿ the history test.

5 그는 마치 Judy를 좋아하는 것처럼 행동한다. (like)

→ He acts as if he ＿＿＿＿＿＿＿＿＿ Judy.

6 내 남동생은 마치 어젯밤에 유령을 봤던 것처럼 말한다. (see)

→ My brother talks as if he ＿＿＿＿＿＿＿＿＿ a ghost last night.

개 | 념 | 완 | 성 T E S T

정답 및 해설 p.39

STEP 1 Map으로 개념 정리하기

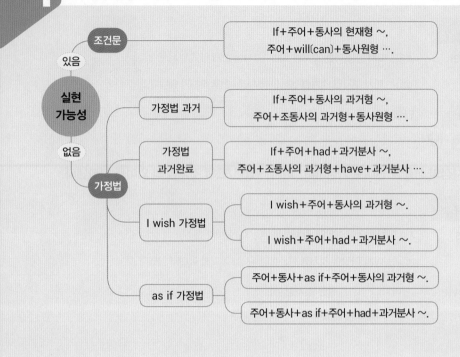

Quick Check

❶ 나는 시간이 있으면, 테니스를 칠 것이다.
→ If I (have / had) time, I will play tennis.

❷ 내가 시간이 있다면, 나는 테니스를 칠 텐데.
→ If I _____ time, I would play tennis.

❸ 내가 시간이 있었다면, 나는 테니스를 쳤을 텐데.
→ If I _____ _____ time, I would have played tennis.

❹ 나에게 시간이 좀 더 있다면 좋을 텐데.
→ I wish I (had / had had) more time.

❺ 나에게 시간이 좀 더 있었더라면 좋았을 텐데.
→ I wish I (had / had had) more time.

❻ 그는 나를 아는 것처럼 말한다.
→ He talks as if he (knows / knew) me.

❼ He acts as if he had known the news.
해석: _____

STEP 2 기본 다지기

빈칸완성

A 우리말과 일치하도록 괄호 안의 말을 이용하여 문장을 완성하시오.

1 내가 내일 시간이 있으면, 나는 영화를 보러 갈 것이다. (have, go)
→ If I _____ time tomorrow, I _____ _____ to the movies.

2 Kevin이 여기에 있다면, 우리는 행복할 텐데. (be, be)
→ If Kevin _____ here, we _____ _____ happy.

3 네가 숙제가 없다면, 우리는 함께 산책할 수 있을 텐데. (have, take)
→ If you _____ _____ homework, we _____ _____ a walk together.

4 내가 그의 주소를 알았더라면, 나는 그에게 선물을 보냈을 텐데. (know, send)
→ If I _____ _____ his address, I _____ _____ _____ him a gift.

5 네가 물을 더 많이 마시면 좋을 텐데. (drink)
→ I wish you _____ more water.

6 그들이 그 뮤지컬을 봤더라면 좋았을 텐데. (see)
→ I wish they _____ _____ the musical.

B **우리말과 일치하도록 밑줄 친 부분을 어법상 바르게 고쳐 쓰시오.**

1 내가 자전거를 가지고 있다면, 나는 매일 그것을 탈 텐데.

→ If I <u>have had</u> a bicycle, I would ride it every day.

_____

2 내가 집에 있었더라면, 나는 감기에 걸리지 않았을 텐데.

→ If I <u>were</u> at home, I wouldn't have caught a cold.

_____

3 내 남동생이 야채를 더 먹는다면 좋을 텐데.

→ I wish my brother <u>had eaten</u> more vegetables.

_____

4 그녀는 도서관에 있는 모든 책을 읽었던 것처럼 말한다.

→ She talks as if she <u>read</u> all the books in the library.

_____

5 내가 피곤하지 않다면, 나는 여동생과 놀 수 있을 텐데.

→ If I were not tired, I <u>could have played</u> with my sister.

_____

6 내가 충분한 우유를 가지고 있었다면, 나는 쿠키를 만들 수 있었을 텐데.

→ If I had had enough milk, I <u>could make</u> some cookies.

_____

C **주어진 문장을 가정법 문장으로 바꿔 쓸 때, 빈칸에 알맞은 말을 쓰시오.**

1 I'm sorry that it's hot today.

→ I wish it _____ hot today.

2 As I don't wake up early, I can't catch the first train.

→ If I _____ _____ early, I _____ _____ the first train.

3 As he didn't study hard, he didn't pass the test.

→ If he _____ _____ hard, he _____ _____ _____ the test.

4 In fact, he doesn't know my secret.

→ He talks as if he _____ my secret.

5 I'm sorry that Mark didn't do his best in the race.

→ I wish Mark _____ _____ his best in the race.

6 In fact, she didn't solve the problem for herself.

→ She acts as if she _____ _____ the problem for herself.

7 As I was sick, I couldn't clean the house.

→ If I _____ _____ sick, I _____ _____ _____ the house.

STEP **3** 서술형 따라잡기

그림이해

A 그림을 보고, 괄호 안의 말을 이용하여 가정법 과거 문장을 완성하시오.

1

If I had enough money, I _____.
                              (buy, a new bicycle)

2

I wish I _____.
              (have, a dog)

영작완성

B 직설법은 가정법으로, 가정법은 직설법으로 바꿔 쓰시오.

1 If I had a ticket, I could go to the concert.

→ As I _____.

2 As I was tired, I stayed at home all day.

→ If I _____.

3 As he has a toothache, he won't eat ice cream.

→ If he _____.

4 If you had caught the bus, you wouldn't have been late for school.

→ As you _____.

문장영작

C 우리말과 일치하도록 괄호 안의 말을 이용하여 문장을 완성하시오.

1 그녀는 마치 그녀가 공주인 것처럼 행동한다. (a princess)

→ She acts _____.

2 그가 나를 도와준다면, 나는 내 프로젝트를 끝낼 수 있을 텐데. (help, finish)

→ If _____.

3 우리가 열심히 연습했더라면, 우리는 축구 경기를 이겼을 텐데. (practice, win)

→ If we _____ the soccer game.

4 내가 너를 내 생일 파티에 초대했더라면 좋았을 텐데. (wish, invite)

→ _____

[1-2] 빈칸에 들어갈 말로 알맞은 것을 고르시오.

1

> If I _____ you, I would take the subway.

① am   ② be   ③ were
④ have been   ⑤ had been

2

> If I had had the money, I _____ a new car.

① buy   ② will buy
③ would buy   ④ have bought
⑤ would have bought

[3-4] 빈칸에 들어갈 말이 순서대로 짝 지어진 것을 고르시오.

3

> • If I had time, I _____ go camping with you.
> • If I meet Tom, we _____ play computer games.

① will – will   ② will – would
③ would – will   ④ would – would
⑤ would be – would

4

> • I wish I _____ time now.
> • John acts as if he _____ an adult.

① have – be   ② have – will be
③ had – be   ④ had – were
⑤ had had – were

5 밑줄 친 부분이 어법상 틀린 것은?

① If I knew the truth, I would tell you.
② I wish I lived near the beach.
③ If he were rich, he could travel around the world.
④ If I finished cleaning, I will water the plants.
⑤ Jane talks as if she had read the book.

6 우리말과 일치하도록 괄호 안의 말을 배열할 때, 다섯 번째로 오는 단어는?

> 내가 그의 이름을 알았더라면 좋았을 텐데.
> (I, had, name, I, known, his, wish)

① had   ② I   ③ his
④ known   ⑤ wish

7 우리말을 영어로 옮긴 문장에서 어법상 틀린 부분을 찾아 바르게 고친 것은?

> 그들이 바쁘다면, 그들은 춤 축제에 참여하지 않을 텐데.
> → If they were busy, they wouldn't have joined the dance festival.

① were → are   ② were → had been
③ have joined → join   ④ wouldn't → won't
⑤ wouldn't have joined → have not joined

8 빈칸에 들어갈 have의 형태가 나머지와 다른 것은?

① If I _____ time, I could play the piano.
② He talks as if he _____ met the actor.
③ If I _____ a camera, I will take a picture of you.
④ I wish I _____ a new pair of sneakers.
⑤ If he _____ been hungry, he would have eaten the sandwich.

9 어법상 올바른 문장의 개수는?

> ⓐ I wish I had some water to drink.
> ⓑ Ms. Brown acts as if she were a teacher.
> ⓒ If I had a million dollars, I could have bought a big house.
> ⓓ If you go this way, you will get lost.

① 0개　　　② 1개　　　③ 2개
④ 3개　　　⑤ 4개

[10-11] 주어진 우리말을 영어로 바르게 옮긴 것을 고르시오.

10
> 내가 위대한 발명가라면 좋을 텐데.

① I wish I be a great inventor.
② I wish I will be a great inventor.
③ I wish I were a great inventor.
④ I wish I have been a great inventor.
⑤ I wish I had been a great inventor.

11
> 내가 너라면, 나는 일찍 일어날 텐데.

① If I am you, I will get up early.
② If I were you, I would get up early.
③ If I were you, I would have gotten up early.
④ If I had been you, I would get up early.
⑤ If I had been you, I would have gotten up early.

12 빈칸에 were가 들어갈 수 <u>없는</u> 것은?

① If he _____ not sick, he would play soccer.
② I wish I _____ good at science.
③ If you _____ in Korea, I would have met you every day.
④ If I _____ not shy, I would ask her for help.
⑤ She acts as if she _____ a little child.

[13-14] 주어진 문장을 가정법 문장으로 바르게 바꾼 것을 고르시오.

13
> As the jacket is expensive, I can't buy it.

① If the jacket is expensive, I can't buy it.
② If the jacket isn't expensive, I can't buy it.
③ If the jacket were expensive, I couldn't buy it.
④ If the jacket weren't expensive, I could buy it.
⑤ If the jacket had been expensive, I couldn't have bought it.

14
> As he missed the bus, he was late for the meeting.

① If he missed the bus, he was late for the meeting.
② If he didn't miss the bus, he wasn't late for the meeting.
③ If he didn't miss the bus, he wouldn't have been late for the meeting.
④ If he had missed the bus, he would have been late for the meeting.
⑤ If he hadn't missed the bus, he wouldn't have been late for the meeting.

15 빈칸에 들어갈 말로 알맞지 <u>않은</u> 것을 <u>모두</u> 고르면?

> If I were you, _____.

① I will exercise every day
② I would join the photo club
③ I wouldn't buy the backpack
④ I won't date her
⑤ I would save more money

16 어법상 올바른 문장끼리 짝 지어진 것은?

> ⓐ David smiles as if he were not sad.
> ⓑ If I had enough time, I would have learned Spanish.
> ⓒ I wish I could pass the math test.
> ⓓ If she hadn't been so busy, she could have sent you an email.

① ⓐ, ⓑ   ② ⓐ, ⓑ, ⓒ   ③ ⓐ, ⓑ, ⓓ
④ ⓐ, ⓒ, ⓓ   ⑤ ⓑ, ⓒ, ⓓ

17 (A) ~ (C)에서 어법상 알맞은 말이 바르게 짝 지어진 것은?

> • If he (A) $\boxed{\text{is / were}}$ tired, he will go to bed early.
> • If I had flying shoes, I (B) $\boxed{\text{will / would}}$ fly above the clouds.
> • If she (C) $\boxed{\text{bought / had bought}}$ the ticket, she could have seen the concert.

	(A)	(B)	(C)
①	is	will	bought
②	is	would	bought
③	is	would	had bought
④	were	will	bought
⑤	were	would	had bought

18 밑줄 친 부분을 어법상 바르게 고치지 <u>않은</u> 것은?

① If I were him, I <u>won't</u> forget her birthday.
　　　　　　　　→ wouldn't
② I wish you <u>are</u> here with us.
　　　　　　→ were
③ If you <u>didn't help</u> me, I couldn't have finished the project. → hadn't helped
④ If I hadn't lost my cell phone, I <u>will call</u> you.
　　　　　　　　　　　　→ would call
⑤ She talks as if she <u>knew</u> my sister.
　　　　　　→ 고칠 필요 없음

19 어법상 <u>틀린</u> 문장의 개수는?

> ⓐ If he took a taxi, he would have arrived on time.
> ⓑ If the weather is fine, we will go to the sea.
> ⓒ He talks as if he knows everything.
> ⓓ If Mary had had more time, she could have gone shopping.

① 0개   ② 1개   ③ 2개
④ 3개   ⑤ 4개

20 주어진 문장이 의미하는 바로 알맞은 것은?

> I wish I had won the race.

① I won the race.
② I can win the race.
③ I will win the race.
④ I didn't win the race.
⑤ I didn't want to win the race.

21 직설법은 가정법으로, 가정법은 직설법으로 바꿔 쓰시오.

(1) As she has homework, she can't go fishing.

→ If she _____ ,

she _____ .

(2) If I had been invited, I could have enjoyed the party.

→ As _____ ,

I _____ .

(3) As I didn't have enough time, I couldn't learn taekwondo.

→ If I _____ ,

I _____ .

22 주어진 문장을 가정법 문장으로 바꿔 쓰시오.

(1) I'm sorry that I don't have a new computer.

→ I wish I _____ .

(2) I'm sorry that I didn't pass the audition.

→ I wish I _____ .

(3) In fact, he didn't meet his favorite actor.

→ He talks as if he _____ .

23 다음 표를 보고, 가정법 문장을 완성하시오.

원인	결과
I didn't go to bed early.	I got up late.
I had a headache.	I couldn't eat dinner.

(1) If I had gone to bed early, I _____

_____ .

(2) If I _____ ,

I _____ .

24 조건 에 맞게 가정법 문장을 완성하시오.

조건 1. 괄호 안의 말을 바르게 배열할 것
2. 괄호 안의 밑줄 친 동사를 알맞은 형태로 바꿔 쓸 것

(1) 내가 그에게 전화를 했더라면, 그는 화가 나지 않았을 텐데.

(angry, he, be, have, wouldn't)

→ If I had called him, _____

_____ .

(2) 그는 마치 그 답을 아는 것처럼 말한다.

(as if, he, the answer, talks, know)

→ He _____ .

고난도

25 조건 에 맞게 주어진 우리말을 영작하시오.

조건 1. 가정법 문장으로 완성할 것
2. 괄호 안의 말을 이용할 것
(필요시 알맞은 형태로 바꿔 쓸 것)

(1) 내가 너라면, 나는 그 자전거를 사지 않을 텐데.

(be, buy the bicycle)

→ If _____ ,

I _____ .

(2) 내가 정원을 가지고 있다면, 나는 채소를 기를 텐데.

(have a garden, grow vegetables)

→ If _____ ,

I _____ .

(3) 그녀가 피곤하지 않았더라면, 그녀는 나와 수영하러 갔을 텐데. (be tired, go swimming)

→ If _____ ,

she _____ with me.

14

일치와 화법

POINT 1   시제 일치

POINT 2   시제 일치의 예외

POINT 3   평서문의 직접화법과 간접화법

POINT 4   의문문의 화법 전환

POINT 5   도치

직접화법은 다른 사람이 한 말을 인용 부호를 사용하여 그대로 전달하는 것이고,
간접화법은 다른 사람이 한 말을 전달자의 입장에 맞게 바꿔 전달하는 것이다.

주절이 현재시제일 때, 종속절은 의미에 따라 모든 시제를 쓸 수 있다.

주절	종속절	
I think <현재>	that Joan **was** busy. <과거>	나는 Joan이 바빴다고 생각한다.
	that Joan **is** busy. <현재>	나는 Joan이 바쁘다고 생각한다.
	that Joan **will be** busy. <미래>	나는 Joan이 바쁠 것이라고 생각한다.

> 주절의 시제에 따라 종속절의 시제가 바뀌는 것을 시제 일치라고 해요.

주절이 과거시제일 때, 종속절은 과거시제 또는 과거완료를 쓸 수 있다.

> 과거완료는 「had + 과거분사」의 형태로, 과거의 어느 시점보다 이전에 일어난 일을 나타낼 때 써요.

주절	종속절	
I thought <과거>	that Joan **was** busy. <과거>	나는 Joan이 바빴다고 생각했다.
	that Joan **had been** busy. <과거완료>	나는 Joan이 바빴었다고 생각했다.

Tips 주절이 과거시제일 경우, 종속절의 조동사(will, can, may)도 과거형(would, could, might)으로 쓴다.
I thought that I **could** pass the test. 나는 내가 시험을 통과할 수 있다고 생각했어.
　　<과거>　　<조동사 can의 과거형>

개념확인 주절의 동사와 종속절의 동사 찾기

1 He knows that she is a teacher.　　　**2** She thinks that he gave her some flowers.

기본연습 **A** 괄호 안에서 알맞은 것을 <u>모두</u> 고르시오.

1 They heard that she (is / was) rich.

2 I know that they (are / were) good friends.

3 She (says / said) that she is happy.

4 She said that her brother (went / goes / will go) to the gym.

5 The doctor told me that my leg (was / is / will be) broken.

6 Sam knows that my dream (is / was) to be a movie star.

7 The staff told us that the train (would / will) be late.

8 I think that Junho (is / was / will be) good at singing.

9 I believed that Peter (could / can) finish his work.

10 They found that the stone (was / be / has been) very heavy.

11 I (know / knew) that Tom was a good musician.

12 We (think / thought) that he had solved the problem.

13 I didn't think that they (can / could) take care of the dog.

B 밑줄 친 부분이 어법상 맞으면 ○ 표시를 하고, 틀리면 바르게 고쳐 쓰시오.

1 John said that her answer is wrong. → _____

2 I think that biting my nails is a bad habit. → _____

3 She finds that she had made a mistake. → _____

4 I know that my parents will be proud of me. → _____

5 He hoped that she had sent him an email. → _____

6 My brother said that he can travel alone. → _____

7 I believe that he will pass the audition. → _____

8 We thought that the bus will be delayed. → _____

9 My mom knows that I broke the window. → _____

10 I thought that he can fix my computer. → _____

C 우리말과 일치하도록 괄호 안의 동사를 알맞은 형태로 쓰시오.

1 나는 그녀가 어제 그 사고를 보았다고 생각한다. (see)

→ I think that she _____ the accident yesterday.

2 그는 우리에게 그의 팀이 그 경기를 이겼다고 말했다. (tell)

→ He _____ us that his team won the game.

3 나는 오늘 오후에 화창할 것이라고 믿는다. (be)

→ I believe that it _____ sunny this afternoon.

4 그녀는 그녀가 자신의 열쇠를 잃어버렸다는 것을 알게 되었다. (find)

→ She _____ that she had lost her key.

5 Jenny는 그녀의 남동생이 자신의 선물을 좋아할 것이라고 생각한다. (like)

→ Jenny thinks that her brother _____ her present.

6 Mr. Green은 그의 아이들이 정직하다고 믿는다. (be)

→ Mr. Green believes that his children _____ honest.

틀리기 쉬운
내/신/포/인/트

주절이 과거시제일 때,
종속절의 시제는 과거 또는
과거완료가 올 수 있어요.

빈칸에 들어갈 말로 알맞은 것은?

I thought that Paul _____ his friends.

① is missing   ② misses
③ missed   ④ will miss

주절의 시제와 상관없이 종속절의 시제가 바뀌지 않는 경우가 있다.

항상 현재시제 사용 주절의 시제가 과거여도 종속절의 동사는 항상 현재시제로 써요.	일반적·과학적 사실	I **learned** that the Earth **goes** around the sun. 나는 지구가 태양 주위를 돈다는 것을 배웠다.
	현재의 습관	He **said** that he **drinks** a cup of milk every morning. 그는 매일 아침 우유 한 컵을 마신다고 말했다.
	격언 및 속담	She **said** that the early bird **catches** the worm. 그녀는 일찍 일어나는 새가 벌레를 잡는다고 말했다.
항상 과거시제 사용	역사적 사실	He **said** that the 1988 Olympic Games **were held** in Korea. 그는 1988년 올림픽이 한국에서 열렸다고 말했다.

Tips 시간이나 조건을 나타내는 부사절의 경우, 미래의 의미를 나타내더라도 미래시제 대신 현재시제를 쓴다.
I will call you when I **get** home. 내가 집에 도착하면 네게 전화할 것이다.
<u>시간의 부사절</u>
If it **rains** tomorrow, we will stay home. 만약 내일 비가 온다면, 우리는 집에 머물 것이다.
<u>조건의 부사절</u>

개념확인 동사의 알맞은 시제 고르기

1 He said that he always _____ up at 7 a.m.
☐ wakes ☐ woke

2 I learned that King Sejong _____ Hangeul.
☐ invents ☐ invented

기본연습 우리말과 일치하도록 괄호 안의 동사를 알맞은 형태로 쓰시오.

1 태양은 동쪽에서 뜬다고 말해진다.
→ It is said that the sun _____ in the east. (rise)

2 Simon은 그가 매일 아침 사과 한 개를 먹는다고 말했다.
→ Simon said that he _____ an apple every morning. (eat)

3 우리는 2차 세계 대전이 1945년에 끝났다고 배운다.
→ We learn that The World War II _____ in 1945. (end)

4 그녀는 일요일마다 자전거를 탄다고 우리에게 말했다.
→ She told us that she _____ her bike every Sunday. (ride)

5 만약 이번 주말에 날씨가 맑으면, 나는 등산을 갈 것이다.
→ I will go hiking if it _____ sunny this weekend. (be)

6 우리는 학교에서 빛이 소리보다 훨씬 더 빠르다고 배웠다.
→ We were taught at school that light _____ much faster than sound. (travel)

평서문의 직접화법과 간접화법

정답 및 해설 p.41

직접화법은 다른 사람이 한 말을 인용 부호를 사용하여 그대로 전달하는 것이고, 간접화법은 다른 사람이 한 말을 전달자의 입장에 맞게 바꿔서 전달하는 것이다.

| 직접화법 | He said, "I am sorry." | 그는 "미안해."라고 말했다. |
| 간접화법 | He said that he was sorry. | 그는 미안하다고 말했다. |

평서문의 화법 전환

| 직접화법 | She **said to** me, "**I am** hungry." | 그녀는 내게 "나는 배가 고파."라고 말했다. |
| 간접화법 | She **told** me (**that**) **she was** hungry. | 그녀는 내게 배가 고프다고 말했다. |

① 전달 동사를 바꾼다. (say → say, say to → tell)
② 콤마(,)와 큰따옴표를 없애고, 접속사 that을 쓴다. (that은 생략 가능)
③ 큰따옴표 안의 인칭대명사를 전달자에 맞춰 바꾼다.
④ 큰따옴표 안의 시제를 주절에 맞춰 바꾼다.
   (주절이 과거일 때, 큰따옴표 안의 현재시제는 과거시제로 바꾼다.)

Tips 큰따옴표 안의 인칭대명사는 다음과 같이 변화한다.

1인칭 → 주절의 주어로	**He** said, "**I** like Ann." → He said that **he** liked Ann.	그는 "나는 Ann을 좋아해."라고 말했다. 그는 자신이 Ann을 좋아한다고 말했다.
2인칭 → 주절의 목적어로	Gisu said to **me**, "**You** look happy." → Gisu told me that **I** looked happy.	기수는 내게 "너는 행복해 보여."라고 말했다. 기수는 내게 내가 행복해 보인다고 말했다.
3인칭 → 그대로	Tina said, "**He** looks happy." → Tina said that **he** looked happy.	Tina는 "그는 행복해 보여."라고 말했다. Tina는 그가 행복해 보인다고 말했다.

개념확인 간접화법으로 전환할 때 바뀌는 부분 모두 고르기

1 He said, "I am happy."
   ① ② ③ ④

2 She said to me, "You look tired."
   ① ② ③ ④

기본연습 A 주어진 문장을 간접화법으로 바꿀 때 괄호 안에서 알맞은 것을 고르시오.

1 She said, "I am sleepy."
   → She said that (I / she) was sleepy.

2 He said, "I want some water."
   → He said (that / which) he wanted some water.

3 She said, "I have math homework."
   → She said that she (has / had) math homework.

4 The teacher said to me, "You look tired."

    → The teacher told me that (you / I) looked tired.

5 Tom said, "I like pizza."

    → Tom said that he (likes / liked) pizza.

B 주어진 문장을 간접화법으로 바꿀 때 빈칸에 알맞은 말을 쓰시오.

1 He said, "I am busy."

    → He _____ that _____ _____ busy.

2 She said, "I have a headache."

    → She _____ that _____ _____ a headache.

3 He said, "I want to be a fashion model."

    → He _____ that _____ _____ to be a fashion model.

4 My sister said to me, "You look worried."

    → My sister _____ me that _____ _____ worried.

5 Patrick said, "I know the answer."

    → Patrick _____ that _____ _____ the answer.

6 My uncle said to me, "I don't like spicy food."

    → My uncle _____ me that _____ _____ _____ spicy food.

7 Mr. Brown said to me, "Your voice is too loud."

    → Mr. Brown _____ me that _____ _____ _____ too loud.

8 My grandmother said to me, "I want a glass of water."

    → My grandmother _____ me that _____ _____ a glass of water.

9 Julia said to him, "I can help you."

    → Julia _____ him that _____ _____ _____ _____.

10 Rachel said to me, "My brother enjoys reading."

    → Rachel _____ me that _____ _____ _____ reading.

틀리기 쉬운
내/신/포/인/트

직접화법을 간접화법으로
전환할 때 바뀌는 부분에
주의해야 해요.

주어진 문장을 간접화법으로 바꿀 때 빈칸에 알맞은 말을 쓰시오.

He said to me, "I am excited."

    → He _____ that _____ _____ excited.

POINT 4 의문문의 화법 전환

의문사가 있는 의문문은 간접화법으로 바꿀 때 「의문사＋주어＋동사」의 순서로 쓴다.

| 직접화법 | He asked me, "**Where is Jack?**" | 그는 내게 "Jack은 어디 있니?"라고 물었다. |
| 의문사 동사 주어 |
| 간접화법 | He asked me **where Jack was**. | 그는 내게 Jack이 어디 있는지 물었다. |
| 의문사 주어 동사 |

> 인칭대명사와 동사의 시제는 평서문의 화법 전환과 동일한 방법으로 바꿔요.

의문사가 없는 의문문은 간접화법으로 바꿀 때 if나 whether를 추가하여 「if(whether)＋주어＋동사」의 순서로 쓴다.

| 직접화법 | He asked me, "Do **you know** Mira?" | 그는 내게 "너는 미라를 아니?"라고 물었다. |
| 주어 동사 |
| 간접화법 | He asked me **if(whether) I knew** Mira. | 그는 내게 미라를 아는지 물었다. |
| 주어 동사 |

Tips 의문문은 직접화법의 전달 동사가 say나 say to일 때도, 간접화법으로 바꿀 때 ask를 쓴다.
I **said to** her, "Why are you upset?" 나는 그녀에게 "너는 왜 화가 났니?"라고 말했다.
→ I **asked** her why she was upset. 나는 그녀에게 왜 화가 났는지 물었다.

개념확인 간접화법으로 전환할 때 바뀌는 부분 <u>모두</u> 고르기

1 I <u>asked</u> him, "<u>Why</u> <u>are</u> <u>you</u> late?"
　　　①　　　②　③　④

2 She <u>said</u>, "<u>Am</u> <u>I</u> <u>right</u>?"
　　　①　　②③④

기본연습 **A** 주어진 문장을 간접화법으로 바꿔 쓰시오.

1 She asked, "Where is the umbrella?"
　→ She asked _____.

2 He said to me, "How are you doing?"
　→ He asked me _____.

3 My aunt asked me, "Why are you crying?"
　→ My aunt asked me _____.

4 He asked her, "Who is Ms. Jones?"
　→ He asked her _____.

5 Alice asked him, "Do you have a guitar?"
　→ Alice asked him _____.

6 She said to me, "Where are you going?"
　→ She asked me _____.

7 David asked me, "When is your birthday?"

→ David asked me _____.

8 My friend asked me, "Do you like cheesecake?"

→ My friend asked me _____.

9 Steve asked me, "What are you having for dinner?"

→ Steve asked me _____.

10 The teacher said to Mary, "Do you need more time?"

→ The teacher asked Mary _____.

B 주어진 문장을 간접화법으로 바꿀 때 밑줄 친 부분을 바르게 고쳐 쓰시오.

1 She asked me, "What are you reading?"

→ She asked me <u>what was I</u> reading.   → _____

2 I said to Jenny, "When is the club meeting?"

→ I asked Jenny when <u>is the club meeting</u>.   → _____

3 Tommy asked me, "Are you busy?"

→ Tommy asked me <u>why</u> I was busy.   → _____

4 The woman said to me, "Where is the bank?"

→ The woman asked me <u>where the bank is</u>.   → _____

5 He asked me, "What is your favorite color?"

→ He asked me what <u>was my favorite color</u>.   → _____

6 She asked me, "Can I open the window?"

→ She asked me <u>whether I could</u> open the window.   → _____

7 Somi said to me, "What do you like to do?"

→ Somi asked me <u>what I like</u> to do.   → _____

8 He asked the girl, "Do you want to meet my brother?"

→ He asked the girl <u>if you wanted</u> to meet his brother.   → _____

틀 리 기 쉬 운
내/신/포/인/트

의문문을 간접화법으로 바꿀
때 의문사가 있는 경우와
없는 경우를 구분해야 해요.

주어진 문장을 간접화법으로 바꿔 문장을 완성하시오.

He asked me, "Why are you running?"

→ He asked me _____.

정답 및 해설 p.42

POINT 5 도치

here나 there의 의미를 강조하기 위해 here/there를 문장의 맨 앞에 쓰고 주어와 동사의 순서를 바꿔 「Here/There+동사+주어.」의 순서로 쓴다.

| Here/There+동사+주어. | **Here comes Tony.**
동사　주어 | 여기 Tony가 온다. |
| | **There goes the bus.**
동사　주어 | 저기 버스가 간다. |

문장 안에서 어순이 바뀌는 것을 도치라고 해요.

주의 주어가 대명사일 경우에는 주어와 동사의 순서를 바꾸지 않는다.
There she goes. 저기 그녀가 간다.
　　주어(대명사) 동사

개념확인 옳은 표현 고르기

1 Here _____.
　☐ Kate comes　☐ comes Kate

2 There _____.
　☐ the train goes　☐ goes the train

기본연습 **A** 괄호 안에서 알맞은 말을 고르시오.

1 Here (he come / he comes / come he / comes he).

2 There (the bus go / the bus goes / go the bus / goes the bus).

3 Here (your taxi come / your taxi comes / come your taxi / comes your taxi).

4 There (my grandfather go / my grandfather goes / goes my grandfather).

5 Here (they come / they comes / come they / comes they).

B 우리말과 일치하도록 괄호 안의 말을 바르게 배열하시오.

1 저기 구급차 한 대가 간다. (ambulance, an, goes)
　→ There _____.

2 여기 내 남동생이 온다. (my, comes, brother)
　→ Here _____.

3 여기 그녀가 온다. (comes, she)
　→ Here _____.

4 저기 내 친구가 간다. (goes, friend, my)
　→ There _____.

5 여기 우리의 새로운 과학 선생님이 오신다. (new, comes, science teacher, our)
　→ Here _____.

개 념 완 성 TEST

정답 및 해설 p.42

Map으로 개념 정리하기

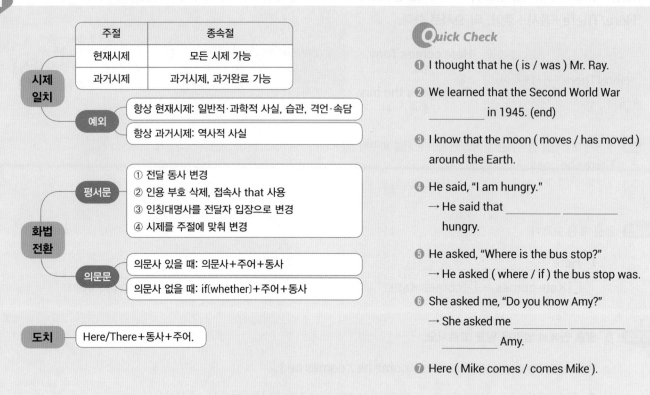

주절	종속절
현재시제	모든 시제 가능
과거시제	과거시제, 과거완료 가능

시제 일치

예외
- 항상 현재시제: 일반적·과학적 사실, 습관, 격언·속담
- 항상 과거시제: 역사적 사실

화법 전환

평서문
① 전달 동사 변경
② 인용 부호 삭제, 접속사 that 사용
③ 인칭대명사를 전달자 입장으로 변경
④ 시제를 주절에 맞춰 변경

의문문
- 의문사 있을 때: 의문사＋주어＋동사
- 의문사 없을 때: if(whether)＋주어＋동사

도치 ― Here/There＋동사＋주어.

Quick Check

❶ I thought that he (is / was) Mr. Ray.

❷ We learned that the Second World War _____ in 1945. (end)

❸ I know that the moon (moves / has moved) around the Earth.

❹ He said, "I am hungry."
→ He said that _____ _____ hungry.

❺ He asked, "Where is the bus stop?"
→ He asked (where / if) the bus stop was.

❻ She asked me, "Do you know Amy?"
→ She asked me _____ _____ _____ Amy.

❼ Here (Mike comes / comes Mike).

기본 다지기

빈칸완성

A 우리말과 일치하도록 빈칸에 알맞은 말을 넣어 문장을 완성하시오.

1 Sarah는 새 자전거를 샀다고 말했다.
→ Sarah said that she _____ a new bike.

2 그는 그의 여동생이 그 선물을 좋아할 것이라고 생각한다.
→ He thinks that his sister _____ _____ the present.

3 그들은 파리가 프랑스의 수도라는 것을 배웠다.
→ They learned that Paris _____ the capital of France.

4 나는 그녀가 매일 커피를 마시는 것을 몰랐다.
→ I didn't know that she _____ coffee every day.

5 그들은 Brown 선생님께 나가도 되는지 물었다.
→ They asked Ms. Brown _____ they could go out.

밑줄 친 부분이 어법상 맞으면 ○ 표시를 하고, 틀리면 바르게 고쳐 쓰시오.

1 He hopes that she <u>will</u> get better.　　　　　　　→ _____

2 Here <u>our bus comes</u>.　　　　　　　　　　　　　→ _____

3 People in the past didn't believe that the Earth <u>was</u> round.　→ _____

4 There <u>goes she</u>.　　　　　　　　　　　　　　　→ _____

5 They learned that water <u>boiled</u> at 100℃.　　　　→ _____

6 We will go camping if it <u>is</u> sunny tomorrow.　　→ _____

7 She asked me <u>who is he</u>.　　　　　　　　　　　→ _____

8 We know that Antonio Gaudi <u>has designed</u> Park Guell.　→ _____

C 주어진 문장을 간접화법으로 바꿔 쓰시오.

1 Ann said, "I have a great idea."
　→ Ann _____.

2 Tom said, "I am thirsty."
　→ Tom _____.

3 Yujin said to me, "I miss you."
　→ Yujin _____.

4 My friend said to me, "You look happy."
　→ My friend _____.

5 He asked me, "Where is Andrew?"
　→ He _____.

6 She asked me, "Why are you late?"
　→ She _____.

7 Steve asked me, "Do you have a pen?"
　→ Steve _____.

8 He asked me, "Do you know the answer?"
　→ He _____.

STEP 3 서술형 따라잡기

그림이해

A 그림을 보고, 각 인물이 한 말을 간접적으로 전하는 문장을 완성하시오.

1

2

1 Hana said that _____ .

2 Aron said that _____ .

영작완성

B 우리말과 일치하도록 괄호 안의 말을 바르게 배열하여 문장을 쓰시오.

1 그는 나에게 그가 수학을 잘한다고 말했다. (me, good at, he, was, told, that, math, he)

→ _____

2 그녀는 나에게 그녀가 매일 운동을 한다고 말했다. (me, every day, she, that, exercises, told, she)

→ _____

3 그는 나에게 우체국이 어디에 있는지 물었다. (asked, was, he, where, me, the post office)

→ _____

4 나는 그들에게 그들이 점심을 먹었는지 물었다. (I, lunch, them, they, if, asked, had eaten)

→ _____

문장영작

C 우리말과 일치하도록 괄호 안의 말을 이용하여 영작하시오.

1 저기 내 여동생이 간다. (there, go)

→ _____

2 Jane은 내가 졸려 보인다고 나에게 말했다. (tell, sleepy)

→ _____

3 나는 그에게 그의 꿈이 무엇인지 물었다. (what, be)

→ _____

4 그녀는 내가 그 문제를 풀 수 있다고 생각한다. (solve, problem)

→ _____

[1-2] 빈칸에 들어갈 말로 알맞은 것을 고르시오.

1

| We learned that the Earth _____ round. |

① be   ② is
③ was   ④ will be
⑤ has been

2

| She thought that her brother _____ there. |

① was   ② is   ③ be
④ has been   ⑤ will be

3 밑줄 친 동사의 시제가 틀린 것은?

① I thought that he was hungry.
② He thinks that she is beautiful.
③ We learned that water froze at 0°C.
④ She heard that he had won the contest.
⑤ They found out that Apollo 11 landed on the moon in 1969.

4 빈칸에 들어갈 수 있는 말을 모두 고르면?

| I know that Simon _____ busy. |

① was   ② be
③ is   ④ are
⑤ will be

5 간접화법으로 바꾼 문장에서 밑줄 친 부분이 어법상 틀린 것은?

| He said, "I enjoy playing the piano." → He said that he enjoys playing the piano. ① ② ③ ④ ⑤ |

6 빈칸에 들어갈 말이 순서대로 짝 지어진 것은?

| He said to me, "I want to go swimming." → He told me _____ he _____ to go swimming. |

① that − wants
② that − has wanted
③ that − wanted
④ which − wanted
⑤ which − wants

7 밑줄 친 부분이 어법상 틀린 것은?

① I think that the girl is brave.
② He thought that she was honest.
③ She says that she is very happy.
④ We heard that the man worked hard.
⑤ They believed that he tells the truth.

8 다음 중 어법상 틀린 문장의 개수는?

| ⓐ Here comes he. ⓑ There goes a hungry cat. ⓒ Everyone knows that Seoul is the capital of Korea. ⓓ I will visit you if you will have time. |

① 0개   ② 1개   ③ 2개
④ 3개   ⑤ 4개

9

> She said to me, "Where do you live?"
> → She asked me where I _____.

① live　　　② lives　　　③ lived
④ will live　　⑤ have lived

12 우리말과 일치하도록 할 때 빈칸에 들어갈 말로 알맞은 것은?

> 그 소년은 해가 동쪽에서 뜬다는 것을 배웠다.
> → The boy learned that the sun _____ in the east.

① rised　　　② rises　　　③ has rised
④ is rising　　⑤ will rise

10

> She asked me, "Do you know Mr. Green?"
> → She asked me _____ Mr. Green.

① do I know　　　② that I know
③ that I knew　　④ if I know
⑤ if I knew

13 어법상 틀린 부분을 잘못 고친 것은?

① He found that the box is heavy.
　　　　　　　　　　　　→ was
② I will stay at home if it will rain.
　　　　　　　　　　　　→ rains
③ She knew that Tim exercises every morning.
　　　　　　　　　　→ 고칠 필요 없음
④ Here comes my little sister.
　　　　→ my little sister comes
⑤ We learned that the Amazon River was in Brazil.
　　　　　　　　　　　　→ is

11

> He asked me, "Where is Nara?"
> → He asked me _____.

① where is Nara
② where Nara is
③ where was Nara
④ where Nara was
⑤ whether Nara was

[14-16] 주어진 문장을 간접화법으로 바르게 바꾼 것은?

14

> She said, "I am tired."

① She told that she was tired.
② She told that I am tired.
③ She said that I am tired.
④ She said that she is tired.
⑤ She said that she was tired.

15

> He asked me, "What are you doing?"

① He asked me what you are doing.

② He asked me what you were doing.

③ He asked me what I am doing.

④ He asked me what I was doing.

⑤ He asked me what was I doing.

16

> I said to her, "Do you have a cat?"

① I asked her that she had a cat.

② I asked her that she has a cat.

③ I asked her if had she a cat.

④ I asked her if she has a cat.

⑤ I asked her if she had a cat.

고난도
17 다음 중 어법상 올바른 문장의 개수는?

> ⓐ He said that he will go with us.
>
> ⓑ She knew that he gets up at 7 every day.
>
> ⓒ We learned that the Earth goes around the sun.
>
> ⓓ I didn't know that Alfred Nobel invented dynamite.

① 0개   ② 1개   ③ 2개

④ 3개   ⑤ 4개

18 문장의 (A)~(C)의 각 네모 안에서 어법상 올바른 것끼리 짝 지어진 것은?

> • There (A) she goes / goes she .
>
> • I believed that he (B) could pass / can pass the test.
>
> • We learned that the sun (C) set / sets in the west.

      (A)   (B)   (C)

① she goes – could pass – sets

② she goes – could pass – set

③ she goes – can pass   – set

④ goes she – can pass   – set

⑤ goes she – could pass – sets

19 다음 중 어법상 틀린 것은?

① Here they come.

② She asked me why I was crying.

③ There the child goes.

④ He asked her where she came from.

⑤ I asked them if they knew my name.

고난도
20 다음 중 화법 전환이 잘못된 것은?

① He said, "I am good at math."

   → He said that he was good at math.

② She said to me, "I like you."

   → She told me that she liked me.

③ I said to him, "I want some dessert."

   → I told him that I wanted some dessert.

④ She asked me, "Why are you angry?"

   → She asked me why I was angry.

⑤ He asked me, "Do you know Susan?"

   → He asked me that I knew Susan.

21 어법상 틀린 곳을 찾아 바르게 고쳐 쓰시오.

(1)
> Here my dog comes.

_____ → _____

(2)
> I knew that my brother drank a glass of
> water every morning.

_____ → _____

22 우리말과 일치하도록 괄호 안의 질문을 이용하여 문장을 완성하시오.

(1) 그는 나에게 Alice가 누구인지 물었다.
(Who is Alice?)

→ He asked me _____.

(2) 그녀는 나에게 돈이 있는지 물었다.
(Do you have some money?)

→ She asked me _____.

 23 주어진 문장을 조건 에 맞게 간접화법으로 바꿔 쓰시오.

> 조건 1. 인칭대명사와 시제를 알맞게 바꿀 것
> 2. (1)의 경우 접속사를 생략하지 말 것

(1) She said, "I have a toothache."

→ _____

(2) He asked me, "Where is my coat?"

→ _____

(3) I asked her, "Do you need a bike?"

→ _____

24 그림을 보고, 두 사람의 대화 내용과 일치하도록 빈칸에 알맞은 말을 쓰시오.

(1) Jessy asked Tony _____.

(2) Tony said that _____.

고난도
25 어법상 틀린 문장을 두 개 찾아 기호를 쓰고, 바르게 고쳐 다시 쓰시오.

> ⓐ He told me that he walks his dog every day.
> ⓑ We know that the Wright Brothers has invented the first airplane.
> ⓒ She knows that we will go on a picnic.
> ⓓ Mr. Han said that the early bird caught the worm.
> ⓔ We thought that Patrick didn't tell a lie.

(1) ( ) → _____

(2) ( ) → _____

2학년 교과서 문법 연계표

과	동아 (윤정미)	Chapter	Point	Page
1	4형식: 수여동사	10	4	181
1	both *A* and *B*	11	2	197
2	조동사 have to, don't have to	2	6	42
2	to부정사의 부사적 용법: 목적	3	6	62
3	수동태	6	1	106
3	5형식: to부정사 목적격보어	10	6	184
4	주격 관계대명사	12	2	215
4	조건 접속사 if	11	4	199
5	목적격 관계대명사	12	3	217
5	5형식: 형용사 목적격보어	10	5	182
6	지각동사	10	8	186
6	so ~ that	11	6	202
7	현재완료(계속, 경험, 완료)	1	7, 8, 9	22, 24, 26
7	to부정사의 명사적 용법: 가주어 It ~ to부정사	3	2	55
8	간접의문문	9	4	166
8	because of, because	11	5	200

과	동아 (이병민)	Chapter	Point	Page
1	to부정사의 형용사적 용법	3	5	60
1	명령문, and/or ~	9	1	162
2	현재완료(계속, 경험)	1	7, 8, 9	22, 24, 26
2	5형식: to부정사 목적격보어	10	6	184
3	수동태	6	1	106
3	조건 접속사 if	11	4	199
4	주격 관계대명사	12	2	215
4	최상급 비교	8	9	150
5	to부정사의 명사적 용법: 가주어 It ~ to부정사	3	2	55
5	지각동사	10	8	186
6	원급 비교: as ~ as	8	10	152
6	양보 접속사 although	11	5	200
7	so ~ that	11	6	202
7	목적격 관계대명사	12	3	217
8	-thing+형용사	8	2	141
8	간접의문문	9	4	166

2학년 교과서 문법 연계표

과	천재 (이재영)	Chapter	Point	Page
1	주격 관계대명사	12	2	215
1	조건 접속사 if	11	4	199
2	목적격 관계대명사	12	3	217
2	의문사+to부정사	3	4	58
3	to부정사의 명사적 용법: 가주어 It ~ to부정사	3	2	55
3	to부정사의 형용사적 용법	3	5	60
4	수동태	6	1	106
4	원급 비교: as ~ as	8	10	152
5	5형식: to부정사 목적격보어	10	6	184
5	시간 접속사 before, after	11	3	198
6	사역동사	10	7	185
6	too ~ to부정사	3	8	64
7	현재완료(계속, 경험)	1	7, 8, 9	22, 24, 26
7	명사를 수식하는 분사 (현재/과거분사)	5	2	91
8	최상급 비교	8	9	150
8	간접의문문	9	4	166

과	천재 (정사열)	Chapter	Point	Page
1	to부정사의 형용사적 용법	3	5	60
1	접속사 that	11	8	204
2	조건 접속사 if	11	4	199
2	지각동사	10	8	186
3	현재완료	1	7, 8, 9	22, 24, 26
3	접속사 though	11	5	200
4	주격/목적격 관계대명사	12	2, 3	215, 217
4	관계대명사의 생략	12	6	222
5	의문사+to부정사	3	4	58
5	5형식: 형용사 목적격보어	10	5	182
6	수량형용사 a few/a little	8	3	142
6	수동태	6	1	106
7	명사를 수식하는 분사 (현재분사)	5	2	91
7	to부정사의 명사적 용법: 가주어 It ~ to부정사	3	2	55
8	so ~ that	11	6	202
8	사역동사	10	7	185

과	능률 (김성곤)	Chapter	Point	Page
1	동명사: 주어	4	1	74
1	2형식: 감각동사	10	2	179
2	주격 관계대명사	12	2	215
2	빈도부사	8	6	146
3	현재완료	1	7, 8, 9	22, 24, 26
3	so ~ that	11	6	202
4	수동태	6	1	106
4	비교급 강조	8	8	148
5	목적격 관계대명사	12	3	217
5	감정을 나타내는 분사 (과거분사)	5	4	94
6	to부정사의 명사적 용법: 가주어 It ~ to부정사	3	2	55
6	간접의문문	9	4	166
7	5형식: to부정사 목적격보어	10	6	184
7	조건 접속사 if	11	4	199

과	능률 (양현권)	Chapter	Point	Page
1	의문형용사 which	7	9	131
1	재귀대명사	7	3	125
2	수동태	6	1	106
2	not only A but (also) B	11	2	197
3	to부정사의 명사적 용법: 가주어 It ~ to부정사	3	2	55
3	형용사+enough	3	8	64
4	현재완료	1	7, 8, 9	22, 24, 26
4	so that	11	6	202
5	주격 관계대명사	12	2	215
5	조동사 had better	2	7	44
6	간접의문문	9	4	166
6	도치	14	5	257
7	to부정사의 형용사적 용법	3	5	60
7	조동사 must	2	6	42
8	5형식: to부정사 목적격보어	10	6	184
8	수량형용사 (a) few	8	3	142

2학년 교과서 문법 연계표

과	YBM (박준언)	Chapter	Point	Page
1	to부정사의 형용사적 용법	3	5	60
1	접속사 that	11	8	204
2	의문사+to부정사	3	4	58
2	원급 비교: as ~ as	8	10	152
3	사역동사	10	7	185
3	조건 접속사 if	11	4	199
4	주격 관계대명사	12	2	215
4	-thing+형용사	8	2	141
SL1	간접의문문	9	4	166
SL1	최상급 비교	8	9	150
5	수동태	6	1	106
5	so ~ that	11	6	202
6	to부정사의 명사적 용법: 가주어 It ~ to부정사	3	2	55
6	not only A but also B	11	2	197
7	5형식: to부정사 목적격보어	10	6	184
7	목적격 관계대명사	12	3	217
8	현재완료	1	7, 8, 9	22, 24, 26
8	조동사 may	2	4	40
SL2	지각동사	10	8	186
SL2	too ~ to	3	8	64

과	YBM (송미정)	Chapter	Point	Page
1	최상급 비교	8	9	150
1	to부정사의 부사적 용법	3	6	62
2	to부정사의 형용사적 용법	3	5	60
2	사역동사	10	7	185
3	의문사+to부정사	3	4	58
3	주격 관계대명사	12	2	215
4	현재완료	1	7, 8, 9	22, 24, 26
4	조건 접속사 if	11	4	199
5	부가의문문	9	2	163
5	수동태	6	1	106
6	so ~ that	11	6	202
6	목적격 관계대명사	12	3	217
7	지각동사	10	8	186
7	to부정사의 명사적 용법: 가주어 It ~ to부정사	3	2	55
8	5형식: to부정사 목적격보어	10	6	184
8	명사를 수식하는 분사 (현재/과거분사)	5	2	91
9	관계부사	12	7, 8	223, 224
9	간접의문문	9	4	166

과	미래엔 (최연희)	Chapter	Point	Page
1	주격 관계대명사	12	2	215
	접속사 while/after	11	3	198
2	현재완료	1	7, 8, 9	22, 24, 26
	부정대명사 each	7	8	130
3	to부정사의 형용사적 용법	3	5	60
	to부정사의 명사적 용법: 가주어 It ~ to부정사	3	2	55
4	목적격 관계대명사	12	3	217
	so ~ that	11	6	202
5	조건 접속사 if	11	4	199
	원급 비교: as ~ as	8	10	152
6	수동태	6	1	106
	-thing/one+형용사	8	2	141
7	5형식: 형용사 목적격보어	10	5	182
	사역동사	10	7	185
8	지각동사	10	8	186
	5형식: to부정사 목적격보어	10	6	184

과	비상 (김진완)	Chapter	Point	Page
1	동명사	4	1	74
	5형식: 형용사 목적격보어	10	5	182
2	조건 접속사 if	11	4	199
	5형식: to부정사 목적격보어	10	6	184
3	수동태	6	1	106
	to부정사의 형용사적 용법	3	5	60
4	주격 관계대명사	12	2	215
	지각동사	10	8	186
5	현재완료	1	7, 8, 9	22, 24, 26
	목적격 관계대명사	12	3	217
6	to부정사의 명사적 용법: 가주어 It ~ to부정사	3	2	55
	원급 비교: as ~ as	8	10	152
7	사역동사	10	7	185
	간접의문문	9	4	166
8	so ~ that	11	6	202
	명사를 수식하는 분사 (현재/과거분사)	5	2	91

2학년 교과서 문법 연계표

과	지학사 (민찬규)	Chapter	Point	Page
1	부정대명사 one/the other	7	5, 6	127, 128
1	조건 접속사 if	11	4	199
2	의문사+to부정사	3	4	58
2	주격 관계대명사	12	2	215
3	목적격 관계대명사	12	3	217
3	5형식: to부정사 목적격보어	10	6	184
4	-thing+형용사	8	2	141
4	현재완료	1	7, 8, 9	22, 24, 26
5	수동태	6	1	106
5	조동사가 있는 수동태	6	4	112
6	so ~ that	11	6	202
6	원급 비교: as ~ as	8	10	152
7	to부정사의 명사적 용법: 가주어 It ~ to부정사	3	2	55
7	how come	9	3	170
8	사역동사	10	7	185
8	접속사 although	11	5	200

과	금성 (최인철)	Chapter	Point	Page
1	조건 접속사 if	11	4	199
1	부가의문문	9	2	163
2	의문사+to부정사	3	4	58
2	so that	11	6	202
3	to부정사의 형용사적 용법	3	5	60
3	동사를 강조하는 do	2	8	45
4	간접의문문	9	4	166
4	수동태	6	1	106
5	enough to	3	8	64
5	현재완료	1	7, 8, 9	22, 24, 26
6	주격 관계대명사	12	2	215
6	to부정사의 명사적 용법: 가주어 It ~ to부정사	3	2	55
7	목적격 관계대명사	12	3	217
7	관계대명사 what	12	5	220
8	too ~ to	3	8	64
8	가정법 과거	13	2	235

시험에 더 강해진다!

보카클리어 시리즈

하루 25개 40일, 중학 필수 어휘 끝!

중등 시리즈

중학 기본편 | 예비중~중학 1학년
중학 기본+필수 어휘 1000개

중학 실력편 | 중학 2~3학년
중학 핵심 어휘 1000개

중학 완성편 | 중학 3학년~예비고
중학+예비 고등 어휘 1000개

자세한 우리말 풀이로
혼자서도 쉽게!

고교필수·수능 어휘 완벽 마스터!

고등 시리즈

고교필수편 | 고등 1~2학년
고교 필수 어휘 1600개
하루 40개, 40일 완성

수능편 | 고등 2~3학년
수능 핵심 어휘 2000개
하루 40개, 50일 완성

시험에 꼭 나오는
유의어, 반의어, 숙어가 한 눈에!

학습 지원 서비스

휴대용 미니 단어장

어휘 MP3 파일

중등   고등

모바일 어휘 학습 '암기고래' 앱
일반 모드 입장하기 〉영어 〉동아출판 〉보카클리어

안드로이드   iOS

문제로 쉬워지는 중학영문법

그래머
클라우드

3000제

문제로 쉬워지는 중학영문법

그래머 클라우드

3000제

정답 및 해설

LEVEL 2

동아출판

문제로 쉬워지는 중학영문법

그래머 클라우드

3000제

정답 및 해설 LEVEL 2

CHAPTER 1	시제	2
CHAPTER 2	조동사	5
CHAPTER 3	to부정사	8
CHAPTER 4	동명사	11
CHAPTER 5	분사와 분사구문	14
CHAPTER 6	수동태	17
CHAPTER 7	명사와 대명사	20
CHAPTER 8	형용사, 부사, 비교구문	23
CHAPTER 9	문장의 종류	26
CHAPTER 10	문장의 구조	29
CHAPTER 11	접속사	32
CHAPTER 12	관계사	35
CHAPTER 13	가정법	38
CHAPTER 14	일치와 화법	41

CHAPTER 1

시제

POINT 1 현재시제   p. 14

개념확인 1 산다   2 읽는다   3 뜬다

기본연습

A   1 are   2 lives   3 takes
    4 teaches   5 goes

B   1 washes   2 starts   3 eats
    4 does

POINT 2 동사의 과거형과 과거분사형   p. 16

개념확인 1 stopped   2 came   3 saw

기본연습

1 told – told	2 rode – ridden
3 heard – heard	4 won – won
5 grew – grown	6 read – read
7 planned – planned	8 ran – run
9 stood – stood	10 bought – bought
11 knew – known	12 hurt – hurt
13 met – met	14 played – played
15 forgot – forgotten	16 taught – taught
17 drew – drawn	18 hid – hidden
19 studied – studied	20 sent – sent
21 lost – lost	22 tried – tried
23 put – put	24 made – made
25 found – found	26 came – come
27 gave – given	28 sold – sold
29 saw – seen	30 ate – eaten
31 had – had	32 did – done
33 stopped – stopped	34 felt – felt
35 spoke – spoken	36 threw – thrown
37 wrote – written	38 drove – driven
39 went – gone	40 thought – thought
41 fell – fallen	42 built – built
43 chose – chosen	44 kept – kept
45 moved – moved	46 watched – watched

틀리기 쉬운 내신포인트

정답 ③, ④

해설 ③ hurt(다치게 하다)의 과거형과 과거분사형은 모두 hurt이다.
③ spend(쓰다, 소비하다)의 과거형과 과거분사형은 모두 spent이다.

POINT 3 과거시제   p. 17

개념확인 1 동사: cooked, 과거 부사: yesterday
    2 동사: were, 과거 부사구: in 2019

기본연습

A   1 lost   2 left   3 bought
    4 found   5 played   6 painted
    7 missed

B   1 had   2 ○   3 invented
    4 told   5 went   6 ○
    7 won

POINT 4 미래시제   p. 18

개념확인 1 새 가방을 살 것이다   2 영화를 볼 것이다

기본연습

A   1 will be   2 to travel   3 will play
    4 won't go

B   1 make   2 will not(won't)
    3 climb   4 is going to

POINT 5 현재진행형   p. 19

개념확인 1 보고 있다   2 쓰고 있다   3 듣고 있다

기본연습

A   1 are playing   2 is
    3 are   4 baking
    5 is sleeping   6 has
    7 Are you having   8 know
    9 are not watching   10 she running
    11 swimming   12 not looking

B   1 is writing   2 is not playing
    3 has   4 Are, listening
    5 are taking   6 knows
    7 Is, checking   8 are not talking

C   1 He is running
    2 Judy and Mike are riding
    3 We are not(aren't) having
    4 Are they watching

틀리기 쉬운 내신포인트

정답 ③

해설 ③ know는 진행형으로 쓰지 않는 동사이므로 Do you know the song?으로 고쳐야 한다.

개념확인 1 읽고 있었다   2 공부하고 있지 않았다

기본연습 1 was listening   2 was cutting
        3 were not moving   4 Was waiting
        5 was running   6 were drinking
        7 Were, playing   8 were not looking

POINT **7** 현재완료의 개념과 형태   p. 22

개념확인 1 현재 부산에 산다.   2 현재 영어를 공부하고 있다.

기본연습

A   1 known   2 has   3 have
     4 have not   5 Have   6 has been
     7 hasn't   8 Has

B   1 have been   2 has lost
     3 haven't finished   4 Has, studied
     5 hasn't found   6 Have, seen

C   1 I haven't(have not) ridden
     2 Has he learned
     3 She hasn't(has not) been
     4 has lived
     5 Have they used

틀리기 쉬운 내신포인트

정답 ③

해설 2010년 이후로 현재까지 시드니에서 살고 있다는 의미이므로 현재완료를 써야 하며, 주어가 3인칭 단수인 She이므로 「has+과거분사」가 알맞다.

POINT **8** 현재완료의 용법   p. 24

개념확인 1 캐나다에 가 본 적이 있다   2 프랑스로 가 버렸다

기본연습

A   1 완료   2 경험   3 결과
     4 계속   5 경험   6 완료
     7 계속   8 결과

B   1 have known   2 have heard   3 has gone
     4 has watched   5 has just arrived
     6 have used   7 haven't(have not) found

C   1 have fixed   2 has lost   3 has had
     4 has gone

틀리기 쉬운 내신포인트

정답 ③

해설 〈보기〉와 ③은 현재완료의 경험을 나타낸다. ①은 완료, ②와 ④는 계속을 나타낸다.

POINT **9** 과거시제 *vs.* 현재완료   p. 26

개념확인 1 ⓑ   2 ⓐ

기본연습

A   1 has been   2 saved   3 have known
     4 lost   5 saw   6 made
     7 once   8 painted   9 since
     10 wrote

B   1 have used   2 bought   3 ○
     4 joined   5 ○   6 has drawn
     7 sent

C   1 called   2 haven't(have not) played
     3 went   4 has taken   5 moved
     6 has been   7 enjoyed   8 has lived

틀리기 쉬운 내신포인트

정답 ②

해설 첫 번째 문장은 last week가 명백히 과거를 나타내는 부사구이므로 과거형 동사 visited가 알맞고, 두 번째 문장은 three times(세 번)가 경험을 나타내는 현재완료와 쓰이므로 has visited가 알맞다.

개념완성 T E S T   p. 28

STEP 1 *Quick Check*

① lives   ② lived   ③ will visit   ④ to visit
⑤ are watching   ⑥ were watching
⑦ 그는 4년 동안 서울에서 살아왔다.
⑧ 우리는 그 영화를 한 번 본 적이 있다.

STEP 2 기본 다지기

A   1 is   2 missed   3 Are, exercising
     4 has played   5 were swimming

B   1 ○   2 boils   3 is going to travel
     4 have known   5 ○   6 has
     7 hasn't found   8 weren't making

C
1 I kept the promise.
2 We will(are going to) talk about global warming.
3 Sam is walking his dog in the park.
4 My brother and I were growing vegetables in the garden.
5 She hasn't(has not) watched the horror movie before.
6 Were they running in the playground?
7 Is Mrs. Brown going to have a party tonight?
8 Have you heard the news before?

STEP 3 서술형 따라잡기

A
1 has met a movie star
2 has visited Sydney
3 haven't(have not) seen a ghost

B
1 Is she writing an email now?
2 We have already finished the project.
3 He practices taekwondo every weekend.
4 They have never eaten Mexican food.
5 I am not going to play tennis next week.

C
1 Have you been to Canada?
2 We won the game yesterday.
3 She has lived in Daegu since 2015.
4 They were not waiting for me.

학교 시험 실전 문제
p. 31

1 ③	**2** ③	**3** ④	**4** ③	**5** ④	**6** ③, ④
7 ⑤	**8** ③	**9** ③	**10** ②	**11** ②	**12** ②	**13** ⑤
14 ⑤	**15** ④	**16** ③	**17** ④	**18** ④	**19** ②	**20** ④

서술형

21 (1) She was reading a book
(2) She is(She's) riding a bike
22 (1) walked her dog
(2) did her history homework
(3) cooked dinner for her family
23 (1) Have you ever eaten Thai food?
(2) Ann isn't(is not) going to watch TV tomorrow.
(3) I haven't(have not) found my book yet.
24 (1) has watered
(2) has closed
(3) hasn't(has not) turned off
25 (1) ⓐ, He enjoyed the rock concert two days ago.
(2) ⓒ, My aunt has worked in the library for ten years.

1 hurt의 과거형과 과거분사형은 모두 같은 형태이다.

2 now(지금)가 지금 하고 있는 일을 나타내는 부사이므로 현재진행형 「be동사+동사원형-ing」의 형태로 쓰며, 주어 Kevin and Paul이 복수이므로 be동사는 are로 쓴다.

3 tomorrow morning이 미래를 나타내는 부사구이므로 빈칸에는 미래시제인 will be가 알맞다.

4 첫 번째 문장의 last weekend는 과거를 나타내는 부사구이므로 빈칸에는 과거시제가 와야 알맞다.
두 번째 문장은 어제부터 현재까지 계속 아프다는 의미가 되도록 현재완료가 빈칸에 들어가야 알맞다.

5 첫 번째 문장은 과거에 진행 중이었던 일을 나타내는 과거진행형이 되도록 빈칸에는 동사원형-ing가 와야 알맞다.
두 번째 문장의 soon(곧)은 미래를 나타내는 부사이므로 빈칸에는 미래시제가 와야 알맞다.

6 과거의 특정 시점을 나타내는 부사(구)는 현재완료와 함께 쓰이지 않는다.

7 ⑤ be going to 뒤에는 동사원형을 써야 한다.
(buying → buy)

8 ③은 현재완료가 되어야 하므로 빈칸에 과거분사 watched가 들어가고, 나머지 빈칸에는 모두 원형인 watch가 들어간다.

9 현재완료는 「have+과거분사」의 형태로 쓰므로 ③은 paint가 아니라 과거분사형 painted로 고쳐 써야 한다.

10 ⓑ 지구가 태양을 도는 것은 일반적·과학적 사실이므로 현재시제로 써야 한다. (went → goes)

11 〈보기〉와 ②는 현재완료의 경험을 나타낸다. ①은 결과, ③과 ⑤는 계속, ④는 완료를 나타낸다.

12 일반적·과학적 사실은 현재시제로 나타낸다.

13 (A) have가 '가지고 있다'의 의미일 때 진행형으로 쓰지 않으므로 has가 알맞다.
(B) have가 '먹다'의 의미일 때는 진행형으로 쓸 수 있으므로 is having이 알맞다.
(C) '인도 음식을 두 번 먹어 본 적이 있다'의 의미가 되는 것이 자연스러우므로 현재완료 형태인 have had가 알맞다.

14 ①과 ③의 동사 like와 know는 감정, 지각을 나타내는 동사이므로 진행형으로 쓰지 않는다. (is liking → likes / are knowing → know)
② 부사 now(지금)는 과거진행형과 함께 쓰일 수 없다. 현재진행형 문장으로 써야 한다. (Was → Is)
④ when으로 시작하는 의문문은 특정 시점을 묻는 말이므로 현재완료와 함께 쓸 수 없다. (→ When did you watch the movie?)

15 5년 전에 L.A.로 이사 갔고, 현재도 살고 있으므로 '5년 동안 살아왔다'의 의미가 되도록 현재완료(has lived)와 전치사 for(~동안)를 사용한다.

16 ③ two days ago는 명백한 과거를 나타내는 부사구이므로 동사를 과거형으로 써야 한다. (has hidden → hid)

17 주어진 문장을 배열하면 He was not playing computer games at that time.이 되므로 네 번째로 오는 단어는 playing이다.

18 ⓑ와 ⓓ는 현재완료의 계속을 나타낸다. ⓐ는 경험, ⓒ는 완료를 나타낸다.

19 지난 주말(last weekend)은 과거를 나타내는 부사구이므로 과거시제 문장으로 써야 한다.

20 ⓓ 역사적 사실이므로 과거시제로 써야 한다. (has ended → ended)

21 진행형은 「be동사+동사원형-ing」의 형태로 쓴다. 과거진행형은 be동사를 과거형으로, 현재진행형은 현재형으로 써야 하는 것에 유의한다.

22 walk의 과거형은 walked, do의 과거형은 did, cook의 과거형은 cooked이다.

23 (1) '경험'의 의미를 나타내는 현재완료의 의문문은 「Have you ever+과거분사 ~?」로 나타낸다.
(2) 미래의 일에 대한 부정은 「be동사+not+going to+동사원형」의 형태로 쓴다.
(3) '완료'의 의미를 나타내는 현재완료 문장으로 쓴다.

24 현재완료는 「have/has+과거분사」의 형태로 쓰며, 현재완료의 부정형은 「have/has not+과거분사」로 쓴다.

25 ⓐ two days ago는 명백한 과거를 나타내는 부사구이므로 과거시제로 써야 한다. (has enjoyed → enjoyed)
ⓒ for ten years로 보아 과거부터 현재까지 계속되는 상황이므로 현재완료로 고쳐 쓴다. (works → has worked)

C H A P T E R **2**

조동사

POINT 1　조동사의 쓰임　p. 36

개념확인 **1** will　　**2** may　　**3** must

기본연습 **1** know　　　**2** can　　　　**3** should listen
4 play　　　**5** ○　　　　　**6** should go
7 be　　　　**8** stop　　　　**9** ○
10 will wash

POINT 2　조동사의 부정문과 의문문　p. 37

개념확인 **1** will과 tell 사이　　**2** may와 join 사이
3 should와 enter 사이

기본연습 **1** There may not be a library near here.
2 Should I wear a helmet?
3 She will not(won't) be sixteen next year.
4 Can he solve the crossword puzzle?
5 My dad cannot(can't) read the magazine without his glasses.

틀리기 쉬운 내신포인트

정답 You should not(shouldn't) use your cell phone in class.

해설 조동사가 있는 문장의 부정문은 조동사 바로 뒤에 not을 붙여 만든다.

POINT 3　can　p. 38

개념확인 **1** ~할 수 있다　**2** ~일 리 없다　**3** ~해도 될까?

기본연습
A **1** 추측　　**2** 능력　　**3** 허가
4 추측　　**5** 요청　　**6** 허가
7 능력　　**8** 허가　　**9** 요청
10 능력

B **1** He is able to speak three languages.
2 My little brother is not(isn't) able to swim very well.
3 Is Robin able to use chopsticks?
4 Risa was not(wasn't) able to go to school yesterday.
5 Are you able to play tennis?
6 Hojin was able to solve the difficult problem.

C 1 나는 자전거를 탈 수 없다.
2 내가 네 우산을 사용해도 될까?
3 우리는 그 식당을 찾을 수 있었다.
4 Sam은 지금 집에 있을 리(있을 수) 없다.
5 제게 빵 좀 건네주시겠어요?
6 Judy는 운전을 할 수 있니?
7 내가 너와 함께 콘서트에 가도 되니?
8 그 검은색 가방은 Jenny의 것일 리가 없다.
9 우리 엄마는 매우 피곤하실 수도 있다.

틀리기 쉬운 내신포인트

정답 ②

해설 ②는 '~일 리 없다'는 의미의 추측을 나타내고, 나머지는 모두 '~할 수 없다'는 의미로 능력의 부정형을 나타낸다.

POINT 4 may p. 40

개념확인 1 ~일지도 모른다 2 ~해도 좋다

기본연습 1 You may go home now.
2 It may rain tomorrow.
3 She may not eat breakfast.
4 May I use your computer?
5 You may not bring food here.
6 He may move to Busan.
7 May I put on this T-shirt?

POINT 5 will p. 41

개념확인 1 ~할 것이다 2 ~해 줄래?

기본연습 1 They will have lunch
2 He is going to go camping
3 Will you buy some bread
4 She is not(isn't) going to buy a new bag
5 Minsu will not(won't) come to the party

틀리기 쉬운 내신포인트

정답 ③

해설 be going to는 '~할 것이다'라는 의미로 미래를 나타내므로, 조동사 will과 바꿔 쓸 수 있다.

POINT 6 must, have to p. 42

개념확인 1 ~해야 한다 2 ~임에 틀림없다
3 ~해야 한다

기본연습
A 1 ⓐ 2 ⓐ 3 ⓑ
4 ⓐ 5 ⓑ 6 ⓐ
7 ⓐ 8 ⓑ

B 1 must not take 2 must(have to) be
3 don't have to drive 4 will have to get up
5 must not use 6 had to go
7 don't have to close 8 must be
9 will have to tell 10 didn't have to pay

틀리기 쉬운 내신포인트

정답 ④

해설 일요일이라 학교에 갈 필요가 없다는 의미가 되어야 하므로, 빈칸에는 '~할 필요가 없다'는 의미의 ④가 알맞다.

POINT 7 should, had better p. 44

개념확인 1 should와 drive 사이 2 better와 eat 사이

기본연습
A 1 shouldn't 2 had better
3 should 4 had better not
5 should 6 shouldn't

B 1 should not cross 2 should change
3 had better not play 4 had better ask

POINT 8 used to, do p. 45

개념확인 1 ~이었다 2 ~하곤 했다

기본연습
A 1 used to go 2 used to have
3 used to listen 4 used to sing

B 1 I do want to go to the concert.
2 She does exercise regularly every day.
3 We did take a walk yesterday.
4 Tom and Jane do love to watch movies.

개념완성 TEST

STEP 1 Quick Check

① is able to　② have to　③ am going to

④ 너는 시간을 낭비하면 안 된다.

⑤ 너는 지금 서두를 필요가 없다.

⑥ You'd better wear

⑦ be

⑧ I did see a beautiful rainbow.

STEP 2 기본 다지기

A 1 Can　　　　2 may(can)　　3 Will(Can)

4 must(should)　5 is going to　6 had to

7 had better not　8 used to

B 1 have to　　　2 had to　　　3 be able to

4 doesn't　　　5 Can you　　6 watch

7 used to　　　8 finish

C 1 She is going to ride a bike on Friday.

2 Are you able to surf in the sea?

3 You had better not take the medicine.

4 She doesn't have to go to the hospital tomorrow.

5 We have to clean up the park.

6 I used to walk to school with my friends.

7 She did understand all the teacher's questions.

8 You had better not eat too much pizza.

STEP 3 서술형 따라잡기

A 1 must not take pictures(photos)

2 must not ride a bicycle(bike)

B 1 Sam will be sixteen next year.

2 She could not go to school yesterday.

3 We used to play soccer after school.

4 Jane must be angry with me.

C 1 Would you close the window?

2 She can't be in Seoul.

3 You don't have to bring your lunch.

4 You had better not skip breakfast.

학교 시험 실전 문제

1 ②	2 ④	3 ⑤	4 ③	5 ③	6 ②	7 ③
8 ⑤	9 ④	10 ⑤	11 ③	12 ④	13 ⑤	14 ②, ③
15 ②	16 ⑤	17 ④	18 ②	19 ①	20 ②	

서술형

21 Can(Could/Will/Would) you

22 used to be a big tree

23 (1) Daniel must have a cold.

(2) Kate cannot be over forty.

(3) My wallet must be in the car.

24 (1) You should take an umbrella. / You had better take an umbrella.

(2) You should not(shouldn't) stay up late at night. / You had better not stay up late at night.

(3) You should have breakfast. / You had better have breakfast.

25 (1) Dad has to make a fire, but Mom and Kevin don't have to do it.

(2) Mom and Kevin have to cook dinner, but Dad doesn't have to do it.

---

1 문맥상 불가능을 뜻하는 부정문이 되어야 하므로, '~할 수 없다' 는 의미의 can't가 알맞다.

2 문맥상 '~하지 말아야 한다'는 충고의 의미를 나타내는 shouldn't가 알맞다.

3 '~해야 한다'는 뜻의 의무를 나타내는 must는 have to로 바꿔 쓸 수 있다.

4 '~하는 게 좋겠다'는 의미의 had better는 바로 뒤에 not을 붙여 부정문을 만든다.

5 ①, ②, ④, ⑤는 '~임에 틀림없다'는 의미로 강한 추측을 나타내고, ③은 '~해야 한다'는 의미로 강한 의무를 나타낸다.

6 조동사 뒤에 be동사가 올 때는 동사원형을 써야 한다. (is → be)

7 두 번째 문장 빈칸 뒤에 not이 있으므로 ③ have to는 들어갈 수 없다. have to의 부정형은 don't have to이다.

8 ⑤ 과거의 일을 말하고 있으므로, 조동사 can의 과거형으로 써야 한다. (cannot → could not)

9 You must not throw trash on the street.의 순서로 배열하므로, 세 번째로 오는 단어는 not이다.

10 조동사 뒤에는 항상 동사원형이 와야 한다. ⑤ does → do

11 첫 번째 빈칸에는 어젯밤 이웃이 피아노를 쳐서 잠을 잘 못 잤다는 의미가 되어야 하므로, 과거형인 couldn't가 알맞다.

두 번째 빈칸에는 경찰을 부르는 게 좋겠다는 충고의 표현이 되어야 하므로 had better가 알맞다.

12 인터넷에서 정보를 찾을 수 있으므로, 도서관에 갈 필요가 없다

는 의미가 되는 것이 자연스럽다.

13 대화의 밑줄 친 may와 ⑤는 약한 추측의 의미로 쓰였고, 나머지
는 모두 허가의 의미로 쓰였다.

14 ② 과거를 나타내는 부사구 last night가 있으므로, 과거형인
had to로 고쳐야 한다.
③ 조동사는 두 개를 나란히 쓸 수 없으므로, will must를 will
have to로 고쳐야 한다.

15 미래의 일에 대한 부정이므로, will not(won't)이 들어가야 한다.

16 '~하곤 했다'는 의미로 과거의 습관을 나타낼 때는 used to를
쓴다.

17 ④ don't have to는 '~할 필요가 없다'는 의미로 불필요를 나타
내고, must not은 '~하면 안 된다'는 의미로 금지를 나타낸다.

18 ⓑ 주어가 3인칭 단수이므로, does를 써야 한다.
ⓓ 과거의 습관이나 상태를 나타내는 used to 뒤에는 동사원형
이 와야 한다. (lived → live)

19 ① 주어가 3인칭 단수이므로, don't를 doesn't로 고쳐야 한다.

20 ⓑ yesterday(어제)로 보아 과거시제의 문장이 되어야 하므로
be able to의 be동사는 과거형으로 써야 한다. (is able to →
was able to)
ⓒ 조동사는 나란히 쓸 수 없다. (will can → will be able to)
ⓓ should 뒤에는 동사원형이 와야 한다. (brought → bring)
ⓔ '~하는 게 좋겠다'는 의미로 강한 충고의 의미를 나타내는 조
동사는 had better이다.

21 상대방에게 무언가를 요청하는 말은 Can(Could/Will/Would)
you ~?로 표현할 수 있다.

22 과거에는 그랬지만, 지금은 그렇지 않은 과거의 상태를 나타낼
때 「used to+동사원형」을 사용한다.

23 must는 '~임에 틀림없다'라는 뜻으로 강한 추측을 나타내고,
cannot은 '~일 리 없다'는 뜻으로 부정의 강한 추측을 나타낸
다. 「must/cannot+동사원형」의 형태로 문장을 쓴다.

24 (1), (3) '~해야 한다/~하는 게 좋겠다'라는 충고의 의미로
「should/had better+동사원형」의 형태를 쓴다.
(2) '~하지 말아야 한다/~하지 않는 게 좋겠다'라는 충고의 의
미로 「should not/had better not+동사원형」의 형태를 쓴다.

25 각 사람이 해야 할 일은 have to(has to)를, 할 필요가 없는 일
은 don't have to(doesn't have to)를 사용한다.

to부정사

POINT 1 to부정사의 형태와 쓰임 p. 54

개념확인 **1** to follow　**2** to exercise　**3** to eat

기본연습

A **1** to learn　**2** to read　**3** to see
4 to drink　**5** to study

B **1** to waste　**2** to drink　**3** to become
4 to have　**5** not to go out

틀리기 쉬운 내신포인트

정답 ③

해설 '우리 부모님은 시골에 살기를 원한다.'는 뜻의 문장으로 명
사 역할을 하는 「to+동사원형」 형태의 to부정사가 알맞다.

POINT 2 명사적 용법: 주어 역할 p. 55

개념확인 **1** 바다로 다이빙하는 것은　**2** 농구를 하는 것은

기본연습

A **1** to save　**2** It
3 to have　**4** to study
5 It

B **1** It　**2** get up
3 take　**4** It
5 to understand　**6** travel
7 know

C **1** to play　**2** to exercise
3 exciting to travel　**4** difficult to climb
5 dangerous to go out　**6** not easy to finish
7 It, to learn　**8** It, to read
9 It, to solve　**10** It is not good
11 It is not easy

틀리기 쉬운 내신포인트

정답 ①

해설 ①은 '그것'이라는 의미의 인칭대명사이고, 나머지는 모두
가주어이다.

POINT 3 명사적 용법: 보어, 목적어 역할 p. 57

개념확인 1 보어 2 목적어

기본연습 1 to travel 2 to teach
3 wants to be 4 is to fly
5 needs to drink 6 is to make
7 expects to climb 8 decided not to go

POINT 4 명사적 용법: 의문사+to부정사 p. 58

개념확인 1 어디서 만날지 2 언제 출발할지 3 무엇을 먹을지

기본연습

A 1 what to cook 2 how to use
3 when to start 4 where to go
5 how to drive

B 1 what to do 2 where to go
3 when to meet you
4 how to solve the problem
5 how to play the piano

C 1 where to eat 2 when to leave
3 what to wear 4 how to make
5 what to buy

D 1 what to learn 2 where she should stay
3 when to meet her 4 what I should bring
5 how to ride a bike

POINT 5 형용사적 용법 p. 60

개념확인 1 a lot of work 2 time 3 someone

기본연습

A 1 읽을 책을 2 이야기를 나눌 누군가가
3 물을 몇 가지 질문이 4 할 많은 일을
5 살 집을

B 1 to visit 2 to help
3 things to do 4 to play with
5 on

C 1 to drink 2 to do 3 to sit
4 to play 5 to eat

D 1 anything to eat
2 enough money to buy
3 many people to invite
4 a lot of homework to finish
5 a chair to sit on
6 a pencil to write with
7 songs to listen to

POINT 6 부사적 용법 p. 62

개념확인 1 미안하다고 말하기 위해 2 그녀를 돕다니

기본연습 1 happy to be
2 grew up to be
3 smart to solve
4 (in order) to watch the news
5 (in order) to borrow some books

POINT 7 to부정사의 의미상 주어 p. 63

개념확인 1 for me 2 of her 3 for him

기본연습

A 1 for 2 of 3 for
4 him 5 me 6 of

B 1 for me to learn 2 of us to believe
3 of her to leave 4 for you to swim

POINT 8 too ~ to, enough to p. 64

개념확인 1 너무 뜨거워서 마실 수 없는 2 들 만큼 충분히 가벼운

기본연습 1 hard enough to win
2 too busy to help
3 so sleepy that I can't do
4 so tired that he couldn't
5 strong enough to carry

STEP 1 Quick Check

① It ② to draw ③ to use

④ 나는 예술을 공부하기 위해 파리에 갔다.

⑤ 나는 시드니에서 그를 만나서 행복했다.

⑥ for ⑦ too ⑧ enough

STEP 2 기본 다지기

A
1 명사	2 명사	3 부사
4 형용사	5 부사	6 명사
7 부사	8 명사	9 형용사
10 명사	11 형용사	

B
1 to visit 2 to buy 3 how to use

4 to play with 5 not to go 6 for me to find

7 too young to ride

8 wise enough to understand

C
1 where to go 2 write with 3 of him

4 It 5 when to turn in

6 old enough 7 too difficult to do

8 to send 9 to meet

D
1 It is important to be on time.

2 It is dangerous to run on the street.

3 It was very exciting to make a snowman.

4 It is not easy to exercise every day.

E
1 Please tell me when to start.

2 I don't know what to do next.

3 I told Bob how to cook bulgogi.

4 They decided where to go for the field trip.

5 I was too excited to fall asleep.

6 He was brave enough to catch the thief.

7 She's strong enough to win the boxing match.

8 I'm too short to reach the shelf.

9 He was surprised to hear the news.

10 Kate went to the store to buy some fruit.

STEP 3 서술형 따라잡기

A
1 to play the drums

2 to fish in the lake

3 to wash the car

B
1 It is hot enough to wear shorts.

2 She has no time to sleep these days.

3 The museum has a lot of things to see.

4 I called Tom to ask about the math project.

C
1 It is kind of him to show the way.

2 It was fun for me to go to the beach.

3 He will learn how to play the piano. / He will learn how he should play the piano.

4 I want to know when to turn right. / I want to know when I should turn right.

학교 시험 실전 문제   p. 69

1 ④	2 ②	3 ④	4 ④	5 ⑤	6 ③	7 ④
8 ④	9 ②	10 ②	11 ②	12 ②	13 ②	14 ③
15 ①	16 ④	17 ④	18 ②	19 ①	20 ④	

서술형

21 (1) Let me know when to finish the work.

(2) I was too sleepy to read the book.

(3) Andy is smart enough to solve the problem.

22 (1) what to wear (2) where to go

(3) how to use

23 (1) a jacket to wear (2) a book to read

(3) a chair to sit on

24 (1) I was sad to hear the bad news.

(2) I'm going to the park to ride a skateboard.

25 (1) It is not easy to exercise regularly.

(2) It is interesting to play the guitar.

(3) It is boring to watch the baseball games.

1 가주어 It이 주어 자리에 왔으므로, 진주어인 to부정사구가 뒤에 오는 것이 알맞다. to부정사는 「to+동사원형」의 형태로 쓴다.

2 '어떻게 사용하는지, 사용하는 방법'이라는 의미가 되어야 하므로, 「how+to부정사」가 알맞다.

3 '잠을 자러 가기 위해 불을 껐다'라는 의미가 되어야 하므로, '~ 하기 위해'라는 목적을 나타내는 to부정사가 와야 한다.

4 to부정사의 의미상 주어는 「for+목적격」의 형태로, to부정사 앞에 쓴다.

5 to부정사의 의미상 주어로 「of+목적격」이 왔으므로, 사람의 성격이나 태도를 나타내는 형용사가 와야 한다.

6 〈보기〉와 ③은 형용사적 용법의 to부정사이다. ① 명사적 용법(주어) ② 명사적 용법(목적어) ④ 명사적 용법(보어) ⑤ 부사적 용법(목적)

7 〈보기〉와 ④는 목적을 나타내는 부사적 용법의 to부정사이다. ① 명사적 용법(목적어) ②, ③ 형용사적 용법 ⑤ 명사적 용법(보어)

8 「so+형용사+that+주어+can't」는 「too+형용사+to부정사」로 바꿔 쓸 수 있다.

9 He is old enough to go to school.이 되어야 하므로, 네 번째로 오는 단어는 enough이다.

10 to부정사의 수식을 받는 명사가 전치사의 목적어일 때는 to부정사 뒤에 전치사를 써야 한다. '앉을 의자'와 '함께 놀 친구들'의 의미가 되어야 하므로, chairs to sit on, friends to play with가 알맞다.

11 ② to부정사의 부정은 to부정사 앞에 not을 써서 나타낸다.

12 ②는 날씨를 나타낼 때 사용하는 비인칭 주어 It이고, 나머지는 모두 가주어 It이다.

13 ② '~해서'라는 의미로 감정의 원인을 나타내는 to부정사를 써야 한다. (in order to hear → to hear)
in order to는 목적을 나타내는 to부정사를 대신하여 쓸 수 있는 표현이다.

14 '어떻게 ~할지'는 「how+to부정사」로 쓴다.

15 ① paper가 to부정사의 수식을 받고 '쓸 종이'라는 의미가 되어야 하므로, write 뒤에 전치사 on을 써야 한다. (→ to write on)

16 ④는 '부유하지 않지만 그 차를 살 수 있다'라는 의미인 반면, 나머지는 '부유해서 그 차를 살 수 있다'는 의미이다.

17 to부정사의 의미상 주어는 사람의 성격(kind)을 나타내는 형용사와 함께 쓰일 경우에는 「of+목적격」으로 쓰고, 그 외에는 「for+목적격」으로 쓴다.

18 ⓓ '~할 만큼 충분히 …한'은 「형용사/부사+enough+to부정사」로 써야 한다. (→ tall enough to be)

19 ① a book을 수식하는 형용사적 용법의 to부정사가 되는 것이 알맞다. (→ to read)

20 ⓐ 가주어는 it으로 쓴다. (This → It)

21 (1) 「의문사+주어+should+동사원형」은 「의문사+to부정사」로 바꿔 쓸 수 있다.
(2) 「so+형용사+that+주어+can't」는 「too+형용사+to부정사」로 바꿔 쓸 수 있다.
(3) 「so+형용사+that+주어+can」은 「형용사+enough+to부정사」로 바꿔 쓸 수 있다.

22 (1) '무엇을 ~할지'는 「what+to부정사」로 쓴다.
(2) '어디로 ~할지'는 「where+to부정사」로 쓴다.
(3) '어떻게 ~할지'는 「how+to부정사」로 쓴다.

23 '~할'이라는 의미로 명사를 뒤에서 수식하는 형용사적 용법의 to부정사를 쓴다.

24 (1) 감정의 원인을 나타내는 부사적 용법의 to부정사를 쓴다.
(2) 목적을 나타내는 부사적 용법의 to부정사를 사용하여 문장을 쓴다.

25 가주어 It을 주어 자리에 쓰고, 진주어인 to부정사는 문장 뒤에 쓴다.

POINT 1 동명사의 형태와 쓰임 p. 74

개념확인 1 crying 　　 2 Planning 　　 3 teaching

기본연습

A 1 목적어 　　 2 보어 　　 3 주어
4 보어 　　 5 목적어 　　 6 주어
7 목적어 　　 8 주어

B 1 Her favorite exercise is playing
2 Watching basketball games is
3 Making spaghetti is
4 Tina's hobby is collecting
5 Learning a foreign language is
6 being a great doctor
7 taking care of sick animals
8 Worrying about the test is not

C 1 fixing(to fix) 　　 2 is
3 ○ 　　 4 baking
5 Eating 　　 6 traveling(to travel)
7 ○ 　　 8 Not wearing

틀리기 쉬운 내신포인트

정답 ④

해설 〈보기〉와 ④는 주어로 쓰인 동명사이고, ①은 보어, ②는 동사의 목적어, ③은 전치사의 목적어로 쓰인 동명사이다.

POINT 2 동명사를 목적어로 쓰는 동사 p. 76

개념확인 1 quit 　　 2 kept 　　 3 stopped

기본연습

A 1 growing 　　 2 visiting 　　 3 to move
4 eating 　　 5 exercising 　　 6 turning
7 to win 　　 8 going

B 1 decided to raise 　　 2 imagine meeting
3 kept watching 　　 4 want to win
5 put off meeting 　　 6 practice dancing
7 finished writing 　　 8 stop asking
9 plans to read

C 1 exercising → to exercise
2 to visit → visiting 　　 3 arriving → to arrive
4 to take → taking 　　 5 to run → running
6 buying → to buy 　　 7 to play → playing
8 meeting → to meet

정답 ④

해설 ④ hope는 목적어로 to부정사를 쓴다. (visiting → to visit)

POINT **3** 동명사와 to부정사 둘 다 목적어로 쓰는 동사 p. 78

개념확인 **1** 잠갔던 것　　**2** 노력했다　　**3** 살 것

기본연습
A　**1** studying, to study　　**2** to buy
　　3 dropping　　　　　　**4** to look
　　5 to have　　　　　　 **6** looking, to look
　　7 to borrow　　　　　 **8** putting

B　**1** 전화하는 것을 잊었다　　**2** 이해하려고 노력했다
　　3 마시기 위해 멈췄다　　 **4** 만난 것을 기억했다
　　5 가져온 것을 잊었다　　 **6** 만들어 봤다

정답 ④

해설 tomorrow가 있으므로 '(미래에) ~할 것을 잊다'의 의미를 나타내는 「forget+to부정사」가 알맞다.

POINT **4** 동명사의 관용 표현 I　　p. 80

개념확인 **1** 기다리는 것에 싫증이 난다　　**2** 노래를 잘한다
　　3 와 준 것에 대해 고마워했다

기본연습 **1** am sorry for(about) breaking
　　2 is used to singing
　　3 look forward to hearing
　　4 felt like drinking
　　5 is thinking of raising
　　6 Are, afraid of walking

POINT **5** 동명사의 관용 표현 II　　p. 81

개념확인 **1** 읽을 가치가 있다　　**2** 만드느라 바쁘다
　　3 계속 배우다

기본연습 **1** cleaning, 청소하느라 바쁘다
　　2 hiking, 등산하러 가자
　　3 playing, 많은 시간을 보낸다
　　4 couldn't, 웃지 않을 수 없었다
　　5 sleeping, 잠드는 데 어려움을 겪는다
　　6 helping, 계속 도울 것이다
　　7 watching, 볼 가치가 있다

개념완성 T E S T　　p. 82

STEP 1 Quick Check

① Learning　② watching　③ drinking
④ to exercise　⑤ 나는 새 드레스를 입어봤다.
⑥ 점심을 가져올(가져오는) 것을 잊지 마세요.
⑦ used, getting up

STEP 2 기본 다지기

A　**1** playing(to play)　　**2** to stay
　　3 Telling　　　　　　 **4** being
　　5 afraid of watching　 **6** tried, laughing

B　**1** to win　　　　　　　**2** helping
　　3 ○　　　　　　　　 **4** Making
　　5 to put　　　　　　　**6** drinking
　　7 ○　　　　　　　　 **8** playing

C　**1** cooking dinner for her parents
　　2 preparing for the final exam
　　3 being(to be) a movie director
　　4 Taking care of plants
　　5 joining the book club
　　6 to see the doctor
　　7 like going shopping
　　8 meeting his old friend

STEP 3 서술형 따라잡기

A　**1** practices swimming
　　2 enjoys taking pictures(photos)

B　**1** Worrying about the contest is not helpful.
　　2 You should remember to return the book.
　　3 I tried calling her, she didn't answer
　　4 Tony forgot to buy his wife

C　**1** She avoids speaking in front of many people.
　　2 We look forward to meeting her
　　3 Sarah felt like drinking cold water.
　　4 I cannot help smiling

1 ③　2 ②　3 ③　4 ④　5 ⑤　6 ④　7 ④
8 ③　9 ④　10 ⑤　11 ③　12 ⑤　13 ③　14 ②, ④
15 ②　16 ②　17 ②　18 ③　19 ④　20 ③

[서술형]

21 (1) to answer → answering
　　(2) meet → meeting
22 (1) has trouble waking up
　　(2) remember meeting her
23 (1) she was busy taking care of her (little) sister
　　(2) she forgot to do her homework
24 was worth watching
25 (1) playing computer games
　　(2) Reading books
　　(3) listening(to listen) to music

1 finish는 동명사를 목적어로 쓰는 동사이다.

2 목적어로 동명사가 왔으므로 to부정사를 목적어로 쓰는 동사 decide는 알맞지 않다.

3 mind는 동명사를 목적어로 쓰는 동사이다.

4 want(원하다)는 to부정사를 목적어로 쓰는 동사이고, give up(포기하다)은 동명사를 목적어로 쓰는 동사구이다.

5 ⑤ expect는 to부정사를 목적어로 쓰는 동사이다. (winning → to win)

6 〈보기〉와 ④는 보어로 쓰인 동명사이고, ①은 전치사의 목적어로 쓰인 동명사, ②는 진행형으로 쓰인 현재분사, ③은 주어로 쓰인 동명사, ⑤는 동사의 목적어로 쓰인 동명사이다.

7 feel like -ing는 '~하고 싶다'라는 의미이다.

8 keep은 동명사를 목적어로 쓰는 동사이고, 「stop+to부정사」는 '~하기 위해 (하던 일을) 멈추다'라는 의미이다.

9 주어로 쓰인 동명사는 to부정사로 바꿔 쓸 수 있다.

10 「forget+to부정사」는 '(미래에) ~할 것을 잊다'라는 의미이다.

11 「remember+동명사」는 '(과거에) ~한 것을 기억하다'라는 의미이다.

12 be used to -ing는 '~하는 데 익숙하다'라는 의미이다.

13 ⓐ put off는 동명사를 목적어로 쓰는 동사구이다. (to see → seeing)
　ⓓ plan은 to부정사를 목적어로 쓰는 동사이다. (painting → to paint)

14 ② look forward to의 to는 전치사로, 뒤에 목적어로 동명사가 와야 한다. (hear → hearing)
　④ 주어로 쓰인 동명사는 단수 취급한다. (make → makes)

15 ②는 보어로 쓰인 동명사이고, 나머지는 모두 전치사의 목적어로

쓰인 동명사이다.

16 ② avoid는 동명사를 목적어로 쓰는 동사이므로, drinking으로 고쳐야 한다.

17 ② 「try+동명사」는 '(시험 삼아) ~해 보다'라는 의미이므로, '그녀는 문을 두드려 보았다.'라는 의미가 되어야 한다.

18 ③ stop은 목적어로 동명사가 와야 한다. to부정사가 오는 경우에는 '~하기 위해 (하던 일을) 멈추다'라는 목적의 의미를 나타낸다.

19 (A) decide는 목적어로 to부정사를 쓰는 동사이다.
　(B) put off는 목적어로 동명사를 쓰는 동사구이고, (C) mind는 목적어로 동명사를 쓰는 동사이다.

20 ⓐ keep은 동명사를 목적어로 쓰는 동사이다.
　ⓑ be tired of -ing는 '~하는 것에 싫증이 나다'라는 의미이다.
　ⓔ '걷는 것을 멈췄다'라는 의미가 되도록 stop 뒤에 목적어가 와야 하고, stop은 목적어로 동명사를 쓴다.

21 (1) avoid는 목적어로 동명사가 와야 하므로, to answer를 answering으로 고쳐야 한다.
　(2) look forward to -ing는 '~하는 것을 기대하다'라는 의미이므로, meet을 meeting으로 고쳐야 한다.

22 (1) '~하는 데 어려움을 겪다'라는 의미로 have trouble -ing를 쓴다.
　(2) '(과거에) ~한 것을 기억하다'라는 의미로 「remember+동명사」를 쓴다.

23 (1) '~하느라 바쁘다'는 be busy -ing로 쓴다.
　(2) '~할 것을 잊다'는 「forget+to부정사」로 쓴다.

24 '~할 가치가 있다'는 표현은 be worth -ing이다.

25 (1) enjoy는 동명사를 목적어로 쓴다.
　(2) 문장의 주어로 동명사(구)를 쓸 수 있다.
　(3) 문장의 보어로 동명사(구)나 to부정사(구)를 쓸 수 있다.

CHAPTER 5
분사와 분사구문

POINT 1 분사의 형태와 쓰임   p. 90

개념확인 1 surprising   2 locked   3 standing

기본연습
1 ⓑ   2 ⓐ
3 ⓑ   4 ⓐ
5 ⓐ   6 ⓐ
7 ⓑ

틀리기 쉬운 내신포인트

정답 ④

해설 프랑스어로 '쓰여진'의 의미가 되어야 하므로 과거분사 written이 알맞다.

POINT 2 현재분사와 과거분사   p. 91

개념확인 1 a smiling boy   2 a broken mirror
3 lots of shining stars

기본연습

A
1 crying   2 used   3 painting
4 walking   5 broken   6 cooking
7 made   8 falling   9 playing
10 spoken   11 barking   12 built

B
1 sleeping   2 written   3 smiling
4 drawn   5 named   6 studying
7 baked   8 lost   9 talking
10 swimming

틀리기 쉬운 내신포인트

정답 ④

해설 The boy를 수식하면서 능동·진행의 의미를 나타내는 현재분사 jogging이 알맞다.

POINT 3 현재분사 vs. 동명사   p. 93

개념확인 1 잠을 자는 용도의   2 웃고 있는

기본연습 1 동명사   2 현재분사   3 동명사
4 현재분사   5 동명사   6 현재분사
7 동명사   8 동명사   9 현재분사

POINT 4 감정을 나타내는 분사   p. 94

개념확인 1 It is exciting news.
2 He is satisfied with his grade.

기본연습

A
1 interesting   2 shocked
3 boring   4 exciting
5 tiring   6 confused
7 interested   8 pleased
9 satisfying   10 disappointed
11 surprised   12 excited
13 surprising   14 disappointing

B
1 satisfied   2 boring
3 surprising   4 interested
5 confused   6 disappointed
7 shocking   8 pleased

틀리기 쉬운 내신포인트

정답 ④

해설 첫 번째 문장에서 novel은 흥미로운 감정을 느끼게 하는 원인이므로 빈칸에는 현재분사가 알맞다. 두 번째 문장에서 She는 흥미를 느끼는 주체이므로 빈칸에는 과거분사가 알맞다.

POINT 5 분사구문 만드는 법   p. 96

개념확인 1 Having a toothache   2 Watching TV

기본연습 1 Going shopping   2 Drinking coffee
3 Staying in Busan   4 Having a bad cold
5 Getting on the train   6 Being sick
7 Opening the box

POINT 6 분사구문의 다양한 의미   p. 97

개념확인 1 라디오를 들으면서   2 바쁘기 때문에

기본연습 1 Knowing the answer   2 Waving her hand
3 Traveling in London   4 Entering the theater
5 Arriving late   6 Cleaning the windows

개념완성 TEST

STEP 1 Quick Check

① broken   ② crying   ③ pleased
④ 나는 침낭을 살 것이다.
⑤ 안경을 쓰고 있는 소년은 내 남동생이다.
⑥ Having   ⑦ Sitting

STEP 2 기본 다지기

A 1 interested   2 living   3 lost
   4 covered   5 sleeping   6 Having(Eating)

B 1 ○   2 broken   3 ○
   4 lost   5 talking   6 playing
   7 Seeing   8 jumping   9 named
   10 Hearing

C 1 Entering the house, he took off his shoes.
   2 Swimming in the river, I saw a lot of fish.
   3 Knowing the answer, she could help him.
   4 Driving his car, he listened to the radio.
   5 Feeling tired, she went home early.
   6 Waiting for the bus, I talked to my mom on the phone.
   7 Being asleep, he couldn't hear the bell.

STEP 3 서술형 따라잡기

A 1 Playing the guitar   2 Watching a movie

B 1 The song written by James is very popular.
   2 I heard the surprising news this morning.
   3 The children wearing red hats are dancing.
   4 We were disappointed with the result of the game.

C 1 Stopping the car, she opened
   2 Reading a book, I drank
   3 Cleaning his room, he found
   4 Being late for school

학교 시험 실전 문제

1 ⑤	2 ③	3 ⑤	4 ④	5 ③	6 ②	7 ④
8 ⑤	9 ③	10 ④	11 ④	12 ②	13 ①, ②, ④	
14 ③	15 ②	16 ③	17 ⑤	18 ③	19 ③	20 ④

[서술형]

21 (1) worn → wearing   (2) making → made
22 (1) confused   (2) disappointing
   (3) shocked
23 Walking to school, he lost his wallet.
24 (1) taken   (2) baked
   (3) playing   (4) surprised
   (5) interesting
25 (1) While I listened to music, I waited for the bus.
   (2) Because she was hungry, she ate a whole pizza.
   (3) After they got off the train, they had a late lunch.

---

1 '짖는 개'라는 능동의 의미가 되어야 하므로 현재분사 barking이 알맞다.

2 '깨진 컵'이라는 수동의 의미가 되어야 하므로 과거분사 broken이 알맞다.

3 The movie는 감정을 느끼게 하는 원인이므로, 현재분사가 들어가야 한다.

4 첫 번째 문장에는 '침낭'이라는 의미가 되도록 동명사 sleeping이 알맞고, 두 번째 문장에는 '자고 있는 아기'라는 의미가 되도록 현재분사 sleeping이 들어가는 것이 알맞다.

5 ①, ②는 주어가 감정을 느끼는 주체이므로 과거분사를 써야 한다. ①은 confused, ②는 excited로 고쳐야 한다.
③~⑤의 story, book, news는 모두 감정을 느끼게 하는 원인이므로 현재분사를 써야 한다. ④는 boring, ⑤는 surprising으로 고쳐야 한다.

6 ②의 living은 용도를 나타내는 동명사이고, 나머지는 모두 뒤에 있는 명사를 수식하는 현재분사이다.

7 분사구문에서 부사절의 동사는 현재분사로 바꿔야 하므로 Smiling이 알맞다.

8 Jake는 감정을 느끼는 주체이므로 과거분사 shocked가 알맞다. Her answer는 감정을 느끼게 하는 원인이므로 현재분사 shocking이 알맞다.

9 〈보기〉의 singing과 ③의 burning은 뒤에 있는 명사를 수식하는 현재분사이다. ①, ②, ⑤는 모두 용도를 나타내는 동명사이고, ④는 보어로 쓰인 동명사이다.

10 분사구는 명사의 뒤에서 명사를 수식하고 아이들이 놀고 있는 것은 능동의 의미이므로, 현재분사를 쓴다.

11 '길에 떨어진'이라는 수동의 의미를 나타내므로 과거분사를 쓴다.

12 ⓓ의 writing은 '쓰여진'이라는 수동의 의미로 the novel을 수식해야 하므로 과거분사 written으로 고쳐야 한다. ⓐ의 fishing은 동명사이고, ⓑ의 playing the piano는 the girl을 수식하는 현재분사구이다. ⓒ의 broken은 '깨진'이라는 수동의 의미로 mirror를 수식하는 과거분사이다.

13 ① 진행형 문장에 쓰인 현재분사이다.
② 남자가 '조깅하는'이라는 능동의 의미이므로 현재분사 jogging이 알맞다.
③ bag은 '잃어버린'이라는 수동의 의미가 되어야 하므로 losing을 lost로 고쳐야 한다.
④ '놀고 있는 아이들'이라는 능동의 의미이므로 현재분사 playing이 알맞다.
⑤ '만들어진'이라는 수동의 의미로 the movie를 수식해야 하므로 making을 과거분사 made로 고쳐야 한다.

14 부사절을 분사구문으로 만들 때, 접속사와 주어를 생략하고 부사절의 동사를 현재분사 형태로 바꾼다.

15 분사구문에서 부사절의 동사는 현재분사로 바꿔야 한다.

16 분사구문을 만들 때, 부사절의 접속사와 주어를 생략하고 동사를 현재분사로 바꾼다. 의미를 명확히 나타내기 위해 접속사를 남겨둘 수 있다.

17 ⑤ fried는 chicken을 수식하는 분사이므로, '나는 저녁으로 튀겨진 닭고기를 먹었다.'라는 의미가 되어야 한다.

18 첫 번째 빈칸에는 '기다리고 있는'이라는 능동의 의미로 people을 수식하는 현재분사 waiting이 알맞다.
두 번째 빈칸에는 주어(They)가 감정을 느끼는 주체이므로, 과거분사 excited가 알맞다.

19 (A) 주어(He)가 감정을 느끼는 주체이므로, 과거분사 satisfied가 알맞다.
(B) 목적어(me)가 감정을 느끼는 주체이므로, 과거분사 confused가 알맞다.
(C) '연주하고 있는'이라는 능동의 의미로 The girl을 수식해야 하므로, 현재분사 playing이 알맞다.

20 ⓒ, ⓔ 분사구문을 만들 때 부사절의 동사는 현재분사로 바꿔야 한다.
ⓒ Rode → Riding ⓔ Climbed → Climbing

21 (1) 능동의 의미이므로, worn을 현재분사 wearing으로 고쳐야 한다.
(2) 수동의 의미이므로, making을 과거분사 made로 고쳐야 한다.

22 (1) She가 감정을 느끼는 주체이므로, 과거분사 confused를 쓴다.
(2) The end of the movie가 감정을 느끼게 하는 원인이므로, 현재분사 disappointing을 쓴다.

(3) me가 감정을 느끼는 주체이므로, 과거분사 shocked를 쓴다.

23 동사 walk를 현재분사 walking으로 바꿔 분사구문을 만들고, 주절의 동사 lose는 과거시제로 쓴다.

24 (1) '찍힌'이라는 수동의 의미로 pictures를 수식하는 과거분사 taken을 쓴다.
(2) '구워진'이라는 수동의 의미로 the cookies를 수식하는 과거분사 baked를 쓴다.
(3) '컴퓨터 게임을 하고 있는'이라는 능동의 의미로 This boy를 수식하는 현재분사 playing을 쓴다.
(4) My mom은 감정을 느끼는 주체이므로, 과거분사 surprised를 쓴다.
(5) '사진을 찍는 것'은 감정을 느끼게 하는 원인이므로, 현재분사 interesting을 쓴다.

25 (1) '음악을 들으면서'라는 의미이므로, 접속사 while을 쓴다.
(2) '배가 고팠기 때문에'라는 의미이므로, 접속사 because를 쓴다.
(3) '기차에서 내린 후에'라는 의미이므로, 접속사 after를 쓴다.

CHAPTER 6

수동태

POINT 1 수동태의 형태
p. 106

개념확인 1 불린다   2 쫓겼다

기본연습

A
1 love
2 is used
3 was built
4 painted
5 was repaired
6 was written
7 was drawn
8 is spoken
9 recommended
10 is planted
11 was bitten

B
1 is used
2 is cleaned
3 is played
4 is loved
5 are enjoyed
6 is respected
7 is held
8 are invited
9 is read
10 are watered

C
1 My cell phone was broken by the dog.
2 The thief was caught by the police yesterday.
3 The history museum is visited by many tourists.
4 A red baseball cap was bought by my brother.
5 The room was decorated by Sumi's sister.
6 Fresh vegetables are sold by the farmer.

틀리기 쉬운 내신포인트

정답 were → was

해설 주어 the bread가 단수이므로, be동사는 단수형인 was를 써야 한다.

POINT 2 수동태의 시제
p. 108

개념확인 1 was   2 be

기본연습

A
1 is visited
2 will be delayed
3 was written
4 was stopped
5 are caused
6 will be held
7 was found
8 is used
9 was designed
10 were invited

B
1 is respected by many people
2 wrote the beautiful poems
3 will be canceled by them
4 are raised by my uncle
5 This magazine is read by many teenagers
6 The camera was fixed easily by Tom.
7 My father washed the car last Friday.
8 She will paint the door tomorrow.

틀리기 쉬운 내신포인트

정답 ④

해설 '선출될' 것이므로 수동태 문장이며, 미래의 일이므로 미래 시제 수동태인 「will be+과거분사」의 형태로 쓴다.

POINT 3 수동태의 부정문과 의문문
p. 110

개념확인 1 ①   2 ②   3 ①

기본연습

A
1 were not made
2 are not cleaned
3 Where were, planted
4 are not invited
5 was not answered
6 When was, written

B
1 Was, built
2 Is, spoken
3 Is, loved
4 Is, read
5 Where was, found
6 When was, invented
7 Why was, canceled
8 When was, finished
9 was not heated
10 is not sold
11 were not born
12 was not baked

틀리기 쉬운 내신포인트

정답 ③

해설 ③ 수동태의 부정문은 「be동사+not+과거분사」의 형태이므로, was not(wasn't) cooked가 되어야 한다.

POINT 4 조동사가 있는 수동태
p. 112

개념확인 1 It can be used.   2 It must not be opened.
3 It will be solved.

기본연습 1 must be recycled   2 will be cut
3 must not be kept   4 may not be invited
5 can be cooked   6 should be used

개념확인 **1** from **2** in **3** with

기본연습 **1** for **2** with **3** of
4 with(at) **5** with **6** to
7 at **8** with **9** about
10 about **11** of **12** at

B **1** These photos were taken by a famous photographer.
2 The rules were not followed by some people.
3 By whom was the piano played at the concert?
4 The room is filled with various party balloons.
5 The report must be finished by tomorrow.

C **1** His wallet was stolen on the bus.
2 Bananas must not be kept in the refrigerator.
3 Was this tree planted by your father?
4 The festival will be held in April.
5 The lake is covered with ice.

개념완성 T E S T
p. 114

STEP 1 Quick Check

① is read ② found ③ was stolen
④ be painted ⑤ 그 창문은 진호에 의해 깨지지 않았다.
⑥ 종이는 재활용될 수 있다. ⑦ Were, made
⑧ is filled with

STEP 2 기본 다지기

A **1** was delivered **2** is held
3 will be canceled **4** was not cooked
5 When was, born **6** is made from

B **1** wrote → written
2 Was where → Where was
3 was → were
4 Did → Was
5 be may → may be
6 of → with
7 will be not → will not be
8 as → with(at)
9 her → by her

C **1** The car will be washed by him
2 The website is visited by lots of teenagers
3 The traffic rules must be kept by drivers.
4 The project should be finished by the students.
5 The old computer was repaired by my uncle.
6 Where was the old man found by the police?
7 This cartoon was not drawn by John.
8 Are the Beatles' songs loved by your mother?

STEP 3 서술형 따라잡기

A **1** was made by Mary
2 were sent by Eric

학교 시험 실전 문제
p. 117

1 ⑤	**2** ⑤	**3** ④	**4** ⑤	**5** ④	**6** ③	**7** ④
8 ②	**9** ⑤	**10** ④	**11** ④	**12** ①, ④		**13** ④
14 ⑤	**15** ④	**16** ②	**17** ③	**18** ⑤	**19** ④	**20** ②

서술형
21 (1) by → for (2) follow → be followed
22 (1) The actor was loved by many teenagers.
(2) Most shops are closed during the holidays.
23 새미, This bottle is filled in water.에서 in은 with로 고쳐야 합니다.
24 (1) The Eiffel Tower was designed by Gustave Eiffel.
(2) *Charlotte's Web* was written by E. B. White.
25 (1) should be watered by Junho
(2) should not be used by Colin

1 주어 Science는 '가르쳐지는' 것이므로 수동태 문장이 되어야 한다. 수동태 문장의 동사는 「be동사+과거분사」의 형태로 쓴다.

2 주어 The letter는 '보내지는' 것이므로 수동태 문장이 되어야 하며, 미래의 일이므로 「will be+과거분사」의 형태로 쓴다.

3 능동태 문장의 목적어를 수동태 문장의 주어로 쓰고, 동사는 「be 동사+과거분사」의 형태로 쓴다. 시제는 능동태 문장의 시제에 따라 be동사의 현재형으로 쓰고, 능동태 문장의 주어를 수동태 문장의 뒤에 「by+목적격」으로 쓴다.

4 주어진 문장을 배열하면 Sam was not invited to the party. 이므로 세 번째로 오는 단어는 not이다.

5 조동사가 있는 수동태는 「조동사+be+과거분사」의 형태로 쓴다. ④는 조동사가 없고 과거시제(yesterday)이므로 be동사 was가 들어가야 한다.

6 주어 Big fish는 '잡히지 않는' 것이므로 수동태 문장이 되어야 한다. 수동태 부정문은 「be동사+not+과거분사」의 형태로 쓰며, 현재시제이므로 be동사는 are로 써야 한다.

7 be satisfied with: ~에 만족하다 / be made of: ~으로 만들어지다

8 A new school will be built soon.이므로 is는 쓰이지 않는다.

9 ⑤ Antonio Gaudi가 행위의 주체이므로 능동태 문장이 되어야 한다. (was designed → designed)

10 ④ be interested in은 '~에 관심이 있다'라는 의미로 전치사 in을 쓰는 수동태 표현이다. (by → in)

11 ④ 수동태 문장의 부정문은 「be동사 + not + 과거분사」의 형태로 쓴다. (didn't be made → was not(wasn't) made)
⑤는 People이 일반 사람들을 나타내므로 수동태 문장 뒤에 by people이 생략되었다.

12 ① '~으로 만들어지다'라는 의미로 재료의 성질이 변하지 않을 때는 be made of로 써야 한다.
④ 식물은 누군가에 의해 '물이 주어지는' 것이므로 수동태 문장이 되어야 한다. (waters → is watered)

13 수동태 문장의 의문문은 「(의문사+)Be동사+주어+과거분사 ~?」의 형태이다. 주어진 능동태 문장에 의문사가 없으므로 의문사가 없는 수동태 문장이 되어야 하고, 시제가 과거이므로 be동사는 Was로 쓴다.

14 조동사가 있는 수동태의 부정문은 「조동사+not+be+과거분사」의 형태로 쓴다.

15 한글이 창제된 것은 과거의 일이므로 과거시제로 써야 한다. A는 능동태 의문문이므로 빈칸에는 create의 과거형 created가 알맞다. B는 수동태 문장이므로 빈칸에는 was created가 알맞다.

16 ② 수동태의 부정문은 「be동사+not+과거분사」의 형태로 쓰고, hold의 과거분사는 held이다. (→ wasn't held)

17 ③ The door must not be opened.가 되어야 한다. may는 '~일지도 모른다'라는 의미이다.

18 ① 「be동사+과거분사」가 쓰였으므로 (A)는 수동태 문장이다.
② 「by+행위자」가 생략되었다.
③ 주어(The main dish)가 단수이므로 was가 옳다.
④ 수동태 문장의 의문문이다.
⑤ 주어(this picture)가 단수이고 수동태 문장이므로 Was가 되어야 한다.

19 ⓐ be filled with: ~으로 가득 차 있다
ⓑ be worried about: ~에 대해 걱정하다
ⓒ be covered with: ~으로 덮여 있다
ⓓ be pleased with: ~에 기뻐하다
ⓔ by+행위자: ~에 의해서

20 ⓐ 주어(My aunt)가 쿠키를 굽는 주체이므로 능동태 문장이 되어야 한다. (was not baked → didn't bake)
ⓒ 부사구 ten years ago가 과거이므로 과거시제가 되어야 한다. (will be built → was built)
ⓓ read의 과거분사는 read이다. (is readed → is read)

21 (1) be known for는 '~으로 유명하다'라는 뜻으로, 전치사 for를 쓰는 수동태 표현이다.
(2) 주어인 The new school rules가 행위의 대상이므로 수동태로 표현해야 한다. 조동사가 있는 수동태는 「조동사+be+과거분사」의 형태로 쓴다.

22 (1) 「주어+be동사+과거분사+by+행위자」 형태의 수동태 문장으로 쓴다.
(2) 「by+행위자」가 생략된 수동태 문장으로, 「주어+be동사+과거분사」의 형태로 쓴다.

23 be filled with: ~으로 가득 차 있다

24 에펠탑은 '디자인된' 것이고, 책은 '쓰여진' 것이므로 「주어+was+과거분사+by+행위자」 형태의 수동태 문장으로 쓴다.

25 (1) 조동사가 있는 수동태는 「조동사+be+과거분사」의 형태로 쓴다.
(2) 조동사가 있는 수동태의 부정문은 「조동사+not+be+과거분사」의 형태로 쓴다.

CHAPTER 7

명사와 대명사

POINT 1 셀 수 있는 명사와 셀 수 없는 명사 p. 122

개념확인 1 letter, Mike   2 money, pockets

기본연습

A
1 a tree	2 music
3 bread	4 water
5 Paris	6 players
7 a woman, babies	8 classes
9 pair	10 happiness, money

B
1 advice	2 piano	3 glasses
4 peace	5 furniture	6 potatoes
7 egg	8 children	9 sheep
10 time		

C
1 sand	2 teeth	3 stories
4 men	5 cookies	6 love
7 fun	8 ○	9 New York
10 ○		

틀리기 쉬운 내신포인트

정답 ②

해설 빈칸 앞에 a가 있으므로 셀 수 있는 명사가 들어가야 한다.

POINT 2 셀 수 없는 명사의 수량 표현 p. 124

개념확인 1 carton   2 slice

기본연습
1 bottles	2 jar	3 loaves
4 spoonfuls	5 glass	6 bowl
7 cup		

틀리기 쉬운 내신포인트

정답 ②

해설 수량표현 a piece of와 함께 쓸 수 있는 단어는 advice이다.

POINT 3 재귀대명사 p. 125

개념확인 1 himself   2 herself   3 itself

기본연습 1 a: myself, b: me
2 a: us, b: ourselves
3 a: yourself, b: you
4 a: themselves, b: them
5 a: her, b: herself

틀리기 쉬운 내신포인트

정답 ①

해설 〈보기〉와 ①은 주어를 강조하는 역할을 하는 재귀대명사이고, 나머지는 모두 동사나 전치사의 목적어로 사용된 재귀대명사이다.

POINT 4 재귀대명사의 관용 표현 p. 126

개념확인 1 혼자서   2 베이다

기본연습

A
1 yourself	2 yourself	3 herself
4 yourself	5 ourselves	

B
1 help yourself
2 enjoyed myself
3 by myself
4 cut himself

POINT 5 부정대명사 one, another p. 127

개념확인 1 불특정한 책상   2 내가 먹은 파이

기본연습

A
1 one	2 one	3 another
4 it	5 one	6 another
7 it	8 ones	

B
1 ones	2 them	3 one
4 it		

POINT 6 부정대명사 other
p. 128

개념확인 1 the other 2 another

기본연습 1 another 2 One 3 another
4 the other 5 the other 6 One
7 the other

틀리기 쉬운 내신포인트

정답 ②

해설 셋 중 하나는 one, 또 다른 하나는 another, 나머지 하나는 the other로 나타낸다.

POINT 7 부정대명사 some
p. 129

개념확인 1 the others 2 others

기본연습 1 others 2 Some 3 others
4 the others 5 the others 6 Some

POINT 8 each, every, all, both
p. 130

개념확인 1 all his songs 2 each painting
3 both of us

기본연습

A 1 Each 2 All 3 Both
4 Each 5 All 6 Both
7 Every

B 1 is 2 is 3 is
4 are

POINT 9 의문대명사
p. 131

개념확인 1 What 2 Who 3 Which

기본연습

A 1 Who 2 What 3 Whom
4 Whose 5 What 6 Which
7 Whose 8 What 9 Who
10 What

B 1 Who 2 whom 3 What
4 Which

개념완성 TEST
p. 132

STEP 1 Quick Check

① a book ② happiness ③ cup
④ yourself ⑤ himself ⑥ One, another, the other
⑦ has ⑧ Who(Whom)

STEP 2 기본 다지기

A 1 yourself 2 two eggs
3 Each student 4 two glasses of milk
5 One, the other 6 Some, the others

B 1 Leaves 2 Which 3 bowls of cereal
4 one 5 himself 6 herself
7 it 8 the other

C 1 by herself
2 help yourself to
3 two pairs of pants
4 Five sheep are eating
5 Both of my parents enjoy
6 Every book, is
7 Each of the flowers has
8 All the students like

STEP 3 서술형 따라잡기

A 1 two loaves of bread
2 two cartons of milk
3 a piece(slice) of cake

B 1 Both of us take yoga classes.
2 All of his classmates look tired.
3 Cindy calls herself a super model.
4 I solved the difficult problem for myself.

C 1 Each student will talk for ten minutes.
2 Can you show me another?
3 Some are red, and others are pink.
4 One is French, and the other is Chinese.

1 ①	2 ③	3 ①	4 ④	5 ⑤	6 ③	7 ①
8 ②	9 ④	10 ②	11 ①	12 ③	13 ④	14 ⑤
15 ③	16 ③	17 ④	18 ⑤	19 ③	20 ③	

서술형

21 (1) One, another, the other
(2) Some, the others

22 (1) Who plays the main character in the play?
(2) Which season do you like, summer or winter?

23 ⓓ → me
틀린 이유: 그들이 반갑게 맞이한 것은 '나'이므로 목적어는 me가 되어야 한다.

24 (1) a loaf of bread　　(2) two slices of pizza
(3) a bowl of cereal　　(4) a glass of milk

25 (1) Emily smiled at herself in the mirror.
(2) Every player in the team is tall.
(3) Each team has five players.
(4) All the runners stood at the starting line.

1 빈칸 뒤에 셀 수 있는 단수명사가 나오고 piano는 첫소리가 자음으로 시작하는 단어이므로 a가 알맞다.

2 종류(안경)는 같지만 불특정한 안경을 가리키고, 복수이므로 ones가 알맞다.

3 '둘 다'를 나타내고 복수동사(are)가 쓰였으므로 Both가 알맞다.

4 luck(행운)은 추상명사로 셀 수 없는 명사이므로 앞에 부정관사 a를 쓸 수 없다.

5 나머지는 모두 셀 수 없는 명사인 반면, ⑤는 셀 수 있는 명사이다. Grace, Chicago: 고유명사, peace: 추상명사, money: 물질명사

6 첫 번째 문장은 사전을 잃어버려서 사전을 하나 사야 한다는 의미이므로 one이 알맞다.
두 번째 문장은 식탁 위에 있는 그 열쇠를 가져다 달라는 의미이므로 it이 알맞다.

7 물질명사의 수량을 표시할 때는 각 물질명사에 알맞은 단위명사를 사용한다. tea는 a cup of, advice는 a piece of를 쓰는 것이 알맞다.

8 ②는 동사 introduce의 목적어로 쓰인 재귀 용법의 재귀대명사이다. 나머지는 강조 용법으로 쓰인 재귀대명사이다.

9 ④에는 정해진 범위 안에서의 선택을 묻는 의문대명사 Which가 들어가는 반면, 나머지는 모두 What이 들어간다.

10 ② 강조 용법의 재귀대명사는 생략할 수 있다.

11 '각각(의)'는 each로 쓰고, 「each+단수명사+단수동사」의 형태로 쓴다. '~들 각각'을 의미할 때는 「each of+복수명사+단수동사」의 형태로 쓰는 것에 유의한다.

12 ⓒ '내 자신'이라는 의미로 전치사 for의 목적어로 쓰인 재귀대명사 myself로 고쳐야 한다.
ⓓ health는 추상명사로 셀 수 없는 명사이므로, 앞에 관사 a를 쓸 수 없다.

13 '다른 것'을 나타낼 때는 another를 쓰고, 셋을 각각 가리킬 때는 one, another, the other를 쓴다.

14 ⑤ both는 '둘 다'라는 의미로 복수 취급하므로 복수동사 are가 들어가야 한다.

15 ③ help oneself (to)는 '(~을) 마음껏 먹다'라는 의미이다.

16 ③ 무엇을 하기 좋아하는지 취미·여가 활동을 묻는 말에 영국 출신이라고 답하는 것은 어색하다.

17 우리말을 영어로 옮기면 Some are in the classroom, and others are in the playground.가 되므로 the other는 사용되지 않는다.

18 ⑤ 앞에 언급된 것과 동일한 것을 가리키면서 단수인 경우 it을 쓴다.

19 셀 수 없는 명사는 단위명사를 사용하여 수량을 나타내고, 복수일 때는 단위명사를 복수형으로 쓴다.
① → three loaves of ② → two pieces of cake
④ → eight glasses of water ⑤ → two slices of

20 ⓑ와 ⓓ가 옳은 문장이다.
ⓐ 재귀대명사 myself가 아닌 목적어 me를 써야 한다.
ⓒ her를 '직접'이라는 의미로 주어(The teacher)를 강조하는 재귀대명사 herself로 고쳐야 한다.
ⓔ '나머지(한 손)'라는 의미가 되어야 하므로 other를 the other로 고쳐야 한다.

21 (1) 셋 중에서 각각을 가리킬 때는 one, another, the other를 쓴다.
(2) 여럿 중 일부는 some, 나머지 모두는 the others를 쓴다.

22 (1) 의문대명사가 문장의 주어이므로 주격 who를 써야 한다.
(2) 여름과 겨울 중에서 어느 계절을 좋아하는지 묻고 있으므로, which를 써야 한다.

24 셀 수 없는 명사는 단위명사를 이용하여 수량을 나타낼 수 있다. 빵 한 덩어리는 a loaf of, 피자 두 조각은 two slices of, 시리얼 한 그릇은 a bowl of, 우유 한 컵은 a glass of를 이용하여 수량을 나타낼 수 있다.

25 (1) 주어와 목적어가 같으면 목적어로 재귀대명사를 쓴다.
(2) every는 「every+단수명사+단수동사」 형태로 쓴다.
(3) each는 「each+단수명사+단수동사」 형태로 쓴다.
(4) all은 「all (of)+복수명사+복수동사」 형태로 쓴다.

CHAPTER 8 형용사, 부사, 비교구문

POINT 1 형용사의 쓰임   p. 140

개념확인 1 old   2 famous   3 angry

기본연습
1 ⓐ   2 ⓑ   3 ⓐ
4 ⓑ   5 ⓑ   6 ⓐ
7 ⓑ   8 ⓑ   9 ⓐ
10 ⓐ   11 ⓑ   12 ⓐ
13 ⓑ   14 ⓐ

POINT 2 -thing/-body/-one+형용사   p. 141

개념확인 1 ②   2 ②

기본연습
1 something exciting   2 anybody strong
3 nothing cheap   4 somebody famous
5 anything stupid   6 someone tall
7 Someone friendly   8 something important
9 anything wrong   10 something cold
11 anyone new   12 something different
13 strange thing

틀리기 쉬운 내신포인트

정답 something useful

해설 -thing으로 끝나는 대명사는 형용사가 뒤에서 수식한다.

POINT 3 수량형용사   p. 142

개념확인 1 much   2 few   3 a lot of

기본연습
A
1 many   2 some   3 little
4 any   5 a little   6 a little
7 some   8 lots of   9 a lot of
10 few   11 a few   12 much
13 a few   14 some   15 a little

B
1 many books   2 a few stars   3 much time
4 Few students   5 little luck   6 a few seats
7 a little information   8 many places

틀리기 쉬운 내신포인트

정답 ③

해설 ③ few(거의 없는)는 셀 수 있는 명사와 함께 쓰이므로, 복수형 coins가 되어야 한다.

POINT 4 부사의 쓰임과 형태   p. 144

개념확인 1 Finally   2 very   3 quietly

기본연습
A
1 landed   2 cute   3 exercise
4 picked up   5 I want to stay home

B
1 easily   2 fully   3 wisely
4 well

POINT 5 주의해야 할 부사   p. 145

개념확인 1 빠르게   2 높이

기본연습
A
1 ⓐ   2 ⓑ   3 ⓑ
4 ⓐ   5 ⓑ

B
1 hard   2 late   3 highly
4 lately   5 hardly

POINT 6 빈도부사   p. 146

개념확인 1 rarely   2 often   3 usually

기본연습
1 hardly   2 usually   3 often
4 never   5 rarely   6 often
7 sometimes   8 always

틀리기 쉬운 내신포인트

정답 ①

해설 '매일 아침에 조깅을 한다'는 빈도부사 always(항상)로 빈도를 나타낼 수 있다.

POINT 7 비교급과 최상급 만드는 법   p. 147

개념확인 1 louder   2 best   3 most helpful

기본연습
1 cheaper – cheapest   2 younger – youngest
3 larger – largest   4 prettier – prettiest
5 more gladly – most gladly
6 more boring – most boring
7 stronger – strongest   8 heavier – heaviest
9 more serious – most serious
10 hotter – hottest   11 better – best
12 more interesting – most interesting
13 more happily – most happily
14 darker – darkest   15 luckier – luckiest
16 more popular – most popular

개념확인 1 lighter   2 darker, darker

기본연습

A 1 heavier than   2 busier and busier
   3 even taller than   4 worse than
   5 prettier than   6 better and better
   7 The older, the wiser
   8 far more carefully than
   9 hotter and hotter
   10 The earlier, the sooner
   11 much more important than
   12 The less, the more

B 1 shorter than   2 more expensive than
   3 stronger than   4 younger than
   5 longer than   6 earlier than

틀리기 쉬운 내신포인트

정답 ②

해설 very는 원급을 강조할 때 쓴다.

POINT **9** 최상급 비교   p. 150

개념확인 1 the tallest student in my class
        2 one of the most beautiful things

기본연습

A 1 the smartest   2 the best
   3 one of the greatest composers
   4 the highest
   5 one of the most beautiful cities
   6 the most delicious food

B 1 the biggest   2 the tallest
   3 the most popular sports
   4 the most famous   5 in
   6 the kindest

C 1 the coldest   2 the most expensive
   3 the highest   4 the youngest
   5 the longest   6 the fastest

틀리기 쉬운 내신포인트

정답 ③

해설 ③ 「one of the＋최상급＋복수명사」로 써야 하므로, girl을 girls로 고쳐야 한다.

POINT **10** 원급 비교   p. 152

개념확인 1 as young as Mina   2 as many as possible
        3 three times as fast as

기본연습

A 1 exciting   2 not as busy as
   3 well   4 not as comfortable as
   5 three times   6 yours
   7 can   8 twice
   9 as early as possible

B 1 as brave as   2 as famous as
   3 not as interesting as   4 four times as long as
   5 as many as possible/as many as we could
   6 as loudly as he could

C 1 as early as   2 not as delicious as
   3 three times as expensive as
   4 not as difficult as   5 twice as high as

틀리기 쉬운 내신포인트

정답 twice as high as

해설 '두 배 더 ～하게'라는 뜻이므로, 배수사 twice를 이용하여 「배수사＋as＋원급＋as」 형태로 쓴다.

개념완성 T E S T   p. 154

STEP 1 Quick Check

① someone famous   ② many   ③ hardly
④ 그는 절대 학교에 늦지 않는다.   ⑤ as tall as
⑥ more popular than   ⑦ darker and darker
⑧ one of the kindest students

STEP 2 기본 다지기

A 1 often   2 something spicy
   3 the fastest   4 worse than
   5 few   6 as heavy as
   7 carefully   8 close

B 1 somebody friendly   2 ○
   3 colder and colder   4 ○
   5 any   6 as easily as I can
   7 the smartest animals   8 three times as thick as

C 1 우리는 어제 책 읽을 시간이 거의 없었다.
   2 나는 내 친구들 앞에서 좀처럼 울지 않는다.
   3 학생들은 손을 높이 들었다.
   4 하늘이 점점 더 어두워지고 있다.
   5 Sue는 가끔 영화를 보러 극장에 간다.

6 Peter는 공을 가능한 한 멀리 던졌다.

7 Ben은 우리 학교에서 가장 창의적인 학생이다.

8 Julie는 오늘 아침에 나보다 더 늦게 학교에 왔다.

STEP 3 서술형 따라잡기

A **1** few cars   **2** much(a lot of) milk
    3 little water

B **1** John is always friendly to his neighbors.
    2 You have to carry this box as carefully as possible.
    3 Fortunately, the patient got better and better.
    4 An octopus is one of the smartest animals in the ocean.

C **1** Ron is the most honest student in my class.
    2 Is there anything interesting in the newspaper?
    3 The harder you study, the more you will learn.
    4 The living room is as bright as my room.

학교 시험 실전 문제

p. 157

1 ④   **2** ②   **3** ⑤   **4** ②   **5** ④   **6** ③   **7** ①
8 ③   **9** ⑤   **10** ④   **11** ⑤   **12** ②   **13** ①, ③
14 ④   **15** ⑤   **16** ⑤   **17** ②   **18** ③   **19** ③   **20** ⑤

서술형

21 Pablo Picasso was one of the greatest artists in the world.

22 Did you meet anyone famous at the party? / 너는 파티에서 유명한 누군가를 만났니?

23 (1) twice as high as   (2) the lowest of
     (3) as high as

24 (1) Health is the most important thing in our life.
     (2) The harder we exercise, the healthier we will be.

25 ⓐ, We should choose our food carefully.

1 ④ hungry는 서술적 용법의 목적격보어로 쓰였다. 나머지는 명사를 수식하는 한정적 용법으로 쓰였다.

2 ② fast는 형용사와 부사의 형태가 같다.

3 ① bad – worse – worst ② thin – thinner – thinnest ③ heavy – heavier – heaviest ④ gladly – more gladly – most gladly

4 ①은 '늦게'의 late로, ③은 '매우'의 highly로, ④는 '최근에'의 lately로, ⑤는 '높이'의 high로 고쳐야 한다.

5 첫 번째 빈칸은 형용사 new가 뒤에서 수식하므로 something 이 알맞고, 두 번째 빈칸은 뒤에 셀 수 있는 명사 cookies가 있으므로 a few가 알맞다.

6 of 뒤에는 비교 대상을 나타내는 말이 오고, in 뒤에는 장소나 범위를 나타내는 말이 온다.

7 time은 셀 수 없는 명사이므로, much로 바꿔 쓸 수 있다.

8 ③ 비교급을 강조하는 부사에는 much, even, still, far, a lot 등이 있다. very는 원급을 강조한다.

9 (A) 긍정문에서는 주로 some을 쓴다.
(B) -one으로 끝나는 대명사는 형용사가 뒤에서 수식한다.
(C) snow는 셀 수 없는 명사이므로, little이 알맞다.

10 첫 번째 빈칸 뒤에 셀 수 없는 명사 soda가 나오므로, 수량형용사 much가 알맞다. 두 번째 빈칸에는 비교급을 강조하는 부사 much가 알맞다.

11 ⓑ lately(최근에)를 '늦게'라는 의미의 late로, ⓒ regular(규칙적인)를 '규칙적으로'라는 의미의 부사 regularly로, ⓓ hardly(거의 ~ 않다)를 '열심히'라는 의미의 hard로 고쳐야 한다.

12 ② 토요일에 표시가 되어 있으므로, never를 hardly나 rarely 로 고쳐야 한다.

13 ② 「one of the+최상급+복수명사」의 형태가 되어야 하므로, building을 buildings로 고쳐야 한다. ④ difficult의 최상급은 most difficult로 써야 한다. ⑤ '점점 더 …한'은 「비교급+and+비교급」의 형태로 쓴다. hot의 비교급은 hotter이므로, more hot and hot을 hotter and hotter로 고쳐야 한다.

14 '~만큼 …하지 않은'의 의미가 되어야 하므로, 「not as+원급+as」의 형태가 알맞고 문맥상 old가 들어가야 한다.

15 ① tallest → shortest ② worse → better
③ as tall as → taller than ④ lighter → heavier

16 ⑤ 「one of the+최상급+복수명사」는 '가장 ~한 … 중 하나'라는 의미이다.

17 ② 「배수사+as+원급+as」 (~보다 …배 더 ~하게)의 형태이므로 more가 들어갈 수 없다. 나머지 빈칸에는 비교급을 만드는 more가 들어간다.

18 -thing으로 끝나는 대명사는 형용사가 뒤에서 수식하며, 주로 something은 긍정문에, anything은 부정문에 쓴다.

19 ③ as small as를 smaller than으로 고쳐야 한다.

20 모두 옳은 문장이다.

21 '가장 ~한 … 중의 하나'는 「one of the+최상급+복수명사」로 나타낸다.

22 -one으로 끝나는 대명사는 형용사가 뒤에서 수식한다.

23 (1) 배수사+as+원급+as: ~보다 …배 더 ~한
(2) the+최상급+of+비교 대상: ~ 중에서 가장 …한
(3) as+원급+as: ~만큼 …한

24 (A) the+최상급+in+비교 범위: ~에서 가장 …한
(B) The+비교급 ~, the+비교급 …: ~하면 할수록, 더 …하다

25 '신중하게'라는 의미의 부사 carefully로 고쳐야 한다.

CHAPTER 9
문장의 종류

POINT 1 명령문+and/or
p. 162

개념확인 1 그렇지 않으면 2 그러면

기본연습 1 or 2 and 3 or
4 and 5 or

틀리기 쉬운 내신포인트

정답 ①

해설 「명령문, and ...」는 '~해라, 그러면 …'의 의미로, 「If you ~, ...」로 바꿀 수 있다.

POINT 2 부가의문문
p. 163

개념확인 1 did she? 2 hasn't he? 3 can't you?

기본연습 1 is he 2 didn't she 3 has she
4 shall we 5 will you

틀리기 쉬운 내신포인트

정답 ④

해설 첫 번째 문장은 3인칭 단수 주어와 일반동사의 현재형이 쓰인 긍정문이므로, 빈칸에 doesn't가 알맞다. 두 번째 문장은 현재형 be동사가 쓰인 부정문이므로, 빈칸에 are가 알맞다.

POINT 3 의문사 의문문
p. 164

개념확인 1 Who 2 Which 3 What

기본연습
A 1 ⓓ 2 ⓒ 3 ⓑ
4 ⓐ

B 1 What 2 Why 3 How often
4 Where 5 How 6 How much
7 Whose

C 1 What do you want for dinner?
2 When did he move to Suwon?
3 Where were you yesterday?
4 How can I stop this machine?
5 Who called him this morning?
6 How long did he live in Boston?
7 Which team won the game?

틀리기 쉬운 내신포인트

정답 ③

해설 첫 번째 문장은 '어떻게'라는 의미가 적절하고, 두 번째 문장은 '얼마나 많은'이라는 의미가 적절하므로, 빈칸에 공통으로 들어갈 말은 How이다.

POINT 4 간접의문문: 의문사가 있는 경우
p. 166

개념확인 1 where I can find the bank
2 how much it is

기본연습
A 1 she is 2 you found
3 they met 4 why she was
5 you will 6 he solved

B 1 why she went home early
2 who broke the classroom window
3 who sent the roses
4 what this word means
5 how long he will stay there

C 1 Do you know where Tony works?
2 I wonder why he told a lie.
3 What do you think the reason is?
4 I'd like to know what you will buy for her.
5 Why do you think Sujin was angry?

틀리기 쉬운 내신포인트

정답 ④

해설 간접의문문은 「의문사+주어+ 동사」의 어순으로 쓴다.
④ → where I can find Helen

POINT 5 간접의문문: 의문사가 없는 경우
p. 168

개념확인 1 그가 애완동물이 있는지 2 네가 문을 닫았는지

기본연습
A 1 if this is right
2 if she is coming
3 whether he lied
4 whether he likes my plan
5 whether you want to leave
6 if he can help me
7 if the rumor is true

B 1 whether(if) this is the right road

2 whether(if) he will remember my birthday

3 whether(if) she likes to go hiking

4 whether(if) they went to the park yesterday

5 whether(if) I can finish this report today

6 whether(if) you bought a gift for your mother

C 1 whether(if) he passed the exam

2 whether(if) Amy likes Korean food

3 whether(if) she will marry him

4 whether(if) the plane arrived on time

5 whether(if) he can come to school

틀리기 쉬운 내신포인트

정답 ③

해설 의문사가 없는 간접의문문은 「whether(if)+주어+동사」의 어순으로 쓴다. ③ → whether they go

개념완성 TEST

p. 170

STEP 1 Quick Check

① or　② and　③ shouldn't　④ did　⑤ Where
⑥ 너는 무슨 색을 가장 좋아하니?　⑦ he is　⑧ whether(if)

STEP 2 기본 다지기

A 1 When 　　　2 did she

3 How many 　　4 No, they weren't

5 why

B 1 How much 　　2 or

3 Do you know who 　4 isn't it

5 the right answer is 　6 ○

7 shall we 　　　8 ○

9 How far is it 　　10 and

C 1 Press the button, and

2 how long it will take to fix it

3 whether(if) you called me this morning

4 Bring an umbrella, or

5 Jinsu is listening to classical music, isn't he?

6 Where is Steve's family going to stay for three days?

7 We don't need any more boxes, do we?

STEP 3 서술형 따라잡기

A 1 Where did you go

2 What did you eat

B 1 How often does she exercise?

2 What do you think the best movie is?

3 Your father cooked pasta, didn't he?

4 Do you remember if you locked the door?

C 1 Don't lie to me, or I'll be angry.

2 You are going to join the club, aren't you?

3 When did you play basketball with Jim?

4 Do you know who helped the old man?

학교 시험 실전 문제

p. 173

1 ③　2 ②　3 ⑤　4 ④　5 ③　6 ③　7 ④

8 ③　9 ⑤　10 ②　11 ②　12 ③, ④　13 ③

14 ⑤　15 ②　16 ⑤　17 ③　18 ③　19 ②　20 ②

서술형

21 (1) whether(if) he finished his homework

(2) why you were late for school

22 (1) studying in the library, isn't he

(2) Who told you the story

23 ⓑ or you'll be hungry / ⓓ is this tree

24 (1) or you'll get up late

(2) and you'll be healthy

25 (1) When(What time) will they(Eric and Amy)

(2) Where will they(Eric an Amy) go

(3) What will they(Eric and Amy) do

1 앞 문장의 동사가 현재완료 부정의 형태이므로, 빈칸에는 긍정의 형태인 has가 알맞다.

2 '몸을 따뜻하게 하지 않으면 감기에 걸릴 것이다'라는 의미가 되어야 하므로, 접속사 or가 알맞다.

3 조동사가 있는 간접의문문은 「의문사+주어+조동사+동사원형」의 어순으로 쓴다. ⑤ → when he will visit

4 첫 번째 문장은 '무엇'이라는 의미가 적절하고, 두 번째 문장은 '몇 시에'라는 의미가 적절하므로, 빈칸에 공통으로 들어갈 말은 What이다.

5 '몇 살인지'를 물을 때는 How old를 쓴다. 명령문의 부가의문문은 will you?이다.

6 ③ 의문사가 있는 간접의문문은 「의문사+주어+동사」의 어순으로 쓴다. (→ what his name is)

7 ④ 의문사 의문문에는 Yes/No로 대답하지 않는다.

8 의문사가 있는 의문문을 간접의문문으로 바꿀 때 「의문사+주어+동사」의 어순으로 쓴다.

9 ⑤ 명령문 뒤의 접속사 or는 '그렇지 않으면'이라는 의미이다. 나머지는 '또는'이라는 의미의 접속사이다.

10 ②에는 What이 들어가고, 나머지에는 How가 들어간다.

11 ②에는 앞에 현재완료의 긍정이 쓰였으므로, 부가의문문으로 hasn't가 알맞다. 나머지에는 didn't가 들어간다.

12 ③과 ④의 빈칸에는 의문사가 없는 간접의문문을 이끄는 접속사 whether가 들어가야 한다. ① who ② How ⑤ and

13 〈보기〉의 Which(어느)는 뒤에 오는 명사를 수식하는 의문형용사로 쓰였다. ①, ② Which(어느), ④, ⑤ what(무슨)은 의문형용사로 쓰였고, ③의 what(무엇)은 의문대명사로 쓰였다.

14 「명령문, and ...」는 「If you ~, ...」로 바꿔 쓸 수 있다. 주어진 문장은 '하늘을 올려다봐라, 그러면 너는 별을 볼 것이다.'라는 의미이므로, ⑤ '하늘을 올려다보면, 너는 별을 볼 것이다.'와 의미가 같다.

15 ② be동사가 있는 의문사 의문문은 「의문사+be동사+주어」의 어순으로 쓰며, '얼마나 큰'은 how big(huge/large)으로 나타낼 수 있다.

16 '너는 생각하니?(Do you think?)'와 '최고의 작가는 누구니?(Who is the best writer?)'를 한 문장으로 바꾼다. Do you think의 목적어로 간접의문문을 「의문사+주어+동사」의 어순으로 쓰고, 주절에 think가 있으므로, 의문사 Who를 문장 맨 앞에 쓴다.

17 ⓐ 명령문 뒤에 절이 이어지고 있으므로, '~해라, 그러면 …'의 의미가 되도록 I'll 앞에 접속사 and를 써야 한다.
ⓒ 의문사가 있는 간접의문문은 「의문사+주어+동사」의 어순이므로, what did she say를 what she said로 고쳐야 한다.
ⓓ 앞 문장이 긍정문이고 동사가 일반동사의 과거형이므로, 부가의문문의 동사는 didn't가 되어야 한다.

18 I wonder.와 Can I use your computer?를 한 문장으로 바꾼 문장이다. 의문사가 없는 간접의문문이므로, wonder 뒤에 「whether(if)+주어+조동사+동사원형」의 어순으로 써야 한다.

19 (A) 주절에 can이 쓰였으므로, 부가의문문에는 can't를 쓴다.
(B) 날짜를 물을 때는 의문사 what을 쓴다.
(C) '서둘러라, 그렇지 않으면 ~'라는 의미가 적절하므로, 접속사 or가 알맞다.

20 ⓒ → Try hard, and ~. 또는 If you try hard, you will ~.
ⓓ → How often do(did) you have ~?
ⓔ → You have seen ~.

21 (1) 의문사가 없는 간접의문문은 「whether(if)+주어+동사」의 어순으로 쓴다.
(2) 의문사가 있는 간접의문문은 「의문사+주어+동사」의 어순으로 쓴다.

22 (1) 앞 문장의 동사가 is studying이므로, 부가의문문의 동사는 isn't를 쓴다.
(2) 의문사가 주어인 의문문은 「의문사+동사 ~?」의 어순으로 쓴다.

23 ⓑ 의미상 '지금 아침을 먹어라, 그렇지 않으면 너는 배가 고플 것이다.'가 적절하므로, 접속사 and를 or로 고쳐야 한다.
ⓓ be동사가 있는 의문사 의문문은 「의문사+be동사+주어」의 어순으로 쓴다.

24 (1) '일찍 자라, 그렇지 않으면 너는 늦게 일어날 것이다.'가 적절하므로, 접속사 or를 써서 문장을 완성한다.
(2) '열심히 운동해라, 그러면 너는 건강해질 것이다.'가 적절하므로, 접속사 and를 써서 문장을 완성한다.

25 조동사가 있는 의문사 의문문은 「의문사+조동사+주어+동사」의 어순으로 쓴다.

CHAPTER 10
문장의 구조

POINT 1 1형식   p. 178

개념확인 1 주어: The dog, 동사: ran
2 주어: They, 동사: are talking
3 주어: a pen, 동사: is

기본연습 1 They live in Incheon.
2 He laughed loudly.
3 She walks to school every day.
4 There is a plate on the table.
5 The traffic accident happened yesterday.
6 There were two middle schools in my town.

POINT 2 2형식   p. 179

개념확인 1 my new friend　　2 louder
3 terrible

기본연습 1 dark　　　　　　2 happy
3 turned　　　　　4 sounds like
5 delicious　　　　6 became

틀리기 쉬운 내신포인트

정답 ②

해설 동사 looks 뒤에 전치사 like가 있으므로, 보어로 명사가 와
야 한다.

POINT 3 3형식   p. 180

개념확인 1 a new cap　　　2 him
3 playing the guitar

기본연습 1 met　　　　　　2 to study
3 answered　　　　4 used
5 entered　　　　　6 likes
7 discussed

틀리기 쉬운 내신포인트

정답 ③

해설 ③은 「주어＋동사＋수식어구」 형태의 1형식 문장이고, 나머
지는 모두 「주어＋동사＋목적어(＋수식어구)」 형태의 3형식
문장이다.

POINT 4 4형식   p. 181

개념확인 1 간접목적어: us, 직접목적어: Korean history
2 간접목적어: her mom, 직접목적어: a letter

기본연습 1 3형식, He showed his parents his report card.
2 3형식, He made me some orange juice and a
sandwich.
3 4형식, She gave the bulgogi recipe to Jacob.
4 4형식, Mr. Brown bought a pair of sneakers for
his son.

POINT 5 5형식: 명사/형용사를 목적격보어로 쓰는 동사 p. 182

개념확인 1 목적어: her, 목적격보어: Princess
2 목적어: the idea, 목적격보어: pretty good
3 목적어: her desk, 목적격보어: clean

기본연습
A　1 sad　　　　　　2 kind
　　3 wrong　　　　　4 my puppy Snoopy
　　5 healthy　　　　6 Emma their leader
　　7 his hair gray
B　1 think　　　　　2 kept
　　3 made　　　　　4 found
　　5 called
C　1 named her cat Moon
　　2 can make you healthy
　　3 will keep you warm
　　4 found the story very touching
　　5 made the book a bestseller
　　6 thinks her smart and kind

틀리기 쉬운 내신포인트

정답 ④

해설 ④는 「주어＋동사＋간접목적어＋직접목적어」 형태의 4형식
문장이고, 나머지는 「주어＋동사＋목적어＋목적격보어」 형
태의 5형식 문장이다.

POINT 6 5형식: to부정사를 목적격보어로 쓰는 동사 p. 184

개념확인 1 목적어: my grandparents, 목적격보어: to come
2 목적어: them, 목적격보어: to speak in Italian

기본연습 1 told me to study
2 allow me to play
3 advised him to exercise
4 asked me to have
5 taught him to play
6 expect him to win
7 wants me to take care of
8 encouraged his son to learn

POINT 7 5형식: 사역동사 p. 185

개념확인 1 사역동사: had, 목적격보어: clean
2 사역동사: let, 목적격보어: watch

기본연습 1 made   2 take   3 close
4 lets   5 had   6 wear
7 write   8 had   9 get out of
10 read   11 go out   12 ask
13 carry   14 think   15 eat

POINT 8 5형식: 지각동사 p. 186

개념확인 1 지각동사: saw , 목적격보어: enter
2 지각동사: heard, 목적격보어: ringing

기본연습
A 1 saw the man entering
2 felt somebody touching
3 heard him calling
4 see them crossing
5 smelled something burning
6 looked at her dancing
7 felt the building shaking

개념완성 T E S T p. 187

STEP 1 Quick Check

① sad ② are ③ riding ④ for
⑤ Feathers keep birds warm in winter.
⑥ to come ⑦ go ⑧ yelling

STEP 2 기본 다지기

A 1 ⓑ, ⓕ   2 ⓐ, ⓗ   3 ⓒ, ⓖ
4 ⓑ, ⓒ   5 ⓑ, ⓖ   6 ⓐ, ⓕ
7 ⓓ, ⓔ   8 ⓑ, ⓗ   9 ⓑ, ⓒ
10 ⓘ, ⓗ

B 1 is   2 became   3 tastes
4 to help   5 send, to   6 asked, of
7 made, for   8 difficult   9 to tell
10 swim(swimming)

C 1 looks like   2 are many books
3 fall(falling)   4 ○
5 your album   6 for my brother
7 to the girl   8 useful
9 to come   10 stay up

D 1 Can you lend a pen to me?
2 The teacher asked several questions of him.
3 My mom bought a chocolate cake for me.
4 I will show you a few photos.
5 Did your dad build you a tree house?
6 She thought the children happy.
7 I found the novel interesting

STEP 3 서술형 따라잡기

A 1 He looks sick.
2 It smells like a rose.

B 1 My brother brought me an umbrella.
2 His rudeness made me very angry.
3 The doctor told her to take a rest.
4 Mina bought a new computer yesterday.

C 1 Brian will cook his mom a pizza. / Brian will cook a pizza for his mom.
2 The life jacket can keep you safe.
3 Did you sleep well last night?
4 I heard the rain fall(falling) on the roof.
5 She allowed me to use her cell phone.

1 ①	2 ⑤	3 ⑤	4 ②	5 ①	6 ③	7 ③
8 ③	9 ③	10 ③	11 ④	12 ④	13 ①	14 ②
15 ④	16 ①	17 ④	18 ①, ④		19 ⑤	20 ④

서술형

21 (1) My parents bought pizza and fried chicken for us.

(2) May I ask a favor of you?

(3) She gave some useful information to me.

22 Ruby walk the dog

23 (1) We went to a famous restaurant.

(2) James looks like a fashion model.

(3) You have to keep the food fresh.

24 (1) saw the boys play(playing) baseball

(2) She heard the bird sing(singing)

(3) felt someone touch(touching)

25 (1) She didn't let me go out at night.

(2) She also asked me to wash the dishes after eating a meal.

(3) Finally, she wanted me to go to bed early.

1 ① 1형식 문장이므로, 동사 뒤에 동사를 수식하는 부사가 와야 한다. (good → well) 나머지는 모두 2형식 문장의 주격보어로 쓰인 형용사이다.

2 「There+be동사 ~」 형태는 '~이 있다'라는 의미이며, be동사 뒤에 오는 명사의 수에 be동사를 일치시킨다.

3 감각동사는 「주어+감각동사+주격보어」의 형태로 쓰고, 주격보어 자리에는 형용사가 온다.

4 수여동사 give는 목적어를 2개 갖는다. 빈칸에는 간접목적어가 들어가야 하므로, his는 알맞지 않다.

5 grow는 주격보어로 형용사를 쓰는 동사이다.

6 make는 3형식 문장으로 쓸 때 간접목적어 앞에 전치사 for를 사용한다. show, teach, give, pass는 3형식 문장으로 쓸 때 간접목적어 앞에 전치사 to를 사용한다.

7 ③은 「주어+동사+수식어구」로 이루어진 1형식 문장이다. 나머지는 모두 「주어+동사+목적어」로 이루어진 3형식 문장이다.

8 ③은 「주어+동사+간접목적어+직접목적어」 형태의 4형식 문장이다. 나머지는 모두 「주어+동사+목적어+목적격보어」 형태의 5형식 문장이다.

9 ③ 수여동사 send는 3형식 문장으로 바꿀 때 전치사 to를 사용한다. (for → to)

10 ③ discuss는 목적어를 두 개 갖는 수여동사가 아니므로, 4형식 문장으로 바꿀 수 없다.

11 ④의 make는 수여동사로 '~에게 …을 만들어 주다'라는 의미이

다. 나머지는 모두 5형식 문장에 쓰여 '~하게 만들다'라는 의미이다.

12 첫 번째 문장은 1형식 문장이므로, 빈칸에는 부사 sadly가 알맞다. 두 번째 문장은 감각동사가 쓰인 2형식 문장이므로, 주격보어로 형용사를 써야 한다.

13 첫 번째 문장의 have는 사역동사이므로, 목적격보어로 동사원형을 쓴다. 두 번째 문장의 tell은 목적격보어로 to부정사를 쓴다.

14 (A) 감각동사 smell은 보어로 형용사를 쓴다. (B) 수여동사 make는 3형식에서 전치사 for를 사용한다. (C) 감각동사 뒤에 형용사가 있으므로, look이 알맞다. 감각동사 뒤에 명사가 오는 경우에 「감각동사+like+명사」의 형태로 쓴다.

15 5형식 문장은 「주어+동사+목적어+목적격보어」의 형태로 쓰는데, 목적격보어로 to부정사를 쓰는 동사는 ask이다. 사역동사인 make, have, let은 동사원형을, 지각동사인 watch는 동사원형이나 현재분사를 목적격보어로 쓴다.

16 첫 번째 문장은 사역동사 make가 쓰였으므로, 목적격보어로 동사원형이 온다. 두 번째 문장은 지각동사 see가 쓰였으므로, 목적격보어로 동사원형이나 현재분사가 올 수 있다.

17 allow는 '허락하다'라는 의미이므로, 사역동사로 let으로 바꿔 쓸 수 있다. 사역동사로 바꿀 때는 목적격보어로 동사원형을 쓴다.

18 5형식 문장에서 지각동사의 목적격보어로 동사원형이나 현재분사가 올 수 있다.

19 ① carry → to carry ② to fly → fly(flying) ③ ran → run (running) ④ attend → to attend

20 ⓐ, ⓔ 사역동사 made를 쓸 수 있다. ⓑ 수여동사로 made를 쓸 수 있다. ⓒ 목적격보어로 현재분사가 나오므로, 빈칸에는 지각동사가 알맞다. ⓓ 목적격보어로 to부정사를 갖는 want, ask, expect 등이 알맞다.

21 「주어+동사+간접목적어+직접목적어」 형태의 4형식 문장을 「주어+동사+직접목적어+to(for/of)+간접목적어」 형태의 3형식 문장으로 쓴다. 동사에 맞는 전치사를 써야 하는 것에 주의한다.

22 「주어+사역동사(make)+목적어+목적격보어(동사원형)」로 이루어진 5형식 문장이 되도록 문장을 완성한다.

23 (1) 「주어+동사+수식어구(장소)」로 이루어진 1형식 문장을 완성한다.

(2) 「주어+감각동사+like+명사」로 이루어진 2형식 문장을 완성한다.

(3) 「주어+동사+목적어+목적격보어」로 이루어진 5형식 문장을 완성한다. keep은 목적격보어로 형용사를 취한다.

24 지각동사는 목적격보어로 동사원형이나 현재분사를 쓸 수 있다.

25 (1) 사역동사 let은 목적격보어로 동사원형을 쓴다. (2), (3) ask, want가 5형식 문장에서 쓰일 때는 목적격보어로 to부정사를 쓴다.

CHAPTER 11

접속사

POINT 1 등위접속사 p. 196

개념확인 1 soup, salad　2 this one, that one
3 It was cold, I went home

기본연습
1 but	2 so	3 or
4 so	5 or	6 but
7 and	8 but	9 and
10 so		

틀리기 쉬운 내신포인트

정답 ②

해설 접속사 or가 can 뒤의 동사구를 연결하므로 동사원형으로 시작하는 ②가 알맞다.

POINT 2 상관접속사 p. 197

개념확인 1 Either, or　2 Both, and　3 neither, nor

기본연습
A　1 neither, nor　2 either, or　3 both, and
4 not only, but also

B　1 play　2 were　3 is
4 has

POINT 3 시간의 접속사 p. 198

개념확인 1 ～할 때　2 ～하는 동안　3 ～할 때까지

기본연습　1 When　2 until　3 since
4 after　5 As soon as　6 before

틀리기 쉬운 내신포인트

정답 ②

해설 시간의 부사절에서는 미래의 일을 현재시제로 나타내고, 주어가 3인칭이므로 comes가 알맞다.

POINT 4 조건의 접속사 p. 199

개념확인 1 우리가 달리지 않으면　2 네가 아프면
3 비가 오지 않으면

기본연습
1 unless	2 If	3 If
4 Unless	5 If	6 unless
7 Unless	8 If	9 If
10 unless		

틀리기 쉬운 내신포인트

정답 ③

해설 unless는 '(만약) ～하지 않으면'이라는 의미로, 부정의 의미를 가지고 있으므로 not과 함께 쓰지 않는다.

POINT 5 이유 · 양보의 접속사 p. 200

개념확인 1 비록 눈이 오고 있었지만
2 나는 너무 피곤했기 때문에

기본연습
A
1 ⓐ	2 ⓐ	3 ⓐ
4 ⓑ	5 ⓐ	6 ⓑ
7 ⓑ	8 ⓑ	9 ⓐ
10 ⓐ		

B
1 even though	2 Because	3 Even though
4 although	5 Since	6 Although
7 As	8 because	

C
1 because of	2 because	3 because of
4 because	5 because	6 because of

D
1 Although	2 if	3 while
4 Because	5 because of	

틀리기 쉬운 내신포인트

정답 ②

해설 양보를 나타내는 부사절을 이끄는 접속사가 알맞다. unless는 '(만약) ～하지 않으면'이라는 뜻으로 조건을 나타낼 때 쓴다.

POINT 6 목적 · 결과의 접속사 p. 202

개념확인 1 매우 친절해서 모두가 그를 좋아한다
2 그녀가 제시간에 도착하기 위해서

기본연습 1 so happy that　2 so nervous that
3 so hot that　4 so that they could sing
5 so that he could pass

틀리기 쉬운 내신포인트

정답 ③

해설 '너무 ～해서 …하다'는 「so+형용사/부사+that+주어+동사」로 쓴다.

POINT 7 다양한 의미를 나타내는 접속사 p.203

개념확인 1 ~할 때   2 ~ 때문에

기본연습 1 ~함에 따라   2 ~ 때문에
      3 ~할 때, ~하면서   4 ~ 때문에
      5 ~한 이후로   6 ~ 때문에
      7 ~한 이후로   8 ~ 때문에

틀리기 쉬운 내신포인트

정답 ②

해설 ②는 '~ 때문에'라는 의미이고, 나머지는 모두 '~할 때, ~하면서'의 의미이다.

POINT 8 접속사 that p.204

개념확인 1 that he's smart
      2 that she lost her cat
      3 that we don't have time

기본연습

A   1 ⓐ   2 ⓐ   3 ⓑ
    4 ⓐ   5 ⓑ   6 ⓒ
    7 ⓒ   8 ⓑ   9 ⓐ
    10 ⓒ

B   1 think that his story is true
    2 It was surprising that he forgot
    3 The important thing is that we took part in
    4 I heard that he didn't come back
    5 that cats can see in the dark

C   1 that Amy could speak three languages
    2 that something was wrong
    3 that she wasn't hurt in the car accident
    4 that we don't have enough time
    5 that he met a famous singer on the street
    6 that Emily didn't go to school today

틀리기 쉬운 내신포인트

정답 ④

해설 〈보기〉와 ④의 that은 보어 역할을 하는 명사절을 이끄는 접속사이다. ①, ③은 목적어, ②는 주어 역할을 하는 명사절을 이끈다.

개념완성 T E S T p.206

STEP 1 Quick Check

① both   ② rains   ③ if
④ 비록 비가 오고 있지만, 나는 축구를 할 것이다.
⑤ 비가 심하게 왔기 때문에, 나는 실내에 머물렀다.
⑥ so   ⑦ that

STEP 2 기본 다지기

A   1 Although(Though)   2 until(till)
    3 so that   4 as soon as
    5 since   6 Unless
    7 either   8 that

B   1 because   2 write   3 fix
    4 that   5 ◯   6 It
    7 so   8 ◯

C   1 Even though my grandfather is 85, he is very healthy.
    2 Can you take care of my dog while I'm on vacation?
    3 After she lied to us, we don't trust her any more.
    4 As soon as Tony got home, he washed his hands.
    5 Not only Ryan but also his wife is a teacher.
    6 Cindy likes neither coffee nor chocolate.

STEP 3 서술형 따라잡기

A   1 either by train or by car
    2 neither pizza nor chicken

B   1 It is true that her car broke down on the road.
    2 He is so tall that his head touches the ceiling.
    3 Both he and his wife like to go camping.
    4 Push the button until you hear the click.

C   1 She studies hard so that she can achieve her dream.
    2 The class is not only interesting but also helpful.
    3 As soon as he saw his mom, he ran to her.
    4 If you visit her, she will be happy. / She will be happy if you visit her.

1 ④　2 ③　3 ④, ⑤　4 ③　5 ⑤　6 ⑤　7 ④
8 ⑤　9 ③　10 ④　11 ④　12 ③　13 ①　14 ②
15 ③　16 ⑤　17 ③　18 ②　19 ④　20 ⑤

서술형

21 (1) before it gets dark
    (2) when you go out
    (3) unless you take a taxi
22 (1) neither Italy nor Spain
    (2) that he can't ride a bike
23 (1) ⓑ. As soon as you arrive home
    (2) ⓒ. Unless she helps me / If she doesn't help
    me
24 (1) so boring that he fell asleep
    (2) so strong that she can't fly her kite
25 (1) If it rains (on Saturday), Amy will play board
    games with her family.
    (2) If it snows (on Saturday), Amy will make a
    snowman with John.

1 '내가 어린 소녀였을 때'라는 의미가 적절하므로 빈칸에는 접속사 when이 들어가는 것이 알맞다.

2 neither는 nor와 짝을 이루어 상관접속사로 쓰이며 'A도 B도 아닌'의 의미이다.

3 문맥상 이유를 나타내는 부사절을 이끄는 접속사가 들어가야 하므로 양보의 접속사 although와 전치사구 because of는 들어갈 수 없다.

4 첫 번째 문장은 '너무 ～해서 …하다'라는 뜻의 「so ~ that ...」이 되어야 하고, 두 번째 문장은 문맥상 결과를 나타내는 접속사가 들어가야 하므로 공통으로 들어갈 말로 so가 알맞다.

5 첫 번째 문장은 조건을 나타내는 부사절로, 빈칸 뒤에 not이 쓰였으므로 접속사 If가 알맞다. 두 번째 문장은 빈칸 뒤에 동사 hope의 목적어 역할을 하는 명사절이 이어지므로 접속사 that이 알맞다.

6 ⑤ 조건을 나타내는 부사절에서는 미래의 일도 현재시제로 나타내므로 동사 will touch를 touch로 고쳐야 한다.

7 ④ since가 이끄는 부사절 앞에 현재완료가 쓰였으므로 '우리가 캠프에서 처음 만난 이후로'가 알맞은 뜻이다.

8 ⑤는 진주어인 명사절을 이끄는 접속사이다. 나머지는 앞의 동사의 목적어 역할을 하는 명사절을 이끄는 접속사이다.

9 ③ '～함에 따라'라는 의미를 나타내는 접속사이다. 나머지는 '～ 때문에'라는 의미의 이유의 접속사이다.

10 ④에는 '(만약) ～하지 않으면'이라는 의미의 Unless가 들어가는 것이 알맞고, 나머지에는 If가 들어가는 것이 자연스럽다.

11 〈보기〉와 ④의 빈칸에는 접속사 or가 들어간다. 〈보기〉의 「either

A or B」는 'A나 B 중 하나'라는 의미이다. ① so ② but ③ nor ⑤ and

12 ③ '～한 이후로'라는 의미로 쓰인 접속사이다. 〈보기〉와 나머지는 '～ 때문에'라는 의미로 쓰인 접속사이다.

13 주어진 문장은 'Tim뿐만 아니라 Brad도 동아리에 가입하기를 원한다.'라는 의미이므로 'Tim과 Brad 둘 다 동아리에 가입하기를 원한다.'라는 의미의 ①과 같다.

14 ② '우리는 식당에 가기 전에 산책을 했다.'는 의미이므로 '산책한 후에 식당에 갔다.'라는 의미가 되도록 while을 시간의 접속사 after로 고쳐 쓴다.

15 '너무 ～해서 …하다'는 「so ~ that ...」으로 나타낼 수 있다.

16 '～하자마자'는 접속사 as soon as로 나타낼 수 있다.

17 ⓒ 뒤에 진주어인 that절이 있으므로 This를 가주어 It으로 고쳐야 한다. ⓓ 시간을 나타내는 부사절에서는 미래의 일도 현재시제로 써야 하므로 will come을 comes로 고쳐야 한다. ⓔ 상관접속사 「not only A but also B」는 문법적으로 대등한 것을 연결하므로 dances를 동사원형 sing과 동등하게 dance로 고쳐야 한다.

18 '～한 이후로'라는 의미를 나타내는 시간의 접속사 since가 이끄는 절의 동사는 주로 과거시제를 쓰고 주절의 동사는 현재완료를 쓴다.

19 ⓐ 「both A and B」가 주어이므로 동사는 복수형으로 써야 한다. (is → are) ⓒ 「neither A nor B」가 주어이므로 동사는 B에 수를 일치시켜야 한다. (are → is) ⓔ 등위접속사는 문법적으로 대등한 어구를 연결한다. (going → go)

20 (A) '최선을 다했지만'이라는 양보의 의미가 되어야 하므로 Although가 알맞다. (B) 주어인 The truth를 보충 설명하는 보어절을 이끄는 접속사 that이 알맞다. (C) '추웠기 때문에'라는 이유를 나타내는 부사절이 되어야 하므로 as가 알맞다.

21 (1) '어두워지기 전에 축구를 하자.'라는 의미가 적절하므로 접속사 before를 이용하여 문장을 연결한다. (2) '나갈 때 불을 꺼라.'의 의미가 적절하므로 시간의 접속사 when을 이용하여 문장을 연결한다. (3) '택시를 타지 않으면 너는 늦을 것이다.'라는 의미가 적절하므로 조건의 접속사 unless를 이용하여 문장을 연결한다.

22 (1) 'A도 B도 아닌'은 「neither A nor B」를 이용하여 나타낼 수 있다. (2) 주어를 보충 설명하는 보어절이 되도록 명사절을 이끄는 접속사 that을 이용하여 문장을 완성한다.

23 ⓑ 시간 부사절에서는 미래의 일도 현재시제로 나타내므로 will arrive를 arrive로 고쳐야 한다. ⓒ Unless는 '～하지 않으면'이라는 의미로 부정어 not과 함께 쓰지 않으므로 doesn't help를 helps로 고쳐 쓰거나 Unless를 If로 고쳐 쓴다.

24 '너무 ～해서 …하다'는 「so+형용사/부사+that ....」을 이용하여 나타낸다.

25 If가 이끄는 조건의 부사절에서는 미래를 나타내더라도 현재시제로 쓰는 것에 유의하여 영작한다.

CHAPTER 12

관계사

POINT 1 관계대명사 p.214

개념확인 1 나를 도와준 남자아이
2 우리 집에서 가까운 상점

기본연습 1 선행사: a boy, 관계대명사: who
2 선행사: the book, 관계대명사: which
3 선행사: the girl, 관계대명사: who
4 선행사: a house, 관계대명사: whose
5 선행사: a bakery, 관계대명사: which
6 선행사: the person, 관계대명사: who
7 선행사: the bag, 관계대명사: that

POINT 2 주격 관계대명사 p.215

개념확인 1 주격 관계대명사: who, 선행사: the boy
2 주격 관계대명사: which, 선행사: the dog

기본연습

A 1 which 2 who 3 which
4 studies 5 that 6 have
7 is 8 are 9 flies

B 1 who(that) 2 ○ 3 is
4 ○ 5 have 6 which
7 ○ 8 is

C 1 who works in the museum
2 who wrote this novel
3 which has a zipper
4 which has many stories
5 which is near the library
6 who teaches English in our school
7 who were playing soccer in the park

틀리기 쉬운 내신포인트

정답 ③

해설 ① which → who(that) ② who → which(that)
④ who → which(that)

POINT 3 목적격 관계대명사 p.217

개념확인 1 목적격 관계대명사: which, 선행사: the movie
2 목적격 관계대명사: whom, 선행사: The boy

기본연습

A 1 which 2 whom 3 that
4 whom 5 which 6 whom
7 which 8 whom 9 whom
10 which 11 which 12 that

B 1 which I lost on the bus
2 whom many people love
3 which she wrote last year
4 whom we saw at the theater
5 whom you helped in Paris
6 that my friend recommended to me

C 1 which Sora is wearing
2 who(m) I want to meet
3 which he heard from Jane
4 who(m) I met in New York
5 which Susan made for you
6 which my family planted last summer

틀리기 쉬운 내신포인트

정답 ④

해설 ④ 목적격 관계대명사 which가 목적어를 대신하므로, it을
삭제해야 한다.

POINT 4 소유격 관계대명사 p.219

개념확인 1 a friend whose brother is a model
2 a bike whose color is yellow

기본연습

A 1 whose 2 who 3 whose
4 which 5 whose

B 1 whose neck is very long
2 whose owner is Vietnamese
3 whose car was stolen

POINT 5 관계대명사 what p. 220

개념확인 **1** 주어 **2** 목적어 **3** 보어

기본연습

A **1** 관계대명사 **2** 의문사 **3** 의문사
4 관계대명사

B **1** what **2** ○ **3** ○
4 what **5** ○ **6** is

C **1** 목적어 / 그가 네게 말한 것
2 주어 / 그녀가 말한 것
3 보어 / 내가 가지고 싶은 것
4 목적어 / 네가 어제 산 것
5 주어 / 그가 겨울에 즐기는 것
6 목적어 / 내가 찾고 있는 것
7 목적어 / 내가 너를 위해 만든 것
8 주어 / 우리가 지금 필요한 것
9 보어 / 내가 예상한 것
10 목적어 / 네가 먹고 싶은 것
11 보어 / 내가 원했던 것
12 목적어 / 그가 나에게 준 것

틀리기 쉬운 내신포인트

정답 ④

해설 ①~③의 What(what)은 '~하는(한) 것'이라는 뜻의 관계대명사이고, ④의 what은 '무엇'이라는 뜻의 의문사이다.

POINT 6 관계대명사의 생략 p. 222

개념확인 **1** whom **2** who is

기본연습 **1** which **2** which is **3** ×
4 who **5** which is **6** that
7 who is **8** which was **9** ×
10 that is **11** × **12** that
13 ×

POINT 7 관계부사 p. 223

개념확인 **1** where **2** where

기본연습 **1** where **2** which **3** where
4 where **5** which **6** where
7 which **8** where

틀리기 쉬운 내신포인트

정답 ③

해설 ③은 주격 관계대명사 which나 that이 들어가고, 나머지 빈칸에는 관계부사 where가 들어간다.

POINT 8 관계부사의 종류 p. 224

개념확인 **1** 관계부사: where, 선행사: the gym
2 관계부사: when, 선행사: the day

기본연습

A **1** when **2** why **3** the day
4 where **5** how **6** the reason
7 the city **8** the way

B **1** when **2** why **3** where
4 when **5** how **6** where
7 why **8** when

C **1** when I passed the audition
2 how(the way) she made the robot cleaner
3 why she was upset
4 where we can enjoy a lot of delicious food
5 when my brother has an important interview
6 where I want to live

틀리기 쉬운 내신포인트

정답 ④

해설 ④ 관계부사 how는 선행사 the way와 함께 쓸 수 없으므로, 둘 중 하나를 생략해야 한다.

개념완성 TEST p. 226

STEP 1 Quick Check

① which ② who ③ whose ④ what ⑤ where
⑥ when ⑦ why ⑧ how

STEP 2 기본 다지기

A **1** which(that) **2** whose
3 who(whom/that) **4** what
5 where **6** when

B **1** what **2** which(that) **3** who(that)
4 ○ **5** whose **6** why
7 ○ **8** the way 또는 how **9** ○

C 1 Dona has an old brother who(that) is a famous violinist.
  2 He is reading the letter which(that) I sent to him.
  3 A hippo is an animal whose mouth is really big.
  4 There is a market where we can buy fresh fruit.
  5 Do you know the reason why he gave up the speech contest?
  6 I want the special shoes which(that) can make me fly.
  7 Can you tell me how(the way) you changed her mind?
  8 This is the house which(that) my grandfather built ten years ago.

STEP 3 서술형 따라잡기

A 1 which can live in deserts
  2 whom I saw on the street

B 1 This movie is what I wanted to watch.
  2 He has a neighbor whose daughter is a firefighter.
  3 I remember the day when my nephew was born.
  4 She misses the town where she stayed last year.

C 1 Mark is the boy who won the dance contest.
  2 What he said is not true.
  3 These are the shoes which Julie bought in Paris.
  4 I don't know the reason why they were late.

학교 시험 실전 문제

p. 229

1 ① 2 ④ 3 ①,⑤ 4 ④ 5 ⑤ 6 ③ 7 ④
8 ④ 9 ③ 10 ④ 11 ⑤ 12 ④ 13 ⑤ 14 ③
15 ③ 16 ⑤ 17 ③ 18 ④ 19 ④ 20 ②

서술형

21 what you want to eat
22 (1) who has red hair
   (2) which is colorful
23 (1) This is the park where I play tennis.
   (2) Tell me the reason why they are smiling at me.
24 (1) I'm looking for a sweater I bought last week.
   (2) The boy playing the guitar is my brother.
25 (1) Look at the dog which(that) has the short legs.
   (2) This cake is what I baked for you today.
   (3) I remember the day when I saw the actress.

1 선행사 the boy가 사람이고 관계대명사절에서 주어 역할을 해야 하므로, 주격 관계대명사 who가 알맞다.

2 선행사 the girl의 소유격 역할을 해야 하므로, 소유격 관계대명사 whose가 알맞다.

3 목적격 관계대명사 whom은 who 또는 that으로 바꿔 쓸 수 있다.

4 첫 번째 빈칸에는 선행사(the toy car)가 사물이고 관계대명사절에 목적어가 없으므로, 목적격 관계대명사 which가 알맞다. 두 번째 빈칸에는 소유격 관계대명사 whose가 알맞다.

5 첫 번째 빈칸에는 빈칸 앞에 선행사가 없으므로, 선행사를 포함하는 관계대명사 what이 알맞다.
두 번째 문장은 선행사(a place)가 장소를 나타내고 관계사가 부사 역할을 해야 하므로, 빈칸에는 관계부사 where가 알맞다.

6 관계대명사 that은 선행사에 관계없이 주격과 목적격에 모두 쓸 수 있다.

7 첫 번째 빈칸에는 '누구'라는 뜻의 의문사 who가 들어간다.
두 번째 빈칸에는 the person을 선행사로 하는 주격 관계대명사 who가 들어간다.

8 〈보기〉와 ④는 선행사를 포함하는 관계대명사 what이고, 나머지는 '무엇'이라는 뜻의 의문사 what이다.

9 a chef와 him이 동일 인물이므로, 목적격 관계대명사 whom을 쓴다. 관계대명사가 목적어 역할을 하므로, 관계대명사절에서 him은 쓰지 않는 것에 유의한다.

10 ④ 앞에 선행사 the book이 있으므로, what을 목적격 관계대명사 which 또는 that으로 고쳐야 한다. 관계대명사 what은 선행사를 포함하므로, 앞에 선행사가 나오지 않는다.

11 ⑤는 주격 관계대명사 which나 that이 들어가고, 나머지는 모두 관계부사 where가 들어간다.

12 ①, ②, ③, ⑤는 목적격 관계대명사이고, ④는 주격 관계대명사이다.

13 ⑤ 주격 관계대명사는 생략할 수 없다.
①, ③ 목적격 관계대명사는 생략이 가능하다.
②, ④ 「주격 관계대명사+be동사」는 생략이 가능하다.

14 ⓑ와 ⓓ는 옳은 문장이다.
ⓐ 선행사가 없으므로 which를 선행사를 포함하는 관계대명사 what으로 고쳐야 한다.
ⓒ 목적격 관계대명사(which)는 목적어 역할을 하므로, 관계대명사절에 목적어를 쓰지 않는다. 따라서 it을 삭제해야 한다.

15 (A) 선행사 the day가 시간을 나타내고 빈칸의 관계사가 부사구를 대신해야 하므로, 관계부사 when이 알맞다.
(B) 빈칸 앞에 선행사가 없으므로, 선행사를 포함하는 관계대명사 what이 알맞다.
(C) 선행사가 a bakery이고 빈칸의 관계사가 주어 역할을 해야 하므로, 주격 관계대명사 which가 알맞다.

16 ① the reason은 이유를 나타내는 선행사이므로, the reason why로 고쳐야 한다.

② the place는 장소를 나타내는 선행사이므로, the place where로 고쳐야 한다.

③ 관계부사 how와 the way는 함께 쓸 수 없고 둘 중 하나만 써야 한다.

④ the time은 시간을 나타내는 선행사이므로, the time when으로 고쳐야 한다.

17 ⓑ 주격 관계대명사(who) 뒤에 나오는 동사(run)는 선행사의 인칭과 수에 일치시킨다. 선행사 my classmate가 단수 명사이므로, 동사도 단수형 동사가 되어야 한다. (run → runs)

ⓒ which를 소유격 관계대명사 whose로 고쳐야 한다.

18 문장을 바르게 배열하면 I want to buy a robot which can cook.이 된다.

19 ④는 빈칸 앞에 선행사(the scarf)가 있고 빈칸이 관계대명사절에서 목적어 역할을 해야 하므로, 목적격 관계대명사 which나 that이 들어간다. 나머지는 모두 선행사를 포함하는 관계대명사 what이 들어간다.

20 순서대로 관계대명사 what, 관계부사 when, 소유격 관계대명사 whose, 주격 관계대명사 who가 들어간다.

21 '네가 먹고 싶은 것'이라는 의미가 되도록 선행사를 포함하는 관계대명사 what을 이용하여 대화를 완성한다.

22 (1) 주격 관계대명사 who를 이용하여 문장을 완성한다.

(2) 주격 관계대명사 which를 이용하여 문장을 완성한다.

23 (1) 장소를 나타내는 the park가 선행사이므로 관계부사 where를 이용하여 문장을 완성한다.

(2) 이유를 나타내는 the reason이 선행사이므로 관계부사 why를 이용하여 문장을 완성한다.

24 (1) 목적격 관계대명사(which)는 생략이 가능하다.

(2) 「주격 관계대명사(who)+be동사(is)」는 생략이 가능하다.

25 (1) 선행사가 the dog 뒤에 주격 관계대명사 which 또는 that을 이용하여 문장을 쓴다.

(2) 관계대명사 what이 이끄는 명사절이 문장의 보어가 되도록 쓴다.

(3) 선행사 the day 뒤에 관계부사 when를 이용하여 문장을 쓴다.

CHAPTER **13**

가정법

POINT 1   조건문 vs. 가정법   p. 234

개념확인 **1** 조건문   **2** 가정법

기본연습 **1** 그들은 현재 여기에 없다.

2 그는 바쁠 수도 있다.

3 나는 그의 주소를 알지 못한다.

4 그는 시간이 충분하면 요리를 할 것이다.

5 그녀는 현재 열쇠가 없다.

6 내일 날씨가 맑으면 낚시를 갈 것이다.

7 나는 그녀의 전화번호를 기억하지 못한다.

POINT 2   가정법 과거   p. 235

개념확인 **1** 나는 피곤해서 축구를 하지 못한다.

2 나는 날개가 없어서 하늘을 날 수 없다.

기본연습

A **1** were   **2** could   **3** finished

4 didn't   **5** were, would travel

B **1** knew, would write   **2** were, would join

3 had, could exercise   **4** went, wouldn't be

5 studied, could pass   **6** dug, could find

C **1** weren't, could play   **2** had, could buy

3 weren't, could ride   **4** had, could see

5 spoke, could talk   **6** lived, could see

틀리기 쉬운 내신포인트

정답 ③

해설 주절의 동사가 「조동사의 과거형(would)+동사원형(fly)」인 것으로 보아 가정법 과거이므로, if절의 동사는 동사 have의 과거형인 had가 알맞다.

POINT 3   가정법 과거완료   p. 237

개념확인 시간이 없어서 방을 청소하지 못했다.

기본연습

A **1** had been   **2** would have arrived

3 had come   **4** wouldn't have missed

5 could have run   **6** had helped

B 1 had lived, would have visited

2 had practiced, could have won

3 had exercised, would have been

4 had had, could have finished

5 hadn't been, would have come

C 1 had eaten, wouldn't have been

2 had been, wouldn't have broken

3 hadn't run, would have been

4 hadn't helped, couldn't have made

5 had had, could have played

POINT 4 I wish 가정법 p. 239

개념확인 1 오늘은 내 생일이 아니다.

2 경기를 이기지 못했다.

기본연습

A 1 danced   2 were   3 had come

4 visited   5 had seen   6 could go

B 1 were   2 had passed   3 had told

4 could go   5 had watched

C 1 I wish she exercised   2 I wish you had done

3 I wish I could play   4 I wish I had taken

5 I wish I were

POINT 5 as if 가정법 p. 241

개념확인 1 Sue는 아이가 아니다.   2 그는 바쁘지 않았다.

기본연습 1 knew   2 were   3 had heard

4 had passed   5 liked   6 had seen

개념완성 **TEST** p. 242

STEP 1 Quick Check

① have ② had ③ had had ④ had ⑤ had had

⑥ knew ⑦ 그는 그 소식을 알았던 것처럼 행동한다.

STEP 2 기본 다지기

A 1 have, will go

2 were, would be

3 didn't have, could take

4 had known, would have sent

5 drank   6 had seen

B 1 had   2 had been

3 ate   4 had read

5 could play   6 could have made

C 1 weren't

2 woke up, could catch

3 had studied, would have passed

4 knew

5 had done

6 had solved

7 hadn't been, could have cleaned

STEP 3 서술형 따라잡기

A 1 would(could) buy a new bicycle

2 had a dog

B 1 don't have a ticket, I can't go to the concert

2 hadn't been tired, I wouldn't have stayed at home all day

3 didn't have a toothache, he would eat ice cream

4 didn't catch the bus, you were late for school

C 1 as if she were a princess

2 he helped me, I could finish my project

3 had practiced hard, we would have won

4 I wish I had invited you to my birthday party.

1 ③	2 ⑤	3 ③	4 ④	5 ④	6 ④	7 ③
8 ③	9 ④	10 ③	11 ②	12 ③	13 ④	14 ⑤
15 ①, ④		16 ④	17 ③	18 ④	19 ③	20 ④

[서술형]

21 (1) didn't have homework, could go fishing
(2) I wasn't invited, couldn't enjoy the party
(3) had had enough time, could have learned taekwondo

22 (1) had a new computer
(2) had passed the audition
(3) had met his favorite actor

23 (1) wouldn't have gotten up late
(2) hadn't had a headache, could have eaten dinner

24 (1) he wouldn't have been angry
(2) talks as if he knew the answer

25 (1) I were you, wouldn't buy the bicycle
(2) I had a garden, would grow vegetables
(3) she hadn't been tired, would have gone swimming

1 주절의 동사가 「조동사의 과거형(would)+동사원형(take)」인 것으로 보아 가정법 과거 문장이므로, if절의 동사는 과거형이 알맞다. be동사의 과거형은 주어의 인칭에 관계없이 were를 쓰는 것에 유의한다.

2 if절의 동사가 「had+과거분사(had)」인 것으로 보아 가정법 과거완료 문장이므로, 주절의 동사는 「조동사의 과거형(would)+have+과거분사(bought)」가 알맞다.

3 첫 번째 문장은 if절의 동사(had)로 보아 가정법 과거 문장이므로, 조동사의 과거형 would가 알맞다.
두 번째 문장은 if절의 동사(meet)로 보아 조건문이므로, 조동사 will이 알맞다.

4 첫 번째 문장은 now로 보아 현재 사실의 반대를 가정하므로, 동사의 과거형 had가 알맞다.
두 번째 문장은 '(현재) 마치 ~인 것처럼'의 뜻이 자연스러우므로, be동사의 과거형 were가 알맞다.

5 ④ 주절의 조동사가 will인 것으로 보아 조건문이 되어야 하므로, 과거형 finished를 현재형 finish로 고쳐야 한다.

6 문장을 완성하면 I wish I had known his name.이 되므로, 다섯 번째로 오는 단어는 known이다.

7 가정법 과거 문장에서 주절의 동사가 「조동사의 과거형+동사원형」의 형태가 되어야 하므로, have joined를 동사원형 join으로 고쳐야 한다.

8 ③은 주절의 동사(will take)로 보아 조건문이므로 빈칸에 현재

형인 have가 들어가고, 나머지 빈칸에는 모두 had가 들어간다.

9 ⓐ, ⓑ, ⓓ가 올바른 문장이다.
ⓒ 가정법 과거 문장이 되도록 주절의 could have bought를 could buy로 고치거나, 가정법 과거완료 문장이 되도록 if절의 had를 had had로 고쳐야 한다.

10 현재 이루기 힘든 소망을 표현할 때는 「I wish+가정법 과거(주어+동사의 과거형)」로 나타낸다.

11 현재 사실과 반대되거나 일어나기 힘든 상황을 가정하는 가정법 과거는 「If+주어+동사의 과거형 ~, 주어+조동사의 과거형+동사원형 ….」의 형태로 쓴다.

12 ③ 주절의 would have met로 보아 가정법 과거완료 문장이므로 빈칸에는 「had+과거분사」 형태인 had been이 들어가야 한다. 나머지는 가정법 과거이므로 빈칸에는 모두 were가 들어간다.

13 주어진 문장은 직설법 현재이므로, 현재 사실과 반대되는 상황을 가정하는 가정법 과거(If+주어+동사의 과거형 ~, 주어+조동사의 과거형+동사원형 ….)로 바꿀 수 있다. 이때 긍정은 부정으로, 부정은 긍정으로 바꾸는 것에 유의한다.

14 주어진 문장은 직설법 과거이므로, 과거 사실과 반대되는 상황을 가정하는 가정법 과거완료(If+주어+had+과거분사 ~, 주어+조동사의 과거형+have+과거분사 ….)로 바꿀 수 있다.

15 If I were you로 보아 가정법 과거 문장이 되어야 하므로, 빈칸에는 「주어+조동사의 과거형+동사원형 ~」의 형태가 들어갈 수 있다. 조동사 will과 won't(= will not)는 조건문에 쓰이므로, 빈칸에는 알맞지 않다.

16 ⓑ 가정법 과거 문장이 되도록 주절의 would have learned를 would learn으로 고치거나, 가정법 과거완료 문장이 되도록 if절의 had를 had had로 고쳐야 한다.

17 (A) 주절의 조동사가 will인 것으로 보아 조건문이므로, be동사의 현재형 is가 알맞다.
(B) if절의 동사가 had인 것으로 보아 가정법 과거이므로, 주절의 조동사는 과거형 would가 알맞다.
(C) 주절의 could have seen으로 보아 가정법 과거완료이므로, if절의 동사는 「had+과거분사」 형태인 had bought가 알맞다.

18 ④ if절의 동사가 「had+과거분사(lost)」인 것으로 보아 가정법 과거완료 문장이므로, 「조동사의 과거형+have+과거분사」의 형태인 would have called로 고쳐야 한다.

19 ⓐ 가정법 과거 문장이 되도록 주절의 would have arrived를 would arrive로 고치거나, 가정법 과거완료 문장이 되도록 if절의 took를 had taken으로 고쳐야 한다.
ⓒ 현재 사실이나 과거 사실과 반대되는 상황을 가정하는 「as if+가정법」이므로, knows를 knew나 had known으로 고쳐야 한다.

20 과거 사실과 반대되는 일을 가정하는 「I wish+가정법 과거완료」 문장이므로, 과거에 경주에서 이기지 못했음을 의미한다.

21 (1) 직설법 현재는 가정법 과거로 바꿀 수 있다. 이때 긍정은 부정으로, 부정은 긍정으로 바꾸는 것에 유의한다.

(2) 가정법 과거완료는 직설법 과거로 바꿀 수 있다.

(3) 직설법 과거는 가정법 과거완료로 바꿀 수 있다.

22 (1) 현재 사실에 대한 아쉬움을 나타내므로, I wish 뒤에 가정법 과거(주어+동사의 과거형)를 쓴다.

(2) 과거 사실에 대한 아쉬움을 나타내므로, I wish 뒤에 가정법 과거완료(주어+had+과거분사)를 쓴다.

(3) '(과거에) 마치 ~했던 것처럼'의 의미를 나타내야 하므로, 「as if+가정법 과거완료(주어+had+과거분사)」의 형태로 쓴다.

23 표의 내용은 과거의 사실이므로, 과거 사실의 반대를 가정하는 가정법 과거완료(If+주어+had+과거분사 ~, 주어+조동사의 과거형+have+과거분사 ….)를 쓸 수 있다. 긍정은 부정으로, 부정은 긍정으로 바꾸는 것에 유의한다.

24 (1) 가정법 과거완료 문장의 주절에 해당하므로, 「주어+조동사의 과거형+have+과거분사 ~」의 형태가 되어야 한다. be를 과거분사 형태인 been으로 바꾸는 것에 유의한다.

(2) 현재 사실과 반대되는 상황을 가정하는 「as if+가정법 과거(주어+동사의 과거형)」 문장이 되어야 한다. know를 knew로 바꾸는 것에 유의한다.

25 (1), (2) 현재 사실의 반대를 가정하는 가정법 과거(If+주어+동사의 과거형 ~, 주어+조동사의 과거형+동사원형 ….)를 쓴다.

(3) 과거 사실의 반대를 가정하는 가정법 과거완료(If+주어+had+과거분사 ~, 주어+조동사의 과거형+have+과거분사 ….)를 쓴다.

POINT **1** 시제 일치 p. 250

개념확인 1 주절의 동사: knows, 종속절의 동사: is

2 주절의 동사: thinks, 종속절의 동사: gave

기본연습

A 1 was 2 are, were

3 says 4 went

5 was 6 is, was

7 would 8 is, was, will be

9 could 10 was

11 know, knew 12 thought

13 could

B 1 was/had been 2 ○

3 found 4 ○

5 ○ 6 could travel

7 ○ 8 would be

9 ○ 10 could fix

C 1 saw 2 told 3 will be

4 found 5 will like 6 are

틀리기 쉬운 내신포인트

정답 ③

해설 주절의 동사 thought가 과거시제이므로, 종속절의 동사는 과거시제 missed를 쓸 수 있다.

POINT **2** 시제 일치의 예외 p. 252

개념확인 1 wakes 2 invented

기본연습 1 rises 2 eats 3 ended

4 rides 5 is 6 travels

POINT **3** 평서문의 직접화법과 간접화법 p. 253

개념확인 1 ②, ③ 2 ①, ③, ④

기본연습

A 1 she 2 that 3 had

4 I 5 liked

B 1 said, he was 2 said, she had

3 said, he wanted 4 told, I looked

5 said, he knew 6 told, he didn't like

7 told, my voice was 8 told, she wanted

9 told, she could help him

10 told, her brother enjoyed

POINT 4 의문문의 화법 전환

개념확인 1 ③, ④　　2 ①, ②, ③

기본연습

A　1 where the umbrella was
　　2 how I was doing
　　3 why I was crying
　　4 who Ms. Jones was
　　5 if(whether) he had a guitar
　　6 where I was going
　　7 when my birthday was
　　8 if(whether) I liked cheesecake
　　9 what I was having for dinner
　　10 if(whether) she needed more time

B　1 what I was
　　2 the club meeting was
　　3 if(whether)
　　4 where the bank was
　　5 my favorite color was
　　6 whether she could
　　7 what I liked
　　8 if she wanted

틀리기 쉬운 내신포인트

정답 why I was running

해설 의문사(why)가 있는 의문문을 간접화법으로 바꿀 경우, 「의문사(why)+주어+동사」의 순서로 쓴다. 인칭대명사 you는 주절의 목적어(me)와 동일한 I로 바꾸고, 주절의 동사가 과거형이므로 are는 과거형 was로 바꾼다.

POINT 5 도치

개념확인 1 comes Kate　　2 goes the train

기본연습

A　1 he comes　　2 goes the bus
　　3 comes your taxi　　4 goes my grandfather
　　5 they come

B　1 goes an ambulance　　2 comes my brother
　　3 she comes　　4 goes my friend
　　5 comes our new science teacher

개념완성 T E S T

STEP 1 Quick Check

① was　② ended　③ moves　④ he was　⑤ where
⑥ if(whether) I knew　⑦ comes Mike

STEP 2 기본 다지기

A　1 bought/had bought　　2 will like
　　3 is　　4 drinks
　　5 if(whether)

B　1 ○　　2 comes our bus
　　3 is　　4 she goes
　　5 boils　　6 ○
　　7 who he was　　8 designed

C　1 said (that) she had a great idea
　　2 said (that) he was thirsty
　　3 told me (that) she missed me
　　4 told me (that) I looked happy
　　5 asked me where Andrew was
　　6 asked me why I was late
　　7 asked me if(whether) I had a pen
　　8 asked me if(whether) I knew the answer

STEP 3 서술형 따라잡기

A　1 she liked action movies
　　2 he wanted some water

B　1 He told me that he was good at math.
　　2 She told me that she exercises every day.
　　3 He asked me where the post office was.
　　4 I asked them if they had eaten lunch.

C　1 There goes my (little) sister.
　　2 Jane told me (that) I looked sleepy.
　　3 I asked him what his dream was.
　　4 She thinks (that) I can solve the problem.

1 ②	2 ①	3 ③	4 ①, ③, ⑤	5 ⑤	6 ③
7 ⑤	8 ③	9 ③	10 ⑤	11 ④	12 ②	13 ④
14 ⑤	15 ④	16 ⑤	17 ④	18 ①	19 ③	20 ⑤

서술형

21 (1) my dog comes → comes my dog
(2) drank → drinks
22 (1) who Alice was
(2) if(whether) I had some money
23 (1) She said that she had a toothache.
(2) He asked me where his coat was.
(3) I asked her if(whether) she needed a bike.
24 (1) where he was
(2) he was in the playground
25 (1) ⑥, We know that the Wright Brothers invented the first airplane.
(2) ⓓ, Mr. Han said that the early bird catches the worm.

1 일반적 · 과학적 사실(지구는 둥글다)을 말할 때는 주절의 시제에 상관없이 항상 현재시제를 쓴다.

2 주절의 동사 thought의 시제가 과거이므로, 종속절의 동사는 과거시제를 쓸 수 있다.

3 ③ 일반적 · 과학적 사실은 항상 현재시제로 나타내므로, froze를 freezes로 고쳐야 한다.

4 주절이 현재시제(know)일 때, 종속절의 시제는 과거, 현재, 미래를 모두 쓸 수 있다.

5 ⑤ 주절이 과거시제일 때, 큰따옴표 안의 현재시제는 과거시제로 바꿔야 한다. (enjoys → enjoyed)

6 평서문을 간접화법으로 바꿀 때, 접속사 that을 쓴다. 주절이 과거시제(told)이므로, 큰따옴표 안의 현재시제(want)는 주절의 시제와 같도록 과거시제(wanted)로 바꿔야 한다.

7 ⑤ 주절이 과거시제(believed)이므로, 종속절의 시제는 과거시제나 과거완료가 되어야 한다. (tells → told 또는 had told)

8 ⓐ Here로 시작하는 문장에서 대명사가 주어일 경우, 도치가 일어나지 않고 「주어+동사」의 순서로 쓴다. (comes he → he comes)
ⓓ 조건(if)을 나타내는 부사절의 경우, 현재시제를 써서 미래를 나타낸다. (will have → have)

9 주절이 과거시제이므로, 의문문의 시제를 현재시제에서 과거시제로 바꿔야 한다.

10 의문사가 없는 의문문을 간접화법으로 바꿀 때 「if(whether)+주어(I)+동사(knew)」의 순서로 쓴다.

11 의문사(where)가 있는 의문문을 간접화법으로 바꿀 때 「의문사

12 해가 동쪽에서 뜨는 것은 일반적 · 과학적 사실이므로, 현재시제를 쓴다.

(where)+주어(Nara)+동사(was)」의 순서로 쓴다. 동사의 시제는 주절이 과거시제(asked)이면 과거형(was)으로 바꿔 써야 한다.

13 ④ Here가 문장의 맨 앞에 올 경우 「Here+동사+주어.」의 순서로 쓰므로, 고칠 필요가 없다.

14 평서문을 간접화법으로 바꿀 때, 접속사 that을 쓴다. 큰따옴표 안의 인칭대명사(I)는 전달자에 맞춰 she로 바꾸고, 주절이 과거시제(said)이므로 큰따옴표 안의 현재시제(am)는 주절의 시제와 같도록 과거시제(was)로 바꾼다.

15 의문사(what)가 있는 의문문을 간접화법으로 바꿀 때 「의문사+주어+동사」의 순서로 쓴다. 큰따옴표 안의 인칭대명사 you는 주절의 목적어와 일치시켜 I로 바꾸고, 주절이 과거시제(asked)이므로 동사의 시제도 과거형(was)으로 바꿔야 한다.

16 의문사가 없는 의문문을 간접화법으로 바꿀 때 「if(whether)+주어(she)+동사(had)」의 순서로 쓴다.

17 ⓐ 주절의 시제가 과거이므로, 종속절의 조동사 will을 과거형으로 써야 한다. (will → would)

18 (A) There로 시작하는 문장에서 대명사(she)가 주어일 경우, 도치가 일어나지 않고 「There+주어+동사.」의 순서로 쓴다.
(B) 주절이 과거시제(believed)일 때 종속절의 조동사도 과거형으로 써야 하므로, could pass가 알맞다.
(C) 해가 서쪽으로 지는 것은 일반적 · 과학적 사실이므로, 현재시제(sets)를 쓴다.

19 ③ There로 시작하는 문장은 명사(the child)가 주어일 경우, 주어와 동사의 순서를 바꿔 「There+동사+주어.」의 순서로 쓴다. (→ There goes the child.)

20 ⑤ 의문사가 없는 의문문을 간접화법으로 바꿀 때 「if(whether)+주어+동사」의 순서로 쓴다. (that → if(whether))

21 (1) Here로 시작하는 문장은 주어와 동사의 순서를 바꿔 「Here+동사+주어.」의 순서로 쓴다.
(2) 규칙적인 습관은 현재시제로 쓴다.

22 (1) 의문사(who)가 있는 의문문을 간접화법으로 바꿀 때 「의문사+주어+동사」의 순서로 쓴다.
(2) 의문사가 없는 의문문을 간접화법으로 바꿀 때 「if(whether)+주어+동사」의 순서로 쓴다.

23 (1) 평서문을 간접화법으로 바꿀 때, 접속사 that을 쓴다. 큰따옴표 안의 인칭대명사(I)는 전달자에 맞춰 바꾼다. 주절이 과거시제(said)이므로, 주절의 시제와 같도록 현재시제(have)를 과거시제(had)로 바꾼다.
(2) 의문사(where)가 있는 의문문을 간접화법으로 바꿀 때 「의문사+주어+동사」의 순서로 쓴다. 이때 my를 전달자에 맞춰 his로 바꿔야 하는 것에 유의한다.

(3) 의문사가 없는 의문문은 「if(whether)+주어+동사」의 순서로 쓴다.

24 (1) 의문사가 있는 의문문을 간접화법으로 바꿀 때 「의문사+주어+동사」의 순서로 쓴다.

(2) 평서문을 간접화법으로 바꿀 때 인칭대명사 I는 전달자에 맞춰 쓰고, 시제는 주절에 일치시켜야 한다.

25 ⓑ 과거에 일어난 역사적 사실이므로, 과거시제를 써야 한다.

ⓓ 격언이나 속담은 현재시제를 써야 한다.

문제로 쉬워지는 중학영문법

그래더 클라우드

3000제

정답 및 해설   LEVEL 2